लिवर प्रत्य
मेरे अनु

लिवर प्रत्यारोपण मेरे अनुभव

सफल लिवर प्रत्यारोपण के 15 वर्ष

डॉ. अशोक कुमार पंत

प्रकाशक
प्रभात प्रकाशन प्रा. लि.
4/19 आसफ अली रोड, नई दिल्ली–110002
फोन : 011–23289777 • हेल्पलाइन नं. : 7827007777
इ–मेल : prabhatbooks@gmail.com ❖ वेब ठिकाना : www.prabhatbooks.com

संस्करण
प्रथम, 2024

पेपरबैक मूल्य

———— ★ ————

LIVER PRATYAROPAN : MERE ANUBHAV
by Dr. Ashok Kumar Pant

Published by **PRABHAT PRAKASHAN PVT. LTD.**
4/19 Asaf Ali Road, New Delhi-110002

ISBN 978-93-5521-937-4

(PB)

Dr Dinesh Kumar Singhal
MD, DM
Consultant Gastroenterologist

Message

I have known Dr Ashok Kumar Pant for more than 15 years now. I first met him when he developed Cirrhosis and diagnosed very late. During his illness and later after liver transplant I always found him to be very optimistic and always trying to find positives out of every situation. After Liver transplantation he has dedicated his life to social service for the welfare of people of Pithoragarh and Uttarakhand. Now he has decided to write his experiences about dealing with Liver cirrhosis and Liver transplant in a book form. I am sure that this book, named Pangraf, will be a useful resource and provide inspiration to people who are suffering from liver diseases and contemplating undergoing liver transplant. At this point I will also applaud and appreciate the courage of his younger son Shivasheesh, who without any hesitation came forward to donate a part of his liver at such a young age.

My congratulations and best wishes to Dr Ashok Kumar Pant and his family for this book.

Dr. Dinesh Kumar Singhal

Pushpawati Singhania Research Institute for Liver, Kidney and Digestive Diseases (PSRI)
Press Enclave Marg, Delhi 110017
Tel: +91-11-30611900, 30611999Mob: +91-9810724630

Centre for Liver & Biliary Sciences

Prof (Dr.) Subhash Gupta
MS (AIIMS), FRCSED, FRCS (Gold)
Chairman - Centre for Liver & Biliary Sciences
DMC Reg. No.: 27710

Message

Dr. Ashok Pant is an outstanding human being whom I have known for many years now. My first encounter was when he was struggling with his liver disease and with help from his very supportive family, he has overcome his illness with remarkable success. Since then, he has devoted his entire life in support of causes dear to him. He has been deeply involved in counselling other patients and has really been a beacon of hope for those with advanced cirrhosis. He has shown that trust and faith in your doctor brings out the best in the treating team and this synergy helps in getting the best outcome and leads to a satisfying and fulfilling partnership. In modern times, when we look at every human interaction with the possibility of personal gain, there is forever doubt how we view our relationships.

This book will inspire many others who face a health crisis in their life to overcome the darkest moments with strength and fortitude. I wish the very best for Dr. Ashok Pant and eagerly looking forward to reading this book. I am sure this book will go a long way in promoting the cuase of organ donation and transplantation.

Dr. Subhash Gupta

Max Super Speciality Hospital, Saket
(West Block)
1, Press Enclave Road, Saket, New Delhi - 110 017
For medical service queries or appointments,
call: +91-11 6611 5050
www.maxhealthcare.in

Max Healthcare Institute Limited
Regd. Office: 401, 4th Floor, Man Excellenza, S. V. Road,
Vile Parle (West), Mumbai, Maharashtra - 400 056
T: +91-22 2610 0461/62
E: secretarial@maxhealthcare.com
(CIN: L72200MH2001PLC322854)

Dr. Manav Wadhawan
M.D (AIIMS), DM (GB PANT Hosp)
Senior Director
Department of Gastroenterology & Hepatology
Department of Liver Transplant (Medicine)
DMC - 7350

Message

I am so glad to know Dr. Ashok Kumar Pant is writing a book on his experiences of liver transplant as a recipient. I am sure this work he is doing will go a long way in helping to educate people about this nobel work called Liver transplant.

The sacrifices a patient as well a donor makes for the transplant to happen and also subsequently after transplant cannot be overemphasized. I am sure his endeavour will bring to light all these aspects of liver transplant (not only as an operation but also as the social change & cost)

Dr. Pant has done well after transplant, & that is because of his discipline & sheer dedication to maintain a healthy life

I wish Dr. Pant all the best for this book as well as all his future endeavours

Manav Wadhawan

Dr. B. L. Kapur Memorial Hospital
(A Unit of Lahore Hospital Society)
Pusa Road, New Delhi-110 005
24-Hour Helpline: +91-11-3040 3040
E: info@blkhospital.com
www.blkmaxhospital.com

अभिमत

डॉ. अशोक कुमार पंत, जिनसे मेरी पहली मुलाकात तमिलनाडु राज्य के चेन्नई शहर में 'राष्ट्रीय बाल विज्ञान कांग्रेस' के आयोजन के मध्य हुई थी। यह लगभग 27-28 वर्ष पूर्व हमारे साझा मित्र श्री रोहताश सिंह रघुवंशी द्वारा कराई गई थी। हम दोनों उत्तराखंडी, उसमें दोनों जनपद पिथौरागढ़ के रहने वाले, लेकिन मिलन तमिलनाडु में हो रहा था।

मुझे तब मालूम नहीं था कि यह मुलाकात आगे चलकर कितनी सुखद एवं कारगर सिद्ध होगी। मैं भारत सरकार के ऐसे प्रभाग में कार्य करता था, जिसमें पंत जी की काफी अभिरुचि थी, जिसके फलस्वरूप एक तरफ विज्ञान एवं प्रौद्योगिकी का एक विशिष्ठ प्रभाग, विज्ञान एवं प्रौद्योगिकी संचार परिषद् और दूसरी तरफ डॉ. पंत द्वारा स्थापित एक कटिबद्ध स्वयंसेवी संस्था 'पहल' ने मिलकर विज्ञान संचार से संबंधित कई कार्यक्रम उत्तराखंड राज्य के लिए सफलतापूर्वक संपन्न किए। पंत जी के साथ कार्यक्रम तो कई किए, उनमें बाल विज्ञान कांग्रेस, उत्तराखंड विज्ञान चेतना जत्था, खगोल विज्ञान लोकप्रियकरण और कई महत्त्वपूर्ण परीक्षण कार्यशालाएँ, जो विज्ञान संचार को त्रण मूल स्तर ले जाने में सक्षम रही।

पंत जी काम में जितनी निष्ठा, लगन, शिद्दत, आत्मविश्वास से करते थे, वह एक प्रेरणादायक है। उनकी अपनी व्यस्तता के मध्य एक ऐसा समय आया, जब उन्हें एक गंभीर स्वास्थ्य संकट से गुजरना पड़ा। यह अस्वस्थता

उनके लिवर का कार्य अवरुद्ध पड़ने से हो गई थी। हालाँकि पंत जी का जीवन बहुत सामान्य था। पता नहीं यह संकट उनके जीवन में कैसे हो गया, आज तक मेरी समझ में नहीं आया। मैं अपने ऑफिस के कक्ष में बैठा था, तब पंत जी एवं श्रीमती पंत जी ने कमरे में प्रवेश किया। दोनों मायूस लग रहे थे, परंतु दोनों में श्रीमती पंत ज्यादा विचलित लग रही थीं। वार्त्ता के दौरान पता चला कि उनका लिवर एकदम कार्य करने लायक नहीं रहा। चिकित्सकों की राय के अनुसार शल्य चिकित्सा/लिवर प्रत्यारोपण एकमात्र उपाय शेष था। मेरे मुँह से एक ही शब्द निकला—'Go for surgery/Liver transplantation' और कोई विकल्प नहीं है। आप अवश्य एवं शीघ्र ठीक हो जाएँगे।

यह मेरा आत्मविश्वास था कि पंत जी एकदम ठीक हो जाएँगे। प्रत्यारोपण का रास्ता इतना सुगम नहीं था। पंत जी ने सुनियोजित, संयमित एवं अनुशासित तरीके से कार्य को आगे बढ़ाया। छोटे बेटे शिवाशीष ने अपने कर्मठ पिताश्री के लिए पूर्ण रूप से समर्पित भाव से अपने अभिन्न अंग लिवर का एक अंश दान किया। सोचिए! वह मार्मिक क्षण कितना संवेदनशील होगा, जब पिता-पुत्र की शल्य-चिकित्सा से एक साथ पुत्र के लिवर का अंश पिता के अंग में प्रत्यारोपित हो रहा हो। ईश्वर की असीम कृपा एवं चिकित्सकीय कौशल से प्रत्यारोपण बहुत शानदार तरीके से हुआ और शत-प्रतिशत सफल रहा। आज इस उदाहरण से एक बात कितनी सटीक साबित होती है कि अंगदान (Organ donation) कितना महत्त्वपूर्ण व आवश्यक है, जिससे किसी का बहुमूल्य जीवन बचाया जा सकता है। अंगदान को प्राथमिकता देनी चाहिए।

अब प्रत्यारोपण तो हो गया, पर बात आती है इसके बाद की समस्याओं एवं अनुशासन से जीवन जीने की। इसका भी उदाहरण डॉ. अशोक कुमार पंत हैं, जो इतना संयम भरा जीवन ये जी रहे हैं, जो एक अजीब सा संकल्प लिये हुए हैं। डॉ. पंत जीवन के, समाज के हर पहलू से पहले से भी अधिक जुड़े हुए हैं। उनकी जीवन-शैली से आज सभी को एक सीख मिलती है। वह उनका आत्मविश्वास, संयमी जीवन, खान-पान में जटिल अनुशासन, समाज के प्रति संवेदनशीलता, कार्यक्षेत्र के प्रति लगन की भावना है, जो यह साबित

करती है कि मनुष्य अपने जीवन जीने के अतिरिक्त समाज की निष्ठापूर्वक सेवा कर सकता है। डॉ. अशोक पंत जी आज की तिथि में पूर्ण रूप से स्वस्थ, कार्य-निवारण की क्षमता में दक्षता का एक बेहतरीन उदाहरण हमारे सामने हैं, जिसका सभी को प्रेरणास्वरूप अनुकरण करना चाहिए। जब पंत जी पिथौरागढ़ से दिल्ली अपना वाहन खुद चलाते हुए आते हैं, तब मैं बहुधा कहता रहता हूँ कि पंत जी, एक चालक साथ में रख लो, लेकिन वे एक कुशल ड्राइवर भी हैं। उनको ड्राइव करने में आनंद भी आता है। अरे भाई! पंत जी तो एक विलक्षण व्यक्तित्व का नाम है।

एक बात और बताऊँ, पंत जी ने जहाँ कहीं भी काम किया, वहाँ वे अपनी अभीष्ठ छाप छोड़ के आए हैं। इस श्रृंखला में सरस्वती देव सिंह इंटर कॉलेज, पिथौरागढ़ का कायाकल्प के साथ प्रशासनिक एवं शैक्षिक उपलब्धियों के रूप में लोग याद करते हैं।

पंत जी के स्वस्थ जीवन में उनकी पत्नी श्रीमती कंचन जी का बहुत बड़ा हाथ रहा है। उनकी समुचित देखभाल में श्रीमती पंत का बहुत बड़ा योगदान रहा है।

पिथौरागढ़ एक सीमांत जनपद है। जनपद की अपनी भौगोलिक, सामाजिक, आर्थिक परिस्थितियों के साथ सर्वप्रथम निजी क्षेत्र के व्यावसायिक डिग्री कोर्सेज को चलाना आसान कार्य नहीं है। पंत जी ने मानस कॉलेज ऑफ साईंस, टैक्नोलॉजी एंड मैनेजमेंट की स्थापना कर इसको साक्षात् क्रियान्वित करके दिखाया है। इस संस्थान की स्थापना के उपरांत पहाड़ी क्षेत्र से पलायन को कुछ हद तक रोका जा सकेगा, जोकि आगे चलकर एक मील का पत्थर सिद्ध होगा।

अपनी अस्वस्थता, लिवर ट्रांसप्लांट जैसी संघर्षपूर्ण प्रक्रिया एवं पोस्ट ट्रांसप्लांट के पिछले 15 वर्षों के अनुभवों को आम आदमी की भाषा में 'लिवर प्रत्यारोपण : मेरे अनुभव' नामक पुस्तक के माध्यम से समाज में स्वास्थ्य संचेतना एवं अंगदान के महत्त्व को प्रसारित करने के उद्देश्य से जो पुनीत कार्य किया जा रहा है, अत्यंत प्रशंसनीय है। पुस्तक प्रकाशन हेतु मेरी

शुभकामनाएँ डॉ. पंत के साथ हैं। मेरा प्रबल विश्वास है कि डॉ. पंत पूर्ण रूप से स्वस्थ एवं सुखी रहेंगे और अपने दृढ़-संकल्प में निरंतर अग्रसर रहेंगे। डॉ. पंत ने जो उदाहरण सभी के समक्ष रखा है, हम सब उससे सीख लें और उज्ज्वल भविष्य की ओर बढ़ें।

शुभकामनाओं सहित,

—डॉ. डी.के. पांडे

वरिष्ठ वैज्ञानिक (से.नि.)

विज्ञान एवं प्रौद्योगिकी विभाग,

भारत सरकार

A New Lease of Life: 15 Years of Liver Transplant

It was the late night of 4 Jan, 2009, got a call on my mother's mobile, I received the call and the words from other side were—"Ashok Pant ji ki family se bol rhe hain? Operation successfully ho gya hai bas thodi der me OT se bahar aa jaenge". It was the call from Dr. Manav Wadhawan. I communicated this immediately to my mother and we then took a proper deep breath after nearly 18 hours. We immediately rushed near to the lift outside the OT and waited there long to see Shiva and Papa coming out of OT—once they were taken out of OT, a drop from the ocean of emotions came out of all of our eyes and I felt that my face had been immersed in water for very long and now it was just taken out. A life (of my father) who was declared 'about to die' by the doctors, took a lew lease and from that point in time, there is no looking back till date.

That was definitely a very dark phase of life for us where we had no option except taking risk of a life. The 5 years pre-transplant were also traumatic where the wrong diagnosis of Papa led to suffer a lot, and this phase lastly ended us up with no option other than the Liver Transplant. Liver transplant - one of the rarest operations and had no records of long survival of post-transplant at that time. Truly speaking, it was not only the risk of life of Papa, but also a tough phase financially, emotionally and mentally. Papa landed up with many liabilities due to this high-cost operation/treatment. It took quite a long, but as they say—This too shall Pass, somehow, we overcome this journey struggling and sailing through the tough rides.

I thank each and every member of the team of Doctors and support staff who contributed towards the successful treatment of Papa, especially Dr. Subhash Gupta, Dr. Manav Wadhawan, Dr. Dinesh Singhal and Dr. Pankaj Lohia for giving their fullest to revive the life of Papa. 'Medicines cure diseases, but only doctors can cure patients'—this suit apt for Dr. Dinesh Singhal, as his initial guidance is the reason why everything from the darkest point went towards the lights of hope. I believe his guidance and continuous mentorship has cured Papa, more than the medicines at that time. The key doctors of the transplant team Dr. Subhash Gupta, Dr. Manav Wadhawan and Dr. Pankaj—we are and always remain grateful for their efforts in making the complex operation successful. Post transplant as well, the continuous advice and consultations with Dr. Subhash Gupta and Dr. Manav Wadhavan has made it possible to live a healthy life after the liver transplant and Papa continuously goes to Delhi every 6 months with his blood reports, just to see the satisfaction in the eyes of his doctors and the 4 words by the doctors—'your reports are excellent !' recharges him for next 6 months everytime.

Among all these is a boy who, at that time was pursuing his B.D.S. degree, came forward as a saviour for Papa as a donor for this Liver transplant operation—my younger brother Dr. Shivasheesh Pant. That was the point where a father became the 'Jigar ka Tukda' of his own son and we are always indebted to him for this sacrifice at that early age. "All the doctors involved throughout and Shiva are no one else than a form of God, who came to our life to save the life of Papa. Whatever tough times we went through, I always have a belief on my almighty that someday we will see the bright side. Ultimately, this treatment (pre and post-transplant), has made us more stronger than ever. The only things which I never let down is my confidence on the God and trust on the doctors. I have and will always stand by with you father and ready for any kind of sacrifice for his life"—says my mother, Mrs. Kanchan Lata Pant.

Post transplant, Papa has lived life at fullest and consider himself as the happiest person. After completing a decade, he was honored as Liver Champion by Max Hospitals, Delhi. He is now an inspiration for many and contributes a lot towards the upliftment of different sectors in the society.

This book brings the experiences pre and post liver transplant in a non-medical language, which every person can read and relate to. I am sure this book will inspire many not only to believe in the continuously growing modern science, but also mainly for Organ Donation. My Father is an example who is living such a beautiful life, just because of receiving and organ, and my brother is living a very healthy life even after donating an organ. Through this, I would like to urge everyone to encourage the organ donation, wherever possible.

Lastly, from receiving that call at very late night on 4 Jan, 2009, 10'o clock became the most critical time of all of our lives in the family because Papa has to mandatorily take a medicine (immunosuppresent) namely 'Pangraf' at 10 am (for many years at 10 am and 10 pm, but now only at 10 am) daily throughout the life to sustain the transplanted graft. Wherever we are, whatever we are doing, the only thing which comes to our mind at 10 am from last 15 years is 'Papa' and 'Pangraf'.

—Devasheesh Pant

(Son)

जिसके जीने से बहुत से लोग जीवित रहें इस संसार में वास्तव में वही जीता है

अपनी उम्र के 33वें पड़ाव पर कदम रखते हुए मुझे यह लगता है कि मेरे जीवन का सबसे महत्त्वपूर्ण, सार्थक एवं सफल दिन 4 जनवरी, 2009 का रहा, जिस दिन 18 वर्ष 6 माह की उम्र में मैं अपने पूज्य पिता के जीवन-रक्षा का निमित्त बन सका। मुझे परम संतोष है कि उस उम्र में दुनियादारी का बहुत अनुभव न होते हुए भी मैं स्वेच्छा से अपने लिवर का एक हिस्सा अपने पिता पर प्रत्यारोपित कर अंगदान हेतु आगे आ सका। वर्ष 2000 से 2009 के बीच मेरे पिता की लिवर सिरोसिस की गंभीर अस्वस्थता उनके लिए तो अत्यंत कष्टकारी थी ही, साथ ही पूरे परिवार के लिए एक त्रासदी के समान थी। एक बार वह क्षण भी आया, जब ऐसा लगने लगा था कि परिवार के सामने एक अँधेरा अध्याय दस्तक दे रहा है। लेकिन ईश्वर ने शायद वह दस्तक एक नए अध्याय के शुभारंभ की दी थी। मेरे लिवर के एक अंश को प्रत्यारोपित कर विश्वविख्यात सर्जन डॉ. सुभाष गुप्ता एवं उनकी टीम ने मेरे पिता को नवजीवन प्रदान कर पूरे परिवार एवं समाज को नई रोशनी प्रदान की। आज अपने पिता डॉ. अशोक कुमार पंत के इन वर्षों के व्यक्तिगत, पारिवारिक, सामाजिक जीवन को देखकर मैं भीतर से प्रभावित रहने के साथ-साथ अत्यधिक संतोष का अनुभव

करता हूँ। मेरे जीवन की सार्थकता का यह एक महत्त्वपूर्ण पहलू है। लिवर प्रत्यारोपण के बाद मेरे पिता डॉ. अशोक कुमार पंत ने जिस तरह अपने व्यक्तिगत, पारिवारिक, सामाजिक, शैक्षिक और आध्यात्मिक उपलब्धियाँ प्राप्त की हैं, वह सिद्ध करता है कि उनका जीवन वस्तुतः बहुत से लोगों को नई राह, नई दिशा और नवजीवन प्रदान कर रहा है।

लिवर ट्रांसप्लांट के उपरांत मैंने अपनी मेडिकल की पढ़ाई पूरी की तथा अपने क्लीनिक के माध्यम से विगत 11 वर्षों से जनसेवा कर रहा हूँ। ऑपरेशन के 21 दिन की अवधि के उपरांत से अब तक मैं पूर्ण स्वस्थ एवं सक्रिय जीवन जी रहा हूँ तथा किसी तरह की कोई शारीरिक या मानसिक दिक्कत नहीं है, वरन् पिता की जीवन-रक्षा का निमित्त बनने का संतोष मुझे नित नई ऊर्जा प्रदान करता है। इस बात को लिखने का मेरा उद्‌देश्य मात्र यही है कि यदि स्वस्थ लोग आवश्यकतानुसार अंगदान हेतु स्वेच्छा से आगे आने लगें तो समाज में नित हजारों लोगों का जीवन बचाया जा सकता है। अंगदान से अंगदाता को किसी प्रकार के नुकसान होने के भ्रम दूर कर लोगों को अंगदान हेतु प्रेरित करना ही मेरा एकमात्र लक्ष्य है। मेरा मानना है कि सुख-दुःख, लाभ-हानि, जीवन-मरण तो सब विधाता के हाथों में है, किंतु किसी के जीवन को विस्तार देने हेतु मनुष्य अंगदान द्वारा योगदान दे सके तो वह मरीज के लिए तो वरदान है ही, साथ ही अंगदान करने वाले के लिए स्वयं में जीवन की सार्थकता की अनुभूति है, जो एक दुर्लभ एहसास है। मेरा मानना है कि मेरे पिता की व्यवस्थित एवं संयमशील जीवनचर्या के साथ-साथ डॉ. सुभाष गुप्ता एवं डॉ. मानव वधावन की सतत मेंटरशिप, पूरा परिवार विशेषतः पूज्या माँ श्रीमती कंचन लता पंत का योगदान तथा समाज के वे सभी लोग, जिन्होंने हमें सकारात्मकता प्रदान की, इस सफल कहानी की आत्मा हैं। मैं इन सबके प्रति हार्दिक कृतज्ञता और कोटिशः धन्यवाद ज्ञापित करता हूँ। मुझे खुशी है कि मेरे पूज्य पिता अपने प्री एवं पोस्ट ट्रांसप्लांट अनुभवों को एक आम आदमी की भाषा में प्रस्तुत कर रहे हैं, ताकि लोग स्वस्थ जीवन के प्रति अग्रसर हों तथा समाज में अंगदान के महत्त्व को प्रसारित किया जा सके।

आशा है 'लिवर प्रत्यारोपण : मेरे अनुभव' नाम से प्रकाशित होने वाली यह पुस्तक समाज में अंगदान की मुहिम को एक नई दिशा देने में सफल होगी तथा कई संघर्षपूर्ण जीवन अपने जीवनकाल को सफल विस्तार दे सकेंगे।

—डॉ. शिवाशीष पंत

आशीर्वचन

18 अप्रैल, 1958 की रात्रि जिस नवजात शिशु की पहली किलकारी ने मेरे मानस की अंत:सलिला को वात्सल्य भाव से भर दिया था, उस अपने छोटे भाई अशोक को अंगुली पकड़कर जीवन-पथ पर आगे बढ़ाते हुए हम दोनों भाई-बहन अब तक अपने-अपने सुख-दु:ख को साझा करते आ रहे थे कि 13 मार्च, 2005 को उसके जीवन पर आए आसन्न संकट ने मुझे शोकाकुल कर दिया। जैसे-जैसे अपने हाथ से उसकी अंगुली छूटने का अहसास गहराता गया, मुझे शक्तिबाण से मूर्च्छित लक्ष्मण के प्रति श्रीराम का विलाप याद आता रहा—

अस विचारि जग जागहुं ताता।
मिलहि न जगत सहोदर भ्राता॥

चिकित्सकीय और उपचारात्मक त्रुटियों और वायरल संक्रमण के कारण मेरा सहोदर लिवर सिरोसिस जैसी जानलेवा बीमारी का शिकार हुआ, जिसका एकमात्र स्थायी निदान था—लिवर प्रत्यारोपण। घर का हर व्यक्ति अपने-अपने लिवर का अंशदान देने को तत्पर था, पर चिकित्सकीय मानकों पर लिवर अंशदान के लिए हनुमान सिद्ध हुआ भाई का छोटा बेटा शिवाशीष। 4 जनवरी, 2009 को दिल्ली के अपोलो अस्पताल के लिवर प्रत्यारोपण में सिद्धहस्त डॉ. सुभाष गुप्ता और उनकी पूरी टीम ने शिवाशीष के लिवर का अंश लेकर उसके पिता को संजीवनी प्रदान की और हम सब अशोकत्व को प्राप्त हुए। 4 जनवरी, 2024 को भाई के लिवर प्रत्यारोपण को 15 साल पूर्ण हो रहे हैं, इस अवसर पर भाई की आत्मकथा के इस छोटे से अंश को

प्रकाशित करने का मंतव्य उन सबके प्रति कृतज्ञता ज्ञापित करना है, जो भाई को नवजीवन देने में हमारे शुभचिंतक, सहयोगी और सहयात्री रहे।

भाई अशोक बाल्यकाल से ही अपने बहुआयामी व्यक्तित्व, प्रगाढ़ चिंतन, असाधारण प्रत्युत्पन्नमति, असीम धैर्य, अदम्य साहस और अटूट आत्मविश्वास के चलते घर, विद्यालय, कार्यक्षेत्र और समाज में सबके प्रिय रहे हैं। लिवर प्रत्यारोपण से पूर्व के 4 वर्षों की रुग्णावस्था में भी जिस तत्परता से उन्होंने अपने शोधकार्य को पूर्ण किया, वह उनकी अपने कर्तव्य के प्रति संकल्पबद्धता का अप्रतिम उदाहरण है। उत्तराखंड राज्य निर्माण के समय से ही वे विज्ञान एवं प्रौद्योगिकी विभाग, भारत सरकार के 10 से 17 वर्ष तक के बच्चों में वैज्ञानिक दृष्टिकोण और अनुसंधान की प्रवृत्ति जगाने के उद्देश्य से संचालित राष्ट्रीय बाल विज्ञान कांग्रेस के उत्तराखंड राज्य समन्वयक रहे। विद्यालयी स्तर से राष्ट्रीय स्तर तक इस कार्यक्रम को वे अपनी अनिश्चित साँसों तक पूरी निष्ठा से पूरा करते रहे। वर्ष 2007 में उन्हें राष्ट्रीय शिक्षक विज्ञान कांग्रेस का राष्ट्रीय समन्वयक मनोनीत किया गया, जिसके आयोजन की सार्थकता, भव्यता और उपलब्धियों को देश भर से आए शिक्षक, सहकर्मी और सहयोगी आज तक याद करते हैं।

डॉ. पंत ने अपनी बीमारी के प्रारंभ से लेकर उपचार, लिवर प्रत्यारोपण तथा पोस्ट ट्रांसप्लांट के 15 वर्षों की जीवनचर्या में जिस अनुशासन का परिचय दिया है, वह जहाँ यह संदेश देता है कि प्रत्यारोपित व्यक्ति किस तरह अनुशासित और संयमित रहकर अपनी जीवन प्रत्याशा अवधि बढ़ा सकता है, वहीं यह भी संदेश देता है कि प्रकृति के अनुकूल खान-पान और संयमित जीवन-शैली किसी भी व्यक्ति को पूर्णतः स्वस्थ रखने के लिए महत्त्वपूर्ण है। जिह्वा के स्वाद पर नियंत्रण से बीमारियों के होने की संभावना और उनके उपचार में होने वाले बड़े व्यय से बचा जा सकता है। यों तो सामान्य जीवन सभी जीते हैं, पर जीवन की सार्थकता उसके हर पल का सदुपयोग करने में है। डॉ. पंत अपने उपचार, प्रत्यारोपण और पोस्ट ट्रांसप्लांट पर किए गए व्यय का अपने प्रतिदिन के जीवन-मूल्य के सापेक्ष आकलन कर प्रत्यारोपण से प्राप्त

नवजीवन के एक-एक दिन का जिस तरह सार्थक उपयोग करते हैं। उसकी एक झलक आपको इस पुस्तक में मिल जाएगी और निश्चित ही हम सबके लिए प्रेरणादायक और पथ-प्रदर्शक सिद्ध होगी।

डॉ. पंत स्वयं विज्ञान के विद्यार्थी और शिक्षक रहे हैं और विज्ञान लोकप्रियकरण, संचारीकरण और संवेदीकरण उनका सामाजिक कार्यक्षेत्र है। इसी वैज्ञानिक दृष्टिकोण के चलते उन्होंने अपने शुभचिंतकों की झाड़-फूँक आदि की बात को नकारते हुए केवल चिकित्सकीय परामर्श पर ध्यान केंद्रित किया और अब भी अनवरत अपने चिकित्सकों के संपर्क में रहते हैं। यह भी जनसामान्य के लिए एक उदाहरण है कि स्वास्थ्य को लेकर कभी भी झाड़-फूँक अथवा अंधविश्वासों के फेर में नहीं पड़ना चाहिए। बीमारियों के इलाज के लिए डॉक्टरों की राय ही एकमात्र विकल्प है। लिवर प्रत्यारोपण के बाद वह स्वयं तथा उनका डोनर बेटा शिवाशीष दोनों स्वस्थ और सार्थक जीवन जी रहे हैं। उनसे प्रेरित होकर लोग रक्तदान, नेत्रदान और अंगदान के लिए आगे आएँ और जीवन की आशा खो चुके लोगों को नवजीवन देकर अपने जीवन को सार्थक करें, इसी उद्देश्य से डॉ. पंत की आत्मकथा के इस अंश का सद्य:प्रकाशन किया जा रहा है।

महान् भौतिक विज्ञानी आइंस्टीन ने भी यह स्वीकार किया था कि इस संसार का हर घटनाक्रम केवल भौतिकी के नियमों से नहीं घटता, निश्चित ही कोई चेतन शक्ति इस विश्व की नियामक है। डॉक्टर पंत को लिवर प्रत्यारोपण की प्रक्रिया में अनायास ईश्वर को समझने और उसे अपनी तरह परिभाषित करने की जो उपलब्धि हुई, वही इस जन्म की सर्वश्रेष्ठ उपलब्धि है। उनकी यह उपलब्धि चिरस्थायी रहे और उन्हें नवजीवन देने वाले डॉ. शिवाशीष, डॉ. दिनेश कुमार सिंघल, डॉ. सुभाष गुप्ता, डॉ. मानव वधावन और अपोलो अस्पताल में उनके सहायक बने सभी जनों को यशस्वी भविष्य प्राप्त हो, इसी कामना के साथ मैं अपने भाई डॉ. अशोक कुमार पंत के नवजीवन की इस 15वीं वर्षगाँठ पर महामुनि मार्कंडेय जी से प्रार्थना करते हुए इस पुस्तक के सफल प्रकाशन की कामना करती हूँ।

मार्कंडेय महाभाग: सप्तकल्पान्त जीवित:
चिरंजीवी यथात्वं तथा मे भ्रातरं कुरू:।

—कमला पंत

प्राक्कथन

संस्मरण दर्ज करना भी एक अद्भुत कला होती है और यदि आपको दैनंदिनी (डायरी) लिखने की आदत है तो यह और भी निखरकर साहित्य की एक प्रखर अभिव्यक्ति बन जाती है। आत्मकथा भी इसी का दीर्घ प्रारूप है। संस्मरण मनोरंजक हो, ज्ञानवर्धक हो, गतिमान हो और पाठक के हृदय को उद्वेलित कर सके तो साहित्य की वैतरणी में बहकर लेखक के साथ पाठक भी तर जाता है। अशोक पंत जी ने ऐसा ही एक वितान रचा है, जिससे यह सीख तो मिलती ही है कि अंगदान जैसा पुण्यकर्म मानव जीवन के लिए कितना आवश्यक है और यह प्रोत्साहित किया ही जाना चाहिए, साथ ही स्वास्थ्य सेवाओं की पर्वतीय क्षेत्रों में विडंबना और महानगरों में जटिल उपलब्धता की ओर भी इंगित करता है। अपने चिकित्सकीय जीवन में मैंने अनेक रोगियों को देखा, सुना और पढ़ा है, लेकिन पोस्ट ट्रांसप्लांट की इतने वर्षों की उपलब्धि मेरे संज्ञान में कभी नहीं आई है। कैंसर के रोगियों की जीवनी की माप 'पाँच वर्ष की सर्वाइवल रेट' के आधार पर होती है और ट्रांसप्लांट के रोगी अधिकतम दस वर्ष तक जीवित रह पाते हैं, किंतु आधुनिक सुविधाओं और त्वरित अन्वेषण से यह सीमा अब बढ़ गई है, जैसा कि पंत जी के संस्मरणों से विदित होता है। रोगियों की मनोदशा, व्यवहार और उत्तेजना को मैंने भी प्रत्यक्ष देखा है एक चिकित्सक के रूप में और एक भावनात्मक लेखक के रूप में भी, लेकिन जिस प्रकार की जिजीविषा इस पुस्तक को पढ़कर आभाषित हुई, वह विलक्षण है। यह सौभाग्य ही था कि श्री पंत जी को सभी सेवाएँ सहज ही उपलब्ध हो गईं, अन्यथा अनहोनी होने में क्या देर लगती है!

सबसे पहले उस संदर्भ पर आता हूँ, जब डॉ. सिंघल ने पंत जी को लिवर ट्रांसप्लांट का सुझाव दिया। रोगी के लिए वह पल बहुत शॉकिंग होता है, जब उसे पता चले कि उसकी गंभीर बीमारी का उपचार बहुत जटिलतम है और उसे किसी अन्य व्यक्ति पर निर्भर होना पड़े। डॉक्टर सिंघल कहते हैं—"ऐसी (लिवर फेल्योर की) स्थिति में मरीज तीन से चार महीने जीवित रहता है, अब इसका कोई इलाज नहीं है। लेकिन पंत साहब मैं आपको लगभग पिछले चार सालों से देख रहा हूँ, इतनी कम प्लेटलेट्स काउंट व अस्वस्थता के बाद भी आप अकेले यहाँ आते हैं, बाहर जाते रहते हैं, अपनी सारी सोशल एक्टिविटीज करते रहते हैं, आपका कॉन्फिडेंस लेवल बहुत ऊँचा है और मैं आपको राय देता हूँ कि आप जैसे कॉन्फिडेंस वाले व्यक्ति को लिवर ट्रांसप्लांट अवश्य कराना चाहिए। बहुत अधिक खर्च आता है, पैसे व डोनर के बारे में तो आपको सोचना होगा; लेकिन मेरा विश्वास है कि आपका लिवर ट्रांसप्लांट अवश्य सफल होगा।" एक डॉक्टर द्वारा रोगी को कॉन्फिडेंस दिलाने का यह तरीका रोगी को सहमति देने के अतिरिक्त क्या उत्तर हो सकता है? अपने जीवन को जैसे ईश्वर को समर्पित कर देना हो। रोगी और डॉक्टर का एक-दूसरे पर परस्पर विश्वास ही आधी बीमारी को समाप्त कर देता है। ऐसे ही अनेक प्रसंग इस पुस्तक में मिल जाएँगे। डॉक्टर सिंघल का चरित्र उल्लेखनीय है, जिन्होंने बाद में पंत जी को एशिया के सुप्रसिद्ध लिवर सर्जन डॉ. सुभाष गुप्ता से मिलवाया और समुचित मदद भी की।

अब पंत जी की परेशानियों की गिनती करवाता हूँ। ऑपरेशन से पहले प्रत्येक व्यक्ति मानसिक रूप से अस्थिर हो जाता है और बहुत बार मेरे सामने भी ऐसा घटा है कि अंतिम निर्णय से पहले वह डगमगा भी जाता है। बहुत बार तो मरीज अस्पताल से भाग भी जाता है। जीवन और मृत्यु के बीच का अंतराल क्षणिक होता है। निश्चेतक के रूप में मेरे समक्ष भी ऐसे अनेक पल आए, जब एक लगभग स्वस्थ रोगी अचानक मृत्यु की गोद में समा जाता है या कभी अत्यंत गंभीर रोगी, जिसकी बचने की आशा नगण्य हो, पूर्णत: स्वस्थ हो जाता है। ऐसी स्थिति में पंत जी की परेशानी उनके शब्दों में—'मौत

की नजदीकी आशंकाओं का निवारण, जीवन की अनिश्चितता, नमक-पानी की बंदी, डोनर की व्यवस्था, भतीजे की शादी, राष्ट्रीय बाल विज्ञान कांग्रेस में प्रतिभाग, 25 लाख रुपए की व्यवस्था, जीवन जीने की उत्कट अभिलाषा, अपने जीवन की उपयोगिता, बच्चों का भविष्य, मानस एकेडमी की स्थापना का अधूरा कार्य, कंचन जैसी समर्पित व सीधी-सादी पत्नी का भविष्य, दीदी की महत्त्वपूर्ण करीबी का अहसास, शिवा की बी.डी.एस. की महँगी पढ़ाई का अधर में होना, देवाशीष का कॅरियर, कोई मजबूत आर्थिक, सामाजिक अथवा राजनीतिक पृष्ठभूमि का अभाव, पिछले चार वर्षों में इलाज में किया गया खर्च और उसके उपरांत भी ऑपरेशन की सफलता अथवा असफलता आदि-आदि ऐसे असंख्य प्रश्नों की कड़ी भीतर-ही-भीतर चल रही थी। किंतु इन कड़ियों में अंतरात्मा की आवाज कि तुझे मरना नहीं है, तुझे अभी बहुत काम करने हैं, ने मानो सारे प्रश्न हाशिए पर डाल दिए।' इन सब चिंताओं के बाद भी चिंतन करते हुए व्यवस्थाओं में जुट जाना और सफल होना—एक कीर्तिमान नहीं तो क्या है?

सहयोग देने वालों की कमी नहीं थी। पूरा परिवार तो जुटा ही, मित्र भी आ मिले। जब ठान लो और अकेले भी चल पड़ो तो कारवाँ बन ही जाता है। छोटे पुत्र शिवाशीष का मात्र 18 वर्ष की वय में डोनर का रूप धारण करना, श्रवण कुमार की गरिमा पाता है, दीदी कमला पंत (जो मेरी भी मुँहबोली दीदी हैं और इस प्राक्कथन का माध्यम बनी) ने आर्थिक पहलू पर एड़ी-चोटी का जोर लगाकर धनोपार्जन का महत्त्वपूर्ण कार्य किया और कुबेर की उपमा पाई। कंचन जी वास्तविक जीवनसंगिनी का सहयोग व सहमति एक मित्र की भाँति सदा धैर्य देती रही और बड़े पुत्र देवाशीष की चिंता कि वह विशेष मदद नहीं कर पाया ही उसका पिता के प्रति संपूर्ण समर्पण था। असहयोग करने वाले या तटस्थ पात्र भी इस कहानी में हैं, किंतु मैं उनका जिक्र नहीं करूँगा, पंत जी ने जितना जिक्र किया, काफी है।

प्रतिरोधक क्षमतानाशक दवाएँ क्या हैं? यानी इम्यूनोसप्रेसेंट्स, जैसे पैनग्राफ (टेक्रोलिमस), सीरीलीमस, एवरोलिमस, मिजोरीबीन, साइक्लोपस्पोरिन और

प्रेडनिसोलोन आदि। एक तरफ हम प्रतिरोधक क्षमता बढ़ाने की बात करते हैं और दूसरी ओर पंत जी की प्रतिरोधकता को घटाया जाता रहा है तथा पैनग्राफ उनकी जीवनसंगिनी बन गया है। यह इसलिए कि वह अंग जो प्रत्यारोपित किया गया है, आपका स्वयं का नहीं है, बल्कि डोनर का है (चाहे आपका बेटा ही सही, पर वह फॉरेन बॉडी है) और शरीर उसे एक फॉरेन बॉडी मानकर एंटीबॉडीज द्वारा उसपर आक्रमण करता है, जो घातक हो सकता है, तब ये इम्यूनोसप्रेसेंट या एंटी रिजेक्शन दवाएँ काम आती हैं और जीवनपर्यंत खानी पड़ती हैं। क्या विडंबना है कि जिस प्रतिरोधक क्षमता को बढ़ाने के लिए कोरोना महामारी के दौरान हमने अनेक प्रयत्न किए, एक अंग प्रत्यारोपित व्यक्ति में उसे ही घटाया जाता है और इसीलिए पंत जी को संक्रमण से बचने के लिए वे सभी सावधानियाँ अपनानी पड़ीं, जो हमने कोरोना काल में अपनाईं। अत: यह निष्कर्ष सत्यापित होता है कि पैनग्राफ वह बुद्धिमान् पुत्र और चतुर पति है, जो सास-बहू के बीच जीवन भर सामंजस्य बनाए रखने में सफल रहता है। अब चूँकि पंत जी ने उसे जीवनसंगिनी कहा है और कंचन भाभी ने भी स्वीकार लिया है तो रुक्मिणी और सत्यभामा को चरितार्थ समझा जाए।

अस्पताल एक दर्दभरी कहानियों की किताब है। हर मरीज की अपनी कहानी, जिसे सुनते-सुनते डॉक्टर भी उकता जाते हैं और चिड़चिड़े हो जाते हैं। लेकिन रोग की गंभीरता और रोगी की मानसिकता को समझते हुए जो डॉक्टर सांत्वना के अवतार बनकर रोगी को सुखद अनुभूति प्रदान करते हैं, वे उसके लिए ईश्वर का पर्याय बन जाते हैं। उस दिन नाश्ते में पंत जी की दूध पीने की इच्छा जाग्रत् हुई, क्योंकि रोज एक ही प्रकार का बिना नमक-पानी के स्वादहीन भोजन से वे उकता गए थे। समय से दूध उपलब्ध नहीं हो सका तो वे गुस्से में बड़बड़ाने लगे और नर्स से उलझ बैठे। चूँकि किसी भी रोगी को डॉ. गुप्ता की अनुमति के बिना खान-पान में बदलाव संभव नहीं था और उनसे संपर्क नहीं हो सका, इसलिए देर हुई। पर तब तक तो पंत जी ने वार्ड में तहलका मचा दिया। अंत में दो-तीन घंटे की देरी से दूध उपलब्ध हो ही गया और पतला करके पिलाया भी गया, तब पंत जी शांत हुए। डॉ. पंकज दिन में

राउंड लेने आए तो पंत जी ने उनसे फिर शिकायत की। डॉ. पंकज बोले, "मैं ही तो भैंस ढूँढ़ने गया था, तभी देरी हुई, पर दूध तो आखिर मिल गया ना!" यह सुनकर गंभीर माहौल सरल हो गया और पंत जी भी मुस्करा दिए। डॉक्टर पंकज ने कितनी सहजता से स्थिति शांत की। ऐसे ही कई रोचक और पठनीय किस्से बड़ी सरल भाषा में लेखक ने उडेल दिए हैं। विज्ञान के प्रचार-प्रसार में दोनों भाई-बहनों का (अशोक जी व कमला दीदी) का योगदान प्रशंसनीय है। एक स्कूली शिक्षा प्रदान करता है और दूजी विज्ञान पत्रिकाओं के माध्यम से समाज में जागरूकता फैलाती है। एक अत्यंत रोचक किस्सा है, पंत जी उदास थे उस दिन। सिस्टर ने आकर उदासी का कारण पूछा, पर वे कुछ बोले नहीं, उदास ही बैठे रहे। सिस्टर ने जाकर दूसरी सिस्टर से बात की तो वह भी कारण पूछने आ गई। बोली, "ये वाली पसंद नहीं थी तो मुझे बुला लिया होता।" पंत जी की उदासी टूटी और मुस्करा दिए। अपोलो अस्पताल में हर कर्मचारी मरीजों का कितना ध्यान रखते हैं, इस प्रकार के अनेक संस्मरण लिखित हैं।

लेखक के अनुसार, 'सिस्टर्स का व्यवहार अत्यंत मधुर एवं आत्मीयता से भरा था। केरल या मणिपुर की रहने वाली थी ये नर्सें। वे आपस में अपनी भाषा में बोलती थीं। बीस-पच्चीस साल की उम्र की थीं सभी सिस्टर्स, किंतु इस जवान उम्र में वे चिकित्सा-सेवा व नर्सिंग के कार्य में डूबी हुई थीं। मुझे उनके व्यवहार, समर्पण व कार्यशैली से अनुभव हुआ कि ईश्वर ने उन्हें शायद मानव-सेवा का पुनीत धर्म दिया है। वे नौकरी के भाव से नहीं, पूरी सेवाभाव से, निस्स्वार्थ व नेकनीयत से अपने मिशन में डूबी थीं। उन्हें यह कार्य करने में गर्व की अनुभूति होती थी।' मनोविज्ञान की अनेक परतें खोल दी गई हैं लेखक द्वारा, इसलिए कथानक रोचक और सराहनीय है।

हमारे समाज में रहते हुए रोगी व उसके परिवार के लिए सबसे प्रतिकूल समय वह होता है, जब रोगी को देखने का ताँता लग जाता है। अनेक प्रकार की सलाह, राय, उपदेश, नियम और आपबीती सुनाकर लोग रोगी व उसके परिवार को असमंजस में डाल देते हैं। इसका बहुत सुंदर चित्रण पंत जी ने किया है। वे लिखते हैं, "समाज का तकाजा शुरू हुआ और फिर शुरू हुआ

हालचाल जानने वालों का आना-जाना। दो-चार दिन में ही स्थिति यह हो गई कि प्रातःकाल मैंने नहाने-धोने का कार्य भी न किया होता था, लोग आने लगते और यह दौर रात 9-10 बजे तक चलता रहता। मैं सुबह ही नहा-धोकर तैयार हो जाता, जैसे कि मुझे ड्यूटी पर जाना है। लोगों के आने का सिलसिला बना रहता, इतना कि मैं दो दिन लंच भी न ले सका। मैं काफी कमजोर हो गया था। नमक-पानी एक माह से बंद था, क्रेम्प्स से परेशान था, पर सामान्य व्यक्ति की तरह लोगों से मिल रहा था।" इन मुश्किलों के बाद भी पंत जी ने सभी बंधु-बाँधवों को लिवर ट्रांसप्लांट की बारीकियों को समझाने का प्रयास किया और स्वयं पर आत्मविश्वास बनाए रखा।

शिवाशीष, पंत जी का छोटा पुत्र समाज के लिए एक उदाहरण बनकर सामने आया है। यों तो माता-पिता अपने बच्चों के लिए अपना सर्वस्व न्योछावर करते हैं, लेकिन इस छोटी सी उम्र में जिस तत्परता से उसने अपने यकृत के एक भाग को पिता के लिए दान करने की हामी भरी वह सराहनीय है। वैसे तो वही उत्तम डोनर था और किसी अन्य की आवश्यकता नहीं पड़ी, किंतु यह साहसिक कदम था और इसीलिए पंत जी ने उसे श्रवण कुमार की संज्ञा दी है।

एक और तथ्य जो विशेष रूप से रोगी व चिकित्सक के व्यवहार से संबंधित है, उजागर करना चाहूँगा। अनेक बार ऐसा होता है कि रोगी या तो अपनी परेशानी समझा नहीं पाता है या डॉक्टर अपनी व्यस्तता के कारण समय नहीं दे पाता है और रोगी का डॉक्टर अथवा अस्पताल के प्रति रवैया बदलने लगता है। वही अनुभव वह समाज में फैलाता है। कोई भी डॉक्टर बुरा नहीं होता है, बस समझ का फेर है। ऑपरेशन के 16 दिन बाद भी पंत जी बेचैन थे, घबराहट और समुचित नींद न आने के कारण, पर कोई डॉक्टर समझ नहीं रहा था। उन्हें अपना शरीर असामान्य-सा लगता था, जैसे सबकुछ ठीक न हो। उस दिन राउंड पर आए डॉक्टर से वे उत्तेजित होकर जिद करते हुए कारण पूछ ही बैठे। निवारण डॉक्टर ने इन शब्दों में किया, "पंत जी आपने सास-बहू का किस्सा तो सुना ही है न? सास को अपनी कमर में लटका चाबियों का

गुच्छा बहू को देना कितना कष्टप्रद लगता है, वही स्थिति आपकी भी है।" यानी पंत जी का लिवर सास है तथा ट्रांसप्लांटेड लिवर बहू है और इनमें तालमेल समय के साथ ही होता है, जब संस्कार रूपी पैनग्राफ सामंजस्य बैठा सके। तब पंत जी को सारी स्थिति समझ में आई और धीर-धीरे शिवाशीष द्वारा दान किया लिवर उनका अपना अंग बन गया। दूसरा उदाहरण डॉक्टर साहब ने एक अवांछित मेहमान का दिया, जो घर के सदस्य की भाँति आचरण करने लगता है, सबसे घुल-मिल जाता है और फिर उसे हमें अपनाना ही पड़ता है। यही सब तो समझने की आवश्यकता है।

विचारशील व्यक्तित्व के धनी लेखक ने सामाजिक प्रतिबद्धता के अनुरूप अपने संस्मरणों को मानव उत्थान की परिकल्पना करते हुए ऐसी सघन बीमारियों से पीड़ित रोगियों के कल्याण की कामना की है, इसलिए भी यह कदम सराहनीय है। मुझे ज्ञात है कि वे अध्यापक हैं और विज्ञान के प्रचारक-संवर्धक हैं, तथापि साहित्यिक भाषा के विकल्प में उन्होंने जन-साधारण में बोली जाने वाली भाषा का ही प्रयोग किया है, जिसमें कठिन चिकित्सकीय शब्द भी हैं, किंतु जिस प्रकार सरकारें विज्ञान का सरलीकरण कर रही हैं, चिकित्सा व तकनीकी आदि विषयों को हिंदी या स्थानीय भाषा में पढ़ाने की बात कर रही हैं, भविष्य में पंत जी की भाषा इस दिशा में एक उदाहरण प्रस्तुत करती सी जान पड़ती है। इसके अतिरिक्त उन अंग्रेजी शब्दों का हिंदी में पर्याय ढूँढ़ना भी एक बड़ी कसरत होती, जो मुझ जैसे अल्पज्ञ चिकित्सक के लिए भी सर्वथा अनुकूल नहीं होता। साहित्यिक रुचि रखने वाले चिकित्सक के लिए सर्वथा अनुकूल नहीं होता।

मेरे विचार से यह संस्मरण जन-साधारण से लेकर पीड़ित रोगियों और उनके परिजनों, चिकित्सकों और स्वास्थ्यकर्मियों को भी जीवन जीने की प्रेरणा देते हुए नए आयामों की रूपरेखा रखेगा। उनके अनुसार, "इस ऑपरेशन के बाद हुए पुनर्जन्म ने मुझे भूख, हवा, समाज व शरीर की प्राकृतिकता की वैज्ञानिक, मनोवैज्ञानिक एवं सामाजिक वास्तविकताओं का ज्ञान करा दिया था।" यानी जीवन कितना महत्त्वपूर्ण है, यह समझा दिया था। और जीवन है

तो सबकुछ है। मृत्यु तो शून्य है। जीवन ही यथार्थ है, कर्म है, और कर्मों के आधार पर ही मृत्यु-पश्चात् का जीवन अथवा अमरता निर्भर करता है।

जिंदगी एक नदी है, जिसके बहाव में सुख-दुःख रूपी दो किनारों पर पानी रूपी साँसों का टकराव होता ही है, किंतु सागर से मिलना है तो बीच का रास्ता अपनाना ही पड़ता है। जो किनारों से टकराकर बिखर जाता है, वह चाहे सुख का हो या दुःख का, मिलन का अंतिम आनंद नहीं पा सकता। लक्ष्य-प्राप्ति के लिए संघर्ष आवश्यक है और लेखक ने इसे सहर्ष स्वीकार ही नहीं किया, कर दिखाया है। उनके व्यक्तित्व का सबसे सकारात्मक पक्ष यह है कि स्वयं की चिकित्सकीय व उपचारात्मक त्रुटियों से जैसे उन्हें जीवन की बाजी लगानी पड़ी, वैसी अन्य किसी को न लगानी पड़े। इस मानवीय संवेदना ने उन्हें 'विमर्श हेल्पलाइन' संचालित करने की प्रेरणा दी। इस हेल्पलाइन के माध्यम से कई असाध्य रोगियों को अपने रोग का समुचित उपचार पाने का मार्ग मिल रहा है।

मुझे आशा है कि अशोक पंत जी द्वारा रचित 'लिवर प्रत्यारोपण : मेरे अनुभव' समाज को चिकित्सकीय पद्धतियों, दवाओं की उपयोगिताओं, अस्पतालों के कर्मियों की जिम्मेदारियों तथा रोगियों की वैज्ञानिक विधाओं पर आसक्ति के प्रति जागरूकता का प्रतिपादन करते हुए अपनी नई ऊँचाइयों को छुएगी। अंगदान के प्रति 'पहल' संस्था के माध्यम से भी लिवर, किडनी, आँख, रक्त आदि अवयवों के दान करने की प्रवृत्ति जाग्रत् करने के प्रयास होते रहेंगे और सामाजिक चेतना उभरेगी। अंत में, इस सद्भावना के साथ कि लिवर ट्रांसप्लांट जैसी जटिल शल्यक्रिया सभी को सहज उपलब्ध हो तथा पंत जी अनेक वर्षों तक एक जीवित उदाहरण के रूप में नए कीर्तिमान स्थापित करते रहें, मैं भी ईश्वर के प्रति अपनी श्रद्धा और प्रार्थना निवेदित करता हूँ।

इति शम!

—डॉ. राकेश बलूनी
दून चिकित्सालय, देहरादून

अपनी बात

चिकित्सा विज्ञान नित नूतन ऊँचाइयाँ छू रहा है। असाध्य मानी जाने वाली बीमारियों का इलाज भी अब संभव हो गया है। जीवन को साध्य बनाने वाली श्रृंखला में अंगदान एक महत्त्वपूर्ण आयाम है। रक्तदान, नेत्रदान, बोनमैरो, किडनी व लिवर आदि अंगों को दान से प्राप्त करने पर जीवन की आशा खो चुके अधिकांश व्यक्तियों को नवजीवन प्राप्त हो रहा है। पहले लोग भय अथवा भ्रमवश रक्तदान को भी आगे नहीं आते थे, पर अब रक्तदान एक सामान्य प्रक्रिया हो चली है और लोग स्वेच्छा से रक्तदान के लिए प्रस्तुत होने लगे हैं; परंतु अन्य अंगों के दान के लिए अब भी संकोच की स्थिति बनी हुई है। जीवविज्ञान का विद्यार्थी व शिक्षक होने के साथ-साथ अपनी युवावस्था से ही विज्ञान लोकप्रियकरण और विज्ञान संचार के कार्यक्रमों से जुड़ा होने के बावजूद अपने स्वास्थ्य के प्रति सजग न होना मेरे जीवन की सबसे बड़ी त्रासदी रही। मुझ जैसे व्यक्ति, जिसने कभी शराब, सिगरेट, तंबाकू आदि को छुआ तक नहीं, उसे लिवर सिरोसिस जैसी जानलेवा बीमारी की पराकाष्ठा तक पहुँचाया और मेरे पुत्र डॉक्टर शिवाशीष ने मात्र 18 वर्ष, 6 माह की उम्र में अपने लिवर का एक हिस्सा दान कर मुझे पुनर्जन्म दे दिया। 4 जनवरी, 2009 को एशिया के ख्यातिप्राप्त लिवर ट्रांसप्लांट सर्जन डॉ. सुभाष गुप्ता ने अपनी टीम सहित दिल्ली के अपोलो अस्पताल में मेरा लिवर प्रत्यारोपण कर प्राप्त हुए नवजीवन को एक सतत जीवनसंगिनी भी दे दी, जिसका नाम है—पैनग्राफ। एक अपरिचित और अपरिभाषित नाम सुनकर आप भी चौंके होंगे न? दरअसल, पैनग्राफ एक दवा का नाम है, जो मुझे इस प्रत्यारोपित

लिवर को शरीर के अन्य सभी अंगों के साथ तालमेल बिठाकर सामान्य जीवन जीने के लिए जीवन भर सेवन करनी है। पिछले 15 वर्षों से वह सतत रूप से मेरी जीवनसंगिनी है तथा जब तक ईश्वर प्रदत्त प्राकृतिक श्वासें रहेंगी, वही मेरी जीवनसंगिनी बनी रहेगी। उसका वियोग मेरे लिए प्राणघातक होगा। इसका उल्लेख करना इसलिए जरूरी है, क्योंकि लिवर प्रत्यारोपण के 2-3 साल बाद व्यक्ति अपने को बिल्कुल सामान्य, बल्कि ज्यादा स्फूर्तिवान महसूस करता है और उसे लगता है कि अब उसे दवा की जरूरत नहीं है। वह दवा के प्रति लापरवाह हो जाता है। बस, यही लापरवाही उसके स्वास्थ्य पर भारी पड़ जाती है। चिकित्सक द्वारा दी गई सारी हिदायतें, वैयक्तिक स्वच्छता, खान-पान का संयम तथा प्रदूषण से बचाव ही लिवर प्रत्यारोपित व्यक्ति को दीर्घायुष्य प्रदान करता है।

'लिवर प्रत्यारोपण : मेरे अनुभव' मेरे 20 वर्षों के संघर्षपूर्ण, किंतु सफलतम जीवनकाल का छोटा सा आख्यान है। इसे आमजन के सम्मुख प्रस्तुत करने का मेरा मंतव्य केवल इतना है कि इसे पढ़कर लोग अपने स्वास्थ्य के प्रति सजग और सतर्क तो रहे हीं; जीवन के लिए संघर्ष कर रहे लोगों को यथासंभव अंगदान देकर नवजीवन भी दे सकें तथा इस भ्रांति का निराकरण हो कि दानकर्त्ता को अंगदान से कोई शारीरिक क्षति या असहजता होती है, ताकि आवश्यकता पड़ने पर अधिकतम लोग रक्तदान और अंगदान करने हेतु तत्पर हों। मैं स्वयं और मुझे अपने लिवर का अंशदान देने वाला मेरा पुत्र, दोनों ही एक स्वस्थ और संतुष्टिपूर्ण जीवन जी रहे हैं। इन 15 वर्षों में मैं अपने जीवन को पिछले 50 वर्षों के जीवन की तुलना में कहीं आगे देखता हूँ। सच तो यही है कि प्रत्यारोपण के बाद जितनी शीघ्रता से मैंने स्वास्थ्य-लाभ पाया, उसने सचमुच मुझे एक अलौकिक ऊर्जा से अनुप्राणित कर दिया है। अब मुझे लगता है कि ईश्वर ने मुझे समाज के अन्य लोगों को अपने स्वास्थ्य के प्रति सजग करने तथा आमजन को रक्तदान और अंगदान देने हेतु प्रोत्साहित करने की दिशा देने का माध्यम बनाया है। बस, इसी एक भावना से प्रेरित होकर मैं अपने जीवन में आए लिवर प्रत्यारोपण घटनाक्रम को

शब्द दे रहा हूँ। मेरे शब्द न तो कोई शोध ग्रंथ हैं, न कोई साहित्यिक अथवा चिकित्सकीय संरचना। ये मानवता के कल्याण के लिए निःसृत मेरे भाव पुष्प हैं, जिन्हें मैं उस विधाता के चरणों में समर्पित कर प्रसाद रूप में आपके हाथों में सौंप रहा हूँ। "सब जन नीरोग हों, सब सुखी हों, सबको दीर्घायु प्राप्त हो।"

न तु कामये राज्यं, न स्वर्गं न पुनर्भवः।
कामये दुःख तप्तानाम्, प्राणिनामार्तिनाशनम्॥

—डॉ. अशोक कुमार पंत
चेयरमैन
मानस ग्रुप ऑफ इंस्टीट्यूशंस
पिथौरागढ़ (उत्तराखंड)

अनुक्रम

प्रारंभिक लक्षण और उपचारात्मक त्रुटियाँ

'जिगर का टुकड़ा', अक्सर व्यवहार में प्रयुक्त होने वाला यह सुंदर वाक्यांश अपने सबसे करीबी एवं सबसे प्रिय व्यक्ति के बारे में प्रयोग किए जाने की कई अनुभूतियाँ समेटे हुए है। विशेषत: जब माँ अपने लाडले बेटे को 'जिगर का टुकड़ा' कहकर संबोधित करती है तो मातृत्व, ममता और वात्सल्य सब एक साथ पूँजीभूत होकर उसकी महत्ता को स्वत: परिभाषित कर देते हैं। मैंने व्यवहार में पाया कि चूँकि प्रेम, स्नेह या वात्सल्य की अनुभूति का स्थल हृदय है, अत: लोग जिगर को हृदय का पर्याय मान लेते हैं। मुझे स्वयं ही काफी समय बाद पता चला कि जिगर का मतलब हृदय नहीं, अपितु हमारे शरीर की सबसे बड़ी ग्रंथि या अंग 'यकृत' को जिगर या अंग्रेजी में 'लिवर' कहते हैं। यह एक ऐसा बड़ा अंग है, जो शरीर के लगभग 400 कार्यों को प्रत्यक्ष या परोक्ष रूप से संचालित एवं प्रभावित करता है। इसी कार्य शक्ति के कारण यह मानव शरीर का सबसे महत्त्वपूर्ण अंग है। जो भी भोजन हमारे द्वारा किया जाता है, उससे ऊर्जा एवं पोषक तत्त्वों का निर्माण इसी के द्वारा किया जाता है या सीधे-सीधे कह सकते हैं कि लिवर या यकृत पाचन क्रिया हेतु अति महत्त्वपूर्ण अंग है। रक्त में हानिकारक या विषैले पदार्थों को पृथक् करना हो, हमारे शरीर के प्रतिरोधी तंत्र का नियमन व संचालन हो, शरीर में प्रोटीन निर्माण, रुधिर का थक्का बनने या जमने की क्रिया हो, इसमें तैयार पित्त रस द्वारा शरीर में वसा एवं कोलेस्ट्रोल का पाचन या अवशोषण हो अथवा वसा में घुलने वाले विटामिंस का अवशोषण एवं पोषक तत्त्वों का शरीर में संचालन व नियमन, औषधियों का शरीर में संचार अथवा फिर

अंत:स्रावी ग्रंथियों द्वारा उत्पन्न हारमोंस का बनना, यह सब महत्त्वपूर्ण कार्य यकृत द्वारा ही शरीर में संपादित किए जाते हैं। यकृत या लिवर के कार्य करने में जरा सी भी कमी हमारे पाचन तंत्र सहित शरीर के अन्य अंगों में भी कई असामान्यताएँ पैदा कर देती है। यकृत की एक विशेषता यह भी है कि यह शरीर की एकमात्र ऐसी ग्रंथि है, जिसमें पुनर्जनन की क्षमता होती है। यकृत के उपचार के बारे में चिकित्सकों का मत है कि यकृत की बीमारी का कोई स्थापित उपचार नहीं है, अपितु लक्षणों एवं संभावित कारणों के आधार पर ट्रायल एंड एरर मोड पर उपचार किया जाता है।

लंबे समय तक शरीर में पाचन संबंधी रुग्णता जैसे भोजन का न पचना, भूख में कमी, शरीर में थकावट, शरीर के वजन में लगातार गिरावट, उल्टी आने का अहसास, शरीर में खुजली बने रहना, बुखार की शिकायत, कभी-कभी खून की उल्टी आना और मुँह से अप्रिय गंध का आना आदि यह सब वे लक्षण हैं, जो यह सूचना देते हैं कि यकृत में कुछ खराबी है। समय पर उपचार न लेना, चिकित्सकीय परामर्श न करना तथा भोजन आदि में बदपरहेजी धीरे-धीरे यकृत की बीमारी को बढ़ावा देती है तथा उसकी कार्यक्षमता को प्रभावित करती है। पेट में द्रव भरने लगता है, जिसे 'एडिमा' कहा जाता है, जो इस बात का संकेत है कि यकृत में संरचनात्मक एवं क्रियात्मक खराबी आ गई है, जिसे चिकित्सीय भाषा में 'लिवर सिरोसिस' कहते हैं। सिरोसिस की अवस्था में यकृत में आई खराबी अथवा नुकसान को ठीक नहीं किया जा सकता, अपितु भविष्य में यह खराबी आगे न बढ़े, सिर्फ इसके लिए उपचार किया जा सकता है। किसी भी अवस्था में क्यों न हो, लिवर सिरोसिस का उपचार अत्यावश्यक है, क्योंकि लिवर सिरोसिस की परिणति भी अंतत: लिवर कैंसर ही है, अत: इसकी भयावहता का अनुमान सहज लगाया जा सकता है। लिवर सिरोसिस होने के कई कारण हो सकते हैं, जैसे अत्यधिक शराब का सेवन, वंशानुगत संक्रमण, हेपेटाइटिस बी या सी, किसी दुर्घटना, चोट अथवा किसी अन्य कारण से चढ़ाए गए रक्त में आए वायरस, शुगर स्तर का बढ़ना, शरीर में वसा या फैट की अधिकता, औषधि विषाक्तता आदि। कारण कोई

भी हो, अंततः प्रभाव जानलेवा होता है तथा व्यक्ति धीरे-धीरे मौत के मुँह में चला जाता है। मैं कोई चिकित्सक तो नहीं हूँ, मात्र जीव विज्ञान विषय का विद्यार्थी एवं शिक्षक रहा हूँ। विद्यार्थी जीवन में यद्यपि लिवर के विषय में पढ़ा गया पुस्तकीय ज्ञान मुझे था, किंतु लिवर कितना महत्त्वपूर्ण है तथा लिवर की खराबी कितनी घातक हो सकती है, यह मैं अपनी 47 वर्ष की आयु पूर्ण करने के उपरांत ही जान पाया।

वर्ष 2001, मैं विश्व बैंक पोषित 'स्वजल परियोजना' में जिला परियोजना प्रबंधक के पद पर अल्मोड़ा जनपद में कार्यरत था। फरवरी में मैं रानीखेत के पास एक गाँव में अपने निदेशक महोदय श्री जे.के. नातू साहब के साथ गया था। काफी लंबी पैदल यात्रा के उपरांत हम सभी स्टाफ के लोग टी.आर. सी. रानीखेत में लौट आए थे। रात्रि में खाना खाने के बाद श्री नातू साहब ने कहा कि सबको बुलवा लो, कुछ देर बातें कर लेते हैं। मैंने उन्हीं के कमरे में मीटिंग की व्यवस्था कर दी, वहीं कुर्सियाँ डलवा दी थीं। नातू साहब को तो काम का जुनून था, रात 2 बजे तक मीटिंग चलती रही। मीटिंग खत्म होने के बाद उन्होंने मुझे बुलाया तथा कहा—'तुम्हें डायबिटीज तो नहीं है?' मैंने कहा, 'नहीं तो!' उन्होंने कहा, 'मुझे ऐसा लगता है, क्योंकि मैंने देखा कि मीटिंग के दौरान तुम बीच-बीच में पानी पी रहे थे कई बार। तुम कल मेरे साथ कौसानी मत चलो और जाकर अल्मोड़ा में सीधे अपना शुगर टेस्ट कराओ। मैं अल्मोड़ा गया तथा सुबह-सुबह खाली पेट टेस्ट करवाया, फिर भोजन के 2 घंटे बाद टेस्ट करवाया। शाम को रिपोर्ट देखकर मैं आश्चर्यचकित था, क्योंकि मेरा शुगर 300 के आस-पास निकला। शाम को कौसानी से लौटते वक्त नातू साहब मेरे ऑफिस आए और उन्होंने पहला प्रश्न शुगर के बारे में किया। रिपोर्ट देखकर मुझे चाय के समय बिस्कुट खाने से भी एकदम रोक दिया था। उन्होंने मुझे हिदायत दी थी कि मैं तुरंत बाहर जाकर इलाज करवाऊँ। मैं कुछ दिन बाद स्थानीय डॉक्टर के परामर्श से दवा लेकर तथा परहेज से स्वयं को थोड़ा स्वस्थ महसूस कर रहा था। मैं दीदी जी के साथ दिल्ली गया और प्रभात प्रकाशन वाले श्री पीयूष जी ने अपने परिचित किसी डॉक्टर को उनके

क्लीनिक में मुझे दिखाया। दो दिन बाद मेरी रिपोर्ट आई थी, मेरी शुगर 265 थी। डॉक्टर ने कहा था कि मैं आपको शुगर की दवा नहीं दे सकता हूँ, क्योंकि आपको इस समय पीलिया की शिकायत है। पीलिया में मीठा दिया जाता है, किंतु शुगर में वर्जित होने के कारण इलाज एक-दूसरे के विपरीत है। अत: उन्होंने सलाह दी कि मैं घर पर जाकर केवल आराम करूँ, पीलिया ठीक होने पर ही शुगर का इलाज चलेगा। उन्होंने बताया था कि यूरिक एसिड भी बढ़ा है, अत: रेस्ट ही बेहतर है। मैं पिथौरागढ़ वापस आ गया था, घर पर रेस्ट करने लगा। श्री नातू साहब ने कहा था कि छुट्टियाँ लेने की जरूरत नहीं है, महत्त्वपूर्ण फाइल्स पिथौरागढ़ ही मँगा लो, फोन से स्टाफ को निर्देशित करते रहना। निदेशक स्तर के एक अधिकारी के हृदय में मेरे लिए इतना सॉफ्ट कॉर्नर था, जिसे मैं कभी नहीं भूल सकता। इस बीच मेरी स्थिति बिगड़ती गई, धीरे-धीरे मेरे हाथ भी काँपने लगे थे, यूरिक एसिड बढ़ गया था। पिथौरागढ़ व हल्द्वानी के डॉक्टरों ने कहा था कि मैं शराब पीना कम करूँ, जबकि वास्तविकता यह थी कि मैंने शराब कभी छुई तक नहीं थी; लेकिन कोई स्वीकार करने को तैयार ही नहीं था! मुझे हल्द्वानी ले जाया गया तथा वहाँ के डॉक्टर ने मुझे अल्सर बताया था। उन दिनों तक भी हल्द्वानी जैसी जगह में केवल एक ही प्राइवेट डॉक्टर के द्वारा एंडोस्कोपी की जाती थी और कंप्यूटराइज्ड प्रिंटेंड रिपोर्ट नहीं आती थी। डॉक्टर ने आहार नाल का स्कैच बनाकर तैयार रखा था तथा मेरे इसोफेगस एवं आमाशय के मिलने के स्थान पर पैन से गोल निशान बनाकर दे दिया कि इस स्थान पर अल्सर है। अब इलाज की दिशा अल्सर की ओर मुड़ गई थी। डॉक्टर ने कहा था कि डायबिटीज में डाइट कंट्रोल, दवा लेने की अपेक्षा ज्यादा प्रभावकारी है। मैं जहाँ भी जाता, मीठे तथा तले भुने खाने का पूरा परहेज करता था। यहाँ तक कि राष्ट्रीय बाल विज्ञान कांग्रेस के राष्ट्रीय पाँच दिवसीय आयोजनों में भी मैं करेला और ब्रेड खाकर काम चलाता था। परहेज हेतु मेरा आत्मविश्वास और संयम प्रबल था।

उसी बीच मेरे बाएँ पैर में घुटने से थोड़ा नीचे बाईं साइड में बालतोड़ हो गया। सूजन के मारे चलना भी कठिन हो रहा था। 15 मार्च, 2001 को मुझे

अपनी भानजी की शादी में नागदा, मध्य प्रदेश जाना था। लंबी यात्रा के कारण वहाँ जाकर मेरे पैर की स्थिति अत्यंत नाजुक हो गई थी। बिरला ग्राम, नागदा के अस्पताल में ड्रेसिंग करते समय एक वार्ड बॉय ने घाव में कट लगाकर ड्रेसिंग की थी। यह ड्रेसिंग मेडिकल प्रोटोकॉल को ताक में रखकर की गई थी, जिस कारण अल्मोड़ा आने तक मेरे पैर की हालत बहुत खराब हो चुकी थी। अल्मोड़ा बेस अस्पताल में जब मैं अपने स्टाफ के लोगों को साथ लेकर डॉक्टर को दिखा रहा था, वहाँ डॉक्टर ने पूरी भीड़ के सामने यह कहा कि आप शराब कम कीजिए, आपके पैर की हालत खराब हो चुकी है, नहीं तो पैर काटना पड़ेगा। उन्होंने कहा कि यह सेल्यूलाइसिस की स्थिति है, जो गैंग्रीन से पहले की स्थिति होती है। बड़े भद्दे ढंग से डॉक्टर ने मुझे घूरा था। मैं लंबे समय तक पैर के दर्द से परेशान रहा था। बीच में कई बार तबीयत खराब हुई थी, हर बार डॉक्टर साहब शराब न पीने की बात करते थे। आज मुझे लगता है और आश्चर्य भी होता है कि लगभग 15 डॉक्टरों के संपर्क से मैं गुजरा था, प्रत्येक ने शराब न पीने की सलाह दी थी, लेकिन किसी ने भी लिवर फंक्शन टेस्ट कराने की सलाह नहीं दी! हल्द्वानी के एक प्रतिष्ठित डॉक्टर द्वारा घोषित अल्सर की बात सब ने पकड़ी थी। मैं निरंतर अल्सर की दवाई खा रहा था, जिसने भीतर-ही-भीतर मेरी हालत खराब कर दी थी। इस बात से मैं अनभिज्ञ रहा और जो मर्ज था ही नहीं, उसकी दवाइयाँ खाता रहा, जिससे निश्चित तौर पर मेरे शरीर की हालत बिगड़ चुकी थी। इसके लिए मैं निश्चित रूप से उस दौरान मेरी चिकित्सा हेतु संपर्क में आए चिकित्सकों को दोषी मानता हूँ। मेरे स्वास्थ्य की स्थिति को देखते हुए मेरा स्थानांतरण पिथौरागढ़ कर दिया गया था। यहाँ आकर मैं कमजोरी महसूस करने लगा था तथा धीरे-धीरे मेरे स्वभाव में भी चिड़चिड़ापन आ गया था। एक दिन मुझे लगा कि मेरा स्टूल काले रंग का है, इसलिए मैं स्टूल टेस्ट करवाने पैथोलॉजी लैब गया था। मुझे 6-7 दिन बाद राष्ट्रीय बाल विज्ञान कांग्रेस में भाग लेने गुवाहाटी (आसाम) जाना था। शाम को ड्राइवर से मैंने रिपोर्ट मँगवाई तो उसमें औकल्ट ब्लड लिखा गया था तथा पैथोलॉजिस्ट ने ड्राइवर से कहलवा भेजा था कि पंत जी से कहना कि

डॉक्टर को दिखा लें। रिपोर्ट व पैथोलॉजिस्ट की सलाह के बाद मैं कुछ गंभीर हो गया था तथा शाम को स्थानीय सरकारी अस्पताल के फिजीशियन को दिखाने उनके घर गया था। डॉक्टर ने कहा कि आपके शरीर के अंदर कहीं खून का रिसाव हो रहा है। उन्होंने मुझे अल्सर फटने का संकेत दिया। मैंने उन्हें गुवाहाटी जाने की बात कही थी। डॉक्टर ने कहा कि मुझे जाना नहीं चाहिए, लेकिन जाना यदि जरूरी है तो उनके द्वारा सुझाए गए 7 इंजेक्शन लगातार लगवाकर जा सकते हैं। मैं दवा लेकर वापस आ गया। धीरे-धीरे स्टूल नॉर्मल हो गया था और मैं पूर्व प्रोग्राम के तहत गुवाहाटी चला गया। वर्ष 2004 तक मैं अपना कार्य सुचारू ढंग से कर रहा था।

□

सिरोसिस का आक्रमण

दिन था 13 मार्च, 2005। उन दिनों मैं विश्व बैंक पोषित 'स्वजल' में जिला परियोजना प्रबंधक के पद पर पिथौरागढ़ में कार्यरत था। 11 मार्च को स्वजल ग्रामों के कुछ प्रधानों को लेकर मैं पी.एम.यू. देहरादून में आयोजित बैठक में प्रतिभाग करने देहरादून आया था। ग्राम प्रधानों को होटल में टिकाकर मैं दीदी के घर आ गया था। माँ की इच्छा का सम्मान करते हुए हमने पिथौरागढ़ के अपने मकान के भूतल में 'मानस एकेडमी' नाम से छोटा सा विद्यालय पिताजी की प्रथम पुण्यतिथि 30 अप्रैल, 2003 से प्रारंभ किया था। सत्र 2004 के प्रारंभ से ही छात्र संख्या अप्रत्याशित रूप से बढ़ने लगी तो मैंने घर के पास ही अपनी जमीन पर 'मानस एकेडमी' के लिए 'अलकनंदा ब्लॉक' नाम से नए भवन का निर्माण करवाया था। मैं दीदी को 'मानस एकेडमी' के नए ब्लॉक के निर्माण की फोटो भी दिखा रहा था तथा कई अन्य बातें भी बताता जा रहा था। मुझे लगा कि वे बड़ी तटस्थता से मेरी बात सुन रही थीं। अचानक उन्होंने कहा, 'आशु! मुझे तेरी कोई बात अच्छी नहीं लग रही है, क्योंकि मुझे तेरा चेहरा बहुत कमजोर लग रहा है।' रात को मैंने बहुत अरुचि से थोड़ा सा भोजन किया और सुबह भी यह अरुचि बनी रही। 12 मार्च को प्रातः 9:00 बजे मैं मीटिंग में प्रतिभाग करने चला गया। मीटिंग प्रातः 10 बजे से शाम 7 बजे तक चली। मैं दोपहर से ही घुटन महसूस कर रहा था। मेरा मन मीटिंग में नहीं लग रहा था, किंतु नौकरी के प्रति ईमानदारी ने मुझे वहीं बैठे रहने को मजबूर किया था। निदेशक महोदय शाम 6 बजे मीटिंग में आए थे और तब तक बैठना जरूरी था। 7 बजे जैसे ही मीटिंग छूटी, मैंने निदेशक

श्री गंभीर सिंह जी से कहा कि मैं जाना चाहता हूँ, मुझे कुछ दिक्कत महसूस हो रही है। उन्होंने कहा कि मैं भी महसूस कर रहा हूँ कि आपका चेहरा रोज की तरह नहीं है। वास्तव में कोई परेशानी है। 14 मार्च, 2005 को मेरे छोटे बेटे शिवाशीष का हाईस्कूल बोर्ड का पहला पेपर था और मैं चाहता था कि उसके पेपर के दिन मैं उसके पास रहूँ। दीदी के पास आकर भी मैं परेशान था और उनके बहुत कहने पर भी मैंने खाना नहीं खाया था। सुबह दीदी ने मुझे बहुत रोका था कि मैं देहरादून में किसी डॉक्टर को दिखाने के बाद ही जाऊँ, पर मुझे तो बेटे के पेपर के दिन उसके पास बने रहने की धुन सवार थी; सो मैं विभागीय वाहन से प्रस्थान कर गया। यात्रा करते-करते 2:30 बजे हल्द्वानी पहुँचा। पूरी यात्रा में मुझे बार-बार लग रहा था कि मुझे उल्टी होने ही वाली है, किंतु हो नहीं रही। हल्द्वानी के एक आयुर्वेदिक चिकित्सक डॉ. विनोद जोशी, जो मेरे स्वास्थ्य की स्थिति से परिचित थे, मैं उनसे मिला था तथा अपनी परेशानी बताई थी। उन्होंने कहा कि यात्रा की थकान के कारण परेशानी हो रही है। आप एक कागजी नीबू खा लीजिए, ठीक महसूस करेंगे। मैंने बस स्टेशन के पास से कागजी नीबू खरीदा तथा नमक के साथ पूरा चूस लिया था और मैं यात्रा में आगे बढ़ गया; लेकिन मेरी स्थिति में कोई सुधार नहीं था। परेशान होते-होते ही मैं पिथौरागढ़ को जा रहा था।

अल्मोड़ा के बाद बाड़ेछीना बाजार के पास पहुँचते ही मुझे लगा कि मुझे उल्टी आने ही वाली है। मैंने ड्राइवर से गाड़ी किनारे लगाने को कहा। बाड़ेछीना बीच बाजार में उसने गाड़ी दीवाल से लगाकर खड़ी कर दी। ड्राइवर को गाड़ी रोकने का मौका मिला था, ताकि गुटखा वगैरह खा ले, इसलिए वो किनारे चला गया था। मुझे उल्टी हो रही थी। मैंने देखा तो पूरी जोर से खून छल-छलाकर निकल रहा था। किसी तरह का दर्द नहीं था, बस, खून की उल्टी होती जा रही थी। मैं खिड़की से सिर बाहर निकालकर दीवार की ओर खूब खून उगल गया था, जिसके कारण पूरा स्थान लाल हो गया था। चूँकि गाड़ी दीवार से चिपककर लगी थी तथा दीवार की आड़ में थी, इसलिए कोई इस बात को देख नहीं पाया था। पता नहीं ईश्वर की कौन सी कृपा रही कि

इतना खून देखकर भी मुझे ज्यादा घबराहट नहीं हुई। मैंने गाड़ी की पॉकेट में रखी पानी के बोतल से कुल्ला किया। गाड़ी की खिड़की लाल हो गई थी, मैंने सोचा, सामने से गाड़ी पर परियोजना प्रबंधक का बोर्ड लगा है। खून से लथपथ खिड़की देखकर लोग कई अटकलें लगाएँगे। मेरे मन में विभाग की प्रतिष्ठा का प्रश्न आया था और मैंने बैठे–बैठे बोतल से पानी गिराकर खिड़की से सबसे पहले खून साफ किया था, फिर मैंने हॉर्न बजाकर ड्राइवर को बुलाया था। ड्राइवर भोपाल सिंह खून की उल्टी की स्थिति देखकर घबरा गया था। मैंने उससे गाड़ी बाजार से थोड़ा आगे ले जाने को कहा। फिर मैंने उतरकर एक पैराफिट पर बैठकर पहला फोन मोबाइल से हल्द्वानी के डॉक्टर विनोद जोशी को किया था। उन्होंने बताया कि शायद मेरा अल्सर फट गया है। मुझे कहा गया था कि बोट्रोपेज इंजेक्शन लगवा लें। दूसरा फोन मैंने अपने बड़े भाईसाहब को तथा तीसरा फोन अपनी पत्नी को किया था। मैंने भाईसाहब से पिथौरागढ़ से बोट्रोपेज इंजेक्शन और डॉक्टर को लेकर अल्मोड़ा की ओर आने की बात कही थी। मैंने कहा था कि मैं तेजी से पिथौरागढ़ की ओर आ रहा हूँ, रास्ते में मिल जाएँगे। अपनी पत्नी को फोन पर वास्तविक स्थिति बता दी थी तथा बेटे को न बताने की बात कही थी, क्योंकि अगले दिन उसकी बोर्ड की परीक्षा थी। मैंने स्थानीय चिकित्सक से इंजेक्शन पूछा तो मिलने की कोई संभावना नहीं थी। मैंने प्राथमिक तौर पर दवा तलाशने के प्रयास किए थे, किंतु पर्वतीय क्षेत्रों में मुख्यालयों में ही उपचार की व्यवस्था ठीक नहीं है, फिर यह तो रास्ते का एक छोटा सा स्टेशन था! ईश्वर ने शक्ति दी, इतना अधिक मात्रा में खून निकल जाने के बाद भी मैं नर्वस नहीं था। मैंने ड्राइवर से तेजी से पिथौरागढ़ की ओर चलने को कहा। इस गंभीरता की स्थिति में तो यह उचित था कि मैं अल्मोड़ा/हल्द्वानी की ओर जाता, परंतु अपने बेटे की परीक्षा में व्यवधान न होने की इच्छा इतनी प्रबल थी कि मैं पिथौरागढ़ की ओर ही गया, जो यद्यपि एक बेवकूफी भरा निर्णय था। गाड़ी चलती जा रही थी और मेरी स्थिति खराब होती जा रही थी। मैं अर्धमूर्च्छित अवस्था में गाड़ी की पिछली सीट पर लेटा था। मुझे प्रतीक्षा थी पिथौरागढ़ की ओर से आ रहे अपने बड़े भाईसाहब की।

रात हो चुकी थी, मैं गाड़ी से बाहर को कभी-कभी उचक-उचककर देखने का प्रयास कर रहा था कि सामने से पिथौरागढ़ से आ रही गाड़ी दिख जाए।

गाड़ी जब ध्याड़ी बाजार से थोड़ा आगे बढ़ी ही थी कि मुझे दूसरा दौरा पड़ा उल्टी का। मैंने गाड़ी रुकवाई, पर मैं इस स्थिति में नहीं था कि मैं स्वयं उतर सकूँ। ड्राइवर ने मुझे बाहर उतारा था तथा मैं बीच सड़क पर लेट गया था तथा फिर खून की उल्टी कर रहा था। इस दूसरे अटैक में भी पुनः एक या डेढ़ लीटर खून निकल गया था। मैं अब उठने की स्थिति में नहीं था। ड्राइवर ने खून की मात्रा देखी तो घबरा गया था। मैं अशक्त व अर्धमूर्च्छित तो था, किंतु एक सूत्र जुड़ा था—बेटे व पत्नी के पास पहुँचने का! जीने की लालसा शायद प्रबल हो उठी थी। मुझे गाड़ी में डाल दिया गया था। पानी भी खत्म हो गया था। कुछ दूर चलकर ड्राइवर को सड़क के किनारे बसौली में एक कमरे में रोशनी टिमटिमाती दिखी, उसने पानी माँगा तथा मेरा मुँह धुलवाया। मुझे याद है कि उन्होंने बहुत कम पानी दिया था, शायद उनके पास भी पानी उतना ही था। अब मैं लगभग अंतिम साँसें ले रहा था। कुछ बोलना चाह रहा था, लेकिन बोलने की शक्ति नहीं थी। ड्राइवर काफी नर्वस हो गया था, उसकी निगाहें सड़क के मोड़ों पर थी कि शायद पिथौरागढ़ से आने वाली किसी गाड़ी की लाइट दिखाई पड़े! वह बार-बार कह रहा था—पता नहीं गाड़ी क्यों नहीं दिख रही है! मेरे कानों में उसके शब्द पड़ रहे थे। मुझे विश्वास था कि भाईसाहब पहुँचते ही होंगे। अब मेरी साँसें केवल इस आस पर टिक गई थीं कि मैं जीते जी घरवालों के सुरक्षित हाथों में चला जाऊँ, फिर जो भी हो! मुझे भाईसाहब के आने की उत्कंठा हो गई थी, निढाल पड़ा था तथा महसूस कर रहा था कि आखिरी स्थिति लगभग आ चुकी है। फिर जीने की जिजीविषा, बेटे की परीक्षा, पत्नी से मिलने की इच्छा, परिवार का दायित्वबोध, सब उस समय मेरे मस्तिष्क में घूम रहे थे; किंतु मैं एकदम बेबस था। धीरे-धीरे सिंक कर रहा था। इतने में ड्राइवर खुश होकर बोला—सर, सामने से एक कार दिखाई दे रही है, शायद घर के लोग आ गए हैं। मेरी साँसें फिर स्थिर हो गईं थी और शायद प्रतीक्षा कर रही थीं भाईसाहब के हाथों के स्पर्श की। गाड़ी रुक गई थी,

मैं गाड़ी में लेटा था, अंतिम साँसें गिन रहा था। मुझे केवल इतना ही याद है कि भाईसाहब ने आशू! कहकर मेरा स्पर्श किया था तथा एक इंजेक्शन मुझे लगवाया था। वह अपने मित्रों के साथ आए थे तथा फार्मेसिस्ट को साथ लाए थे। भाईसाहब का आशू कहना व उनका स्पर्श मेरी अंतिम याद थी, फिर मुझे कुछ याद नहीं। बाद में मुझे बताया गया था कि भाईसाहब ने मेरी पत्नी को फोन कर अस्पताल पहुँचने की बात कही थी कि सभी लोग सीधे अस्पताल चले जाएँ, मुझे वहीं लाया जा रहा है। मकड़ाऊ के मोड़ से पिथौरागढ़ आने में लगभग सवा घंटा लग गया था। भाईसाहब बताते हैं कि मैं पूर्ण रूप से अचेत हो चुका था। गुरना मंदिर के पास पहुँचते-पहुँचते मैंने शायद आँखें पलटा दी थीं। भाईसाहब ने गंभीरता देखते हुए पत्नी को पुनः फोन कर अस्पताल न जाकर गुरना की ओर आने की बात कही थी। वह बताते हैं कि मैंने सोचा कि शायद मेरी पत्नी मेरा मुँह तो देख ले! वह भी निराश हो चुके थे मेरी आँखें पलटने पर। उन्होंने मेरी छाती पर कृत्रिम श्वसन व पंपिंग कर जोर-जोर से मुझे साँसें देने का प्रयास किया था। ईश्वर ने उनके प्रयासों को सफलता दी और मेरी आँखें पुनः सामान्य हो गई, किंतु मैं पूर्णतः मूर्च्छित ही रहा था। मेरी साँस चलने पर भाईसाहब ने पुनः मेरी पत्नी को कहा था कि वह अब अस्पताल में ही मिले। 15 किलोमीटर दूर था तब मैं पिथौरागढ़ से।

अब मैं पिथौरागढ़ पहुँच गया था, अस्पताल की इमरजेंसी में मुझे लिटा दिया गया था। काफी भीड़ हो चुकी थी, डॉक्टर्स पहले से ही तैयार थे। इसी बीच मुझे तीसरा अटैक पड़ गया था, मैंने पुनः जोर से पिचकारी की तरह खून की उलटियाँ की थीं। इन उलटियों के दौरान मैं कुछ सेकंड के लिए होश में आया था। मैंने देखा था कि सारा फर्श लाल था, खून-ही-खून था तथा मेरे मित्र श्री गजेंद्र सिंह बोहरा जी उसे पोछे से साफ कर रहे थे। मेरे सहपाठी डॉक्टर बीरेंद्र सिह टोलिया वहाँ पर थे, जो इमरजेंसी ड्यूटी पर थे। बस, इतना ही याद है मुझे, मैं फिर बेहोश हो गया था। अगले दिन मैंने देखा कि मैं अस्पताल में पड़ा हूँ। मेरी नाक में राइल्स ट्यूब पड़ी है, पिचकारी से खून बाहर निकाला जा रहा था, पलंग के चारों ओर लोग खड़े थे, कई चिर-

परिचित चेहरे थे। मैंने जानने की कोशिश की थी कि बेटा परीक्षा देने गया या नहीं? पत्नी ने बताया कि जैसे-तैसे समझा-बुझाकर उसे भेजा है। मन में बड़ा संतोष हुआ कि उसकी परीक्षा का नुकसान नहीं हुआ। देहरादून से दीदी व बड़ा बेटा देवाशीष भी पहुँच चुके थे रातों-रात। धीरे-धीरे 2-3 दिन में मेरी स्थिति नियंत्रण में आ गई, लेकिन डॉक्टर बीमारी नहीं पहचान सके। मुझे प्राइवेट वार्ड में शिफ्ट कर दिया गया था। मैं एकदम पीला हो गया था, हाथ-पैर अत्यंत पतले तथा मांस लटक गया था। 4 दिन मुझे पिथौरागढ़ में ही रोक दिया गया। अल्सर का इलाज चलने लगा तथा खून रोकने के प्रयास किए गए, पर बाहर ले जाने की सलाह भी नहीं दे रहे थे डॉक्टर। कई लोग मुझे देखने आ रहे थे। डॉक्टर ने मेरा अल्ट्रासाउंड कराने की हिदायत दी थी। अल्ट्रासाउंड की रिपोर्ट आने के बाद उसमें स्पष्ट तो कुछ नहीं था, लेकिन मैंने देखा कि घर के सदस्य मायूस हैं तथा चुप-चुप बातें कर रहे हैं। मैंने जिद करके रिपोर्ट स्वयं को दिखाने की बात कही थी। रिपोर्ट मुझे दिखाई गई। रिपोर्ट में डॉक्टर द्वारा मुझे पैनक्रियाटाइटिस की संभावना व्यक्त की गई थी। चूँकि यह बीमारी माँ को हुई थी, अतः हम सभी लोग इसकी गंभीरता जानते थे। माँ के समय डॉक्टर ने बताया था कि यह एक खर्चीली बीमारी है तथा मरीज बच भी नहीं पाता। यद्यपि बाद में पता चला था कि यह गलत डायग्नोसिस था; लेकिन ऐसा होने से इतना अवश्य हुआ कि मुझे तुरंत दिल्ली ले जाने के प्रयास किए गए। भाईसाहब ने कहीं से संदर्भ लेकर अपोलो अस्पताल, दिल्ली के एक डॉक्टर का नंबर लेकर उनसे फोन पर बात की थी कि अल्सर फटने के कारण ऐसी स्थिति आ गई है। डॉक्टरों ने भी बहुत आशाजनक बातें नहीं कही थीं। मेरी जिद पर शाम को मुझे घर लाया गया तथा अगले दिन प्रातः एंबुलेंस पर ड्रिप सेट लगाकर ले जाना तय हो गया। सभी की नजर में मेरी स्थिति अत्यंत गंभीर थी तथा कोई जरूरी नहीं था कि मैं जिंदा लौटता। काफी भीड़ थी, जब रात में मुझे एंबुलेंस से उतारकर स्ट्रेचर में घर पर लाया गया था। प्रातः 6 बजे मुझे एंबुलेंस से हल्द्वानी जाना था, वहीं से अगले दिन दिल्ली पहुँचना था। दीदी व भाईसाहब मुझे लेकर रवाना हुए। प्रातः पुनः भीड़ हो गई थी, मुझे पकड़कर

बाहर ले जाया जा रहा था। कई महिलाओं की आँखों में आँसू थे। मैं तुरंत मजबूत हो गया और मैंने भावुक न होकर 5 मिनट स्वयं को एकांत में रखने का अनुरोध किया। मैं अंदर कमरे में आया, मैंने माँ और पिताजी की फोटो को प्रणाम किया तथा अपनी पत्नी को जोर से पकड़कर कहा कि तू चिंता मत करना, मुझे कुछ नहीं होगा, मैं वापस आऊँगा। पत्नी को वापसी का वचन देकर मैं बाहर निकला। एंबुलेंस में रवाना हो गया, सबकी शुभकामनाएँ लेकर और पहुँच गया हल्द्वानी। रात्रि में वहीं एक होटल में रुका था। मुझसे मिलने मेरे कई परिचित वहाँ आए थे, सभी भावुक थे मेरी स्थिति देखकर। मेरे एक मित्र, जो मेरे सहपाठी थे तथा उस समय प्रतिष्ठित पद पर भी थे, संयोग से उसी होटल में रुके थे, किंतु उन्होंने मुझे देखने को आना उचित नहीं समझा था, इसका मुझे कष्ट हुआ था। ऐसी ही स्थिति में मुझे पिथौरागढ़ में एकमात्र उपलब्ध नबाब खान की एंबुलेंस से दिल्ली तक पहुँचाया गया।

अगले दिन 11 बजे का अपॉइंटमेंट था अपोलो में। डॉक्टर के अनुसार मुझे दिल्ली पहुँचने तक पानी भी नहीं पीना था। डॉक्टर ने मेरी हालत देखकर मुझे तुरंत भर्ती करा दिया था, मेरे ब्लड सैंपल चेक हो गए थे। 3 बजे मेरी एंडोस्कोपी हुई थी और इतने वर्षों से चली आ रही तकलीफ का राज खुल गया कि मुझे अल्सर है ही नहीं। मैं लिवर की गंभीर बीमारी से गुजर रहा था। मुझे लिवर सिरोसिस एवं पोर्टल हाइपरटेंशन था, जो अत्यंत गंभीर तथा लाइलाज स्थिति जैसा था। पूर्व में सही बीमारी का पता न चलने तथा गलत इलाज होने के कारण अब मौत मेरे दरवाजे खटखटा रही थी। एंडोस्कोपी के एक घंटा बाद मुझे अनन्नास का जूस दिया गया। मैंने जूस पीने से इनकार कर दिया था, क्योंकि पूर्व डायग्नोसिस के आधार पर मुझे डायबिटिक घोषित किया गया था। इन 5 वर्षों में मेरी स्थिति अत्यंत खराब हो चुकी थी। पिथौरागढ़ और हल्द्वानी के डॉक्टरों ने अपने अल्प ज्ञान से मुझे यहाँ तक पहुँचा दिया था। मेडिकल सुविधाओं का अभाव, क्षेत्र का पिछड़ापन, अज्ञानता और लापरवाही पहाड़ों में कितनों की जान की दुशमन बनी हुई थी। वहाँ जाकर मुझे पता चला कि मैं डायबिटिक नहीं हूँ। आज मैंने लगभग 4 साल बाद पुनः मीठा लेना आरंभ

कर दिया था। मेरी कुछ रिपोर्ट आनी शेष थीं, पर मुझे अस्पताल में अच्छा नहीं लग रहा था। मैं बेहद कमजोर हो गया था।

उसी बीच 25 मार्च को होली थी। मैं घर जाने की जिद कर रहा था और डॉक्टर मना कर रहे थे। तीसरे दिन मेरी पूरी रिपोर्ट आने के बाद डॉक्टर ने राउंड लिया था तथा इशारे से दीदी व छोटे भाईसाहब को अपने पास बुलाया था। वे धीरे से उनसे कह रहे थे कि इनकी स्थिति अच्छी नहीं है। मेरी बीमारी को बताते हुए उनसे मुझे घर ले जाने को कह रहे थे और मुझे स्पष्ट हो गया था कि शायद मैं मौत की दहलीज पर खड़ा हो गया हूँ। मैंने मौत की नजदीकी के इस गोपनीय फरमान को सुन लिया था। फिर डॉक्टर मेरे पास आकर कृत्रिम रूप से सहज होकर बोले कि पंत जी आप होली में घर जाने की जिद कर रहे थे, इसलिए आपको भेज देते हैं। होली के बाद एक बार फिर आना होगा। डॉक्टर ने घरवालों को एक-दो हफ्ते का समय दिया था और डॉक्टर साहब चले गए थे। दीदी और छोटे भाईसाहब भी सत्य को जान चुके थे, किंतु मुझे अहसास न हो, अत: सहजता से व्यवहार कर रहे थे। उनके चेहरे के भाव स्पष्ट रूप से पढ़े जा सकते थे और भीतर से मुझे भी पता चल गया था कि वास्तविकता क्या है! मुझे डिस्चार्ज करते-करते शाम हो चुकी थी। तब हमारे सांसद श्री बची सिंह रावत जी ने हमारे रहने की व्यवस्था अपोलो के निकट सी.आर.आर.आई. के गेस्ट हाउस में की थी। अब जल्दी-से-जल्दी जिंदा हालत में परिवार के पास पहुँचना मेरी प्राथमिकता थी। मैंने जिद पकड़ ली थी, एंबुलेंस वहीं रोकी गई थी और रात को ही हम दिल्ली से रवाना हो गए। पूरी रात चलते रहे। गाड़ी चल रही थी और मन में एक ही विचार था कि मैं पत्नी को जिंदा आने का वचन देकर आया था, वह पूरा होगा या नहीं? मेरा चिंतन एक सुई की तरह अटक गया था। अनायास ही मैं दीदी से बोल पड़ा—"दीदी, मैं पिथौरागढ़ पहुँच पाऊँगा या नहीं?" दीदी मुझसे नाराज हुई थीं कि मैं किस तरह का प्रश्न पूछ रहा हूँ? हम चलते गए कुछ देर हल्द्वानी आराम कर पिथौरागढ़ आ गए। मैं जिस वायदे को लेकर चिंतित था, वह पूर्ण हो गया था। मैं जिंदा घर आ गया था, बाकी अब ईश्वर

की इच्छा थी। मैं 25 मार्च को छलड़ी के दिन छत पर चारपाई लगाकर उस पर लेटा था, ताकि होली मिलन कार्यक्रम और रंग आदि से दूर रह सकूँ। होली की छलड़ी की चहल-पहल थी, लोग होली खेल रहे थे और मैं मौत की प्रतीक्षा कर रहा था।

होली का हुड़दंग समाप्त होने पर मेरे पड़ोसी और मित्र श्री सुधीर जोशी ने मुझसे अनुरोध किया कि मैं उनके साथ एक बार मोस्टमानू के पास ज्वालादेवी मंदिर तक चलूँ। उनके अनुरोध पर मैं अपने छोटे भाई व पत्नी के साथ कार में बैठकर ज्वालादेवी से एक किलोमीटर पहले तक पहुँचा। वहाँ से मंदिर तक सीधा उतार था। सुधीर ने मुझसे कहा, तुम कार में बैठकर ही मंदिर के दर्शन करो, हम मंदिर तक जाते हैं। मुझे लगा कि यहाँ तक आकर मैं मंदिर तक न जाऊँ, ये कुछ अच्छा नहीं लगता। मैंने कहा कि मैं भी मंदिर तक आता हूँ, जबकि मैं पैदल चल सकने की स्थिति में नहीं था। न जाने किस आकर्षण के वशीभूत मैं धीरे-धीरे उनका हाथ पकड़कर मंदिर तक उतर ही गया। मंदिर में पूजा-परिक्रमा के बाद श्री हरीशचंद्र पांडे, सेवानिवृत्त मास्टर साहब ने मुझे प्रसाद दिया और कहा, जाओ, जल्दी ठीक हो जाओगे। मंदिर से बाहर आते हुए मैंने अपने भीतर एक स्फूर्ति अनुभव की और मैं बिना विश्राम किए निरंतर चलकर फिर कार तक पहुँच गया। मुझ सहित सभी आश्चर्यचकित थे।

लगभग 1 सप्ताह बाद मैंने एक दिन दिल्ली में अपने उन डॉक्टर साहब को फोन किया था कि मैं अब थोड़ा ठीक हूँ, तो उनके स्वर से लगा कि मेरा उनको फोन करना उनके लिए आश्चर्य भरा था, शायद उन्हें मेरी कोई उम्मीद नहीं रह गई थी। मैं पुनः दिल्ली चला गया था और अब शुरू हुआ मेरे लिवर सिरोसिस के उपचार का दौर। अन्य उपचार के साथ-साथ मुझे इंटरफेरॉन नामक इंजेक्शन हफ्ते में दो बार लगने शुरू हो गए थे, एक इंजेक्शन की कीमत रु. 11,000 थी। अनुमान लगाया जा सकता है कि अन्य दवाओं, दिल्ली आना-जाना और दिल्ली-प्रवास के साथ-साथ मेरा कितना महँगा उपचार चल रहा था। महँगा होने के साथ-साथ यह अत्यंत त्रासदी भरा था, क्योंकि इंजेक्शन के साइड इफेक्ट्स बहुत ज्यादा थे। उन साइड

इफेक्ट्स को मैं तो शरीर से झेल ही रहा था, मेरे घर के लोग, विशेषकर पत्नी एवं भाईसाहब, जो मेरे साथ दिल्ली आते-जाते थे तथा बड़ी दीदी, जो प्राय: देहरादून से आती थीं, उन्होंने मानसिक रूप से बहुत झेला था। उपचार के वह दिन, दिल्ली से पिथौरागढ़ हर महीने आना-जाना, सफर में जहाँ-तहाँ गाड़ी रुकवाकर सड़क किनारे लेटे रहना, बड़ा कष्टकारी समय था वह, जो अब संघर्षों की सूची तक सीमित है।

लगभग 1 वर्ष इलाज चलने के बाद एक बार मेरी टेस्ट रिपोर्ट हैदराबाद लैब से मँगाई गई। उसके अनुसार मैंने डॉक्टर से फोन पर बात की। डॉक्टर ने मेरे इंजेक्शन बंद करवा दिए, यह कहकर कि अब आप ठीक हैं और इनकी जरूरत नहीं है अब, रिपोर्ट ठीक आ गई है। दरअसल, यह डॉक्टर के स्तर से एक बड़ी भूल थी, उन्हें शायद यह याद ही नहीं रहा कि मैं कौन सा मरीज बोल रहा हूँ? शायद उन्होंने मुझे कोई अन्य मरीज समझकर ऐसा कह दिया था। यद्यपि मैं कुछ ठीक महसूस कर रहा था, किंतु बाद में पता चला कि यह एक गलत निर्णय हो गया था तथा 1 वर्ष की मेहनत, पैसा और तकलीफ सब जीरो हो गए थे। यह घटना मरीज एवं डॉक्टर दोनों के लिए एक सबक लेने वाली है।

एक दिन अनायास मेरे मन में विचार आया कि एक बार मुझे किसी अन्य विशेषज्ञ डॉक्टर से सेकंड ओपिनियन ले लेनी चाहिए। मैं एम्स या अन्य बड़े अस्पतालों की संभावना पर विचार कर रहा था। संयोग से तभी मेरे स्वास्थ्य का हाल-चाल पूछने हमारे तत्कालीन लोकप्रिय सांसद श्री बच्ची सिंह रावत 'बचदा' घर पर आ गए और मैंने उनसे अपना विचार साझा किया। उन्होंने वहीं तत्काल दिल्ली में श्री कांडपाल जी को फोन मिलाया तथा मेरे उपचार हेतु व्यवस्था की बात कही। श्री कांडपाल जी ने उन्हें बता दिया कि मैं दिल्ली आकर उनसे फोन पर बात कर लूँ। श्री कांडपाल जी यद्यपि पेशे से दिल्ली हाईकोर्ट में वरिष्ठ अधिवक्ता थे, परंतु बाहर से आने वालों को उपचार में सहायता करवाना उन्होंने अपना मिशन बना लिया था। मैं खुश था कि मुझे एक राह मिल गई है। मैंने दिल्ली जाने का निर्णय कर लिया। पिछला इलाज

बंद हुए तथा दिल्ली जाने तक लगभग 3 माह का समय यों ही बगैर किसी दवा के निकल गया था।

दिल्ली में पी.एस.आर.आई. जिसे प्रायः सिंघानिया हॉस्पिटल के नाम से जाना जाता है, वहाँ श्री कांडपाल जी ने हमारे लिए पूर्व में ही व्यवस्था बनाई थी तथा डॉ. आर.के. टंडन से अपॉइंटमेंट फिक्स करवाया था। कोई दिक्कत नहीं हुई, बल्कि हमें श्री कांडपाल जी की वजह से विशेष प्राथमिकता मिली थी। डॉक्टर टंडन ने मुझसे प्रारंभिक वार्त्ता कर वहीं सामने चेंबर में डॉक्टर दिनेश कुमार सिंघल को संदर्भित कर दिया था। डॉ. सिंघल का व्यक्तित्व एवं व्यवहार अत्यंत प्रभावशाली एवं पेशेंट फ्रेंडली था। उनसे बात कर बहुत अच्छा लगा। पूरी केस हिस्ट्री सुनने के बाद उन्होंने मेरे परीक्षण करवाए थे। तभी पता चला था कि मेरा उपचार बंद हो जाना एक बड़ी भूल थी तथा 3 महीनों में स्थिति और भी अधिक बिगड़ गई थी। मेरी एंडोस्कोपी भी की गई तथा स्क्लेरोथेरेपी की गई, जिससे विशेष प्रकार के 6 छल्ले मेरे इसोफेगस में डाले गए, ताकि रक्तवाहिनियों को फटने से रोका जाए। पुनः इंटरफेरॉन इंजेक्शन प्रारंभ हो गए, जो फिर लगातार चलते रहे। मैं हर माह दिल्ली जाता, दवा बर्फ में रखकर लानी पड़ती, क्योंकि एक निश्चित तापक्रम पर ही उसे रखना होता था। वह बहुत महँगी होती थी तथा उसके साइड इफेक्ट्स भी अत्यंत कष्टकारी होते थे। कई बार मेरी एंडोस्कोपी की गई, स्क्लेरोथेरेपी कर 12-12 छल्ले तक डाले गए थे, यह क्रम लगभग 3 वर्ष अनवरत चला, जिसने मेरी जिंदगी कामचलाऊ कर दी थी। उपचार के साथ-साथ मैं बाहरी तौर पर अपने सारे कार्य करता था।

उन दिनों कॉलेज ऑफ टीचर्स एजूकेशन (सी.टी.ई.) के अंतर्गत समन्वयक के नाते राजकीय स्नातकोत्तर महाविद्यालय, पिथौरागढ़ में शिक्षकों के प्रशिक्षण की जिम्मेदारी मेरी थी। अपने स्वास्थ्य की गंभीर स्थिति में भी मैंने प्रशिक्षण को बाधित नहीं होने दिया तथा प्रशिक्षण आयोजन और समन्वय का कार्य करता रहा। 21 अक्तूबर, 2008 को उस वर्ष का अंतिम बैच पूरा हुआ। मुझे सलाह दी गई थी कि मैं अधिकांश समय आराम करूँ, दौड़-धूप

से पीलिया अधिक बढ़ता है; मैंने सलाह मानी तथा कुछ दिन आराम करने का निर्णय लिया, साथ-ही-साथ परहेज व दवा तथा पीलिया का परीक्षण भी करवाता रहा, किंतु परिणाम में कोई अंतर नहीं, बल्कि पीलिया से 6 से 7 यूनिट तक चला गया। स्वाभाविक है कि स्वास्थ्य की बिगड़ती इस स्थिति से चिंता बढ़ी। मैंने पुनः डॉ. सिंघल से सलाह ली और समय माँगा और अपनी पत्नी के साथ निकल पड़ा दिल्ली की ओर।

21 नवंबर, 2008 की प्रातः टैक्सी से रवाना होकर हल्द्वानी से ट्रेन द्वारा चलकर 22 नवंबर, 2008 को दिल्ली पहुँचा। डॉ. डी.के. पांडे जी, जो विज्ञान एवं प्रौद्योगिकी विभाग, भारत सरकार में वरिष्ठ वैज्ञानिक थे तथा मेरे शुभचिंतक थे, उन्होंने विज्ञान सदन में बुकिंग कराई थी। प्रातः 10 बजे मैं एक सामान्य अबोध बालक की तरह पत्नी के साथ पहुँचा पी.एस.आर.आई. और मिला डॉक्टर दिनेश कुमार सिंघल से। डॉक्टर की सलाह पर कई तरह के परीक्षण करवाने हेतु खून के सैंपल दिए, साथ ही एंडोस्कोपी भी कराई। मेरी स्थिति देखकर शायद डॉक्टर को संदेह हो गया था। उन्होंने अगले दिन सी.टी. स्कैन करवाने की भी सलाह दी थी। 22 नवंबर का दिन परीक्षण आदि में बीता तथा अपराह्न अल्ट्रासाउंड की रिपोर्ट का भी पता चल गया। एक झटका लगा, जब डॉक्टर ने बताया कि मेरे पेट में पानी बनने लग गया है, जिसे डॉक्टरी भाषा में एसाईटिस कहते हैं। पिछली मुलाकातों में डॉक्टर कहते थे, हम तब तक चिंतित नहीं होते, जब तक पेट में पानी बनने की स्थिति नहीं आती है। मुझे यह बात स्मरण हो आई और मैं भीतर-ही-भीतर अपने स्वास्थ्य की गंभीरता का अहसास करने लग गया था, किंतु ईश्वर ने ऐसी शक्ति दी कि किसी प्रकार का मनोबल नहीं टूटा, हाँ, मैंने भीतर-ही-भीतर सत्य को स्वीकार करना प्रारंभ कर दिया कि मुझे स्वास्थ्य की गंभीरता की किसी भी स्थिति से निपटने के प्रयासों के लिए गंभीर हो जाना चाहिए। इंतजार था अगले दिन सी.टी. स्कैन करवाने तथा ब्लड की रिपोर्ट के आने का।

23 नवंबर, 2008 मेरे जीवन का ऐतिहासिक दिन रहा। यही वह दिन है, जिसने मुझे ईश्वर को अपनी तरह से परिभाषित करने एवं ईश्वर पर चर्चा

न करने की सोच दी और अंततः भीतर से समर्पण की भावना जाग्रत् कर दी। कंचन, अपनी जीवनसंगिनी को साथ लेकर मैं पुनः पहुँचा डॉ. सिंघल के पास। तब तक रिपोर्ट आ चुकी थी तथा मुझे देखकर डॉक्टर ने अस्वाभाविक हँसी चेहरे पर लाकर बैठने को कहा। मैंने काफी हद तक उनके मनोभावों को महसूस कर लिया था तथा मैं मजबूत होकर बैठ गया। डॉ. सिंघल ने कहा—पंत साहब! मेरे खयाल से अब सी.टी. स्कैन करवाने की कोई आवश्यकता नहीं है, व्यर्थ में चार-पाँच हजार खर्च करने से कोई लाभ नहीं। आपको तुरंत अपनी दवा बंद कर देनी है तथा नमक व पानी बिल्कुल बंद कर दें, पूरे 24 घंटे में चम्मच के अगले भाग में थोड़ी सी मात्रा के बराबर ही नमक ले सकते हैं, पानी भी कम लें, 24 घंटे में कुल लिक्विड एक बोतल से ज्यादा शरीर में न जाने पाए, अन्यथा सूजन बढ़ने लगेगी। चिंता की बात है, आपके पेट में पानी भरने लगा है तथा अब डीकंपनसेटेड सिरोसिस की स्टेज आ गई है, दवा बिल्कुल नहीं लेनी है, नुकसान करेगी। यह सब डॉक्टर अपने को कृत्रिम रूप से सहज करने की कोशिश करते हुए बीच-बीच में मेरा व कंचन का चेहरा देखकर आत्मविश्वास जगाने की कोशिश करते हुए बता रहे थे। मेरे मन में चिंता तो नहीं हुई, किंतु एक दर्द उठा कि यदि मेरी स्थिति खराब हो रही है तो दवा क्यों नहीं दी जा रही है? चंचल भाव से मैंने डॉ. सिंघल से सीधी बात की और कुछ हल्की झुँझलाहट भरे स्वर में मैंने कहा था—डॉक्टर साहब! आप कह रहे हैं कि सिरोसिस की स्थिति बिगड़ चुकी है, लिवर बहुत ज्यादा डैमेज हो चुका है, फिर कोई दवा क्यों नहीं आप मुझे दे रहे हैं? सीधे-सीधे बताएँ कि मेरे स्वास्थ्य की वास्तविक स्थिति क्या है? मेरे सरवाइवल का क्या स्टेटस है? बगल में कंचन भी गंभीर हो चुकी थी और कई प्रश्नों को समेटे डॉक्टर व मुझे टकटकी लगाए इस आशय से देख रही थी कि शायद कोई सकारात्मक बात निकलेगी! लेकिन स्थिति गंभीर हो चुकी थी। मेरे प्रश्न पूछने के आत्मविश्वास को देखते हुए डॉ. सिंघल ने कहा—पंत साहब, ऐसी स्थिति में मरीज ज्यादा-से-ज्यादा 3 से 4 महीने तक जीवित रहता है, अब इसका कोई इलाज नहीं है। लेकिन उस अदृश्य शक्ति ने मुझे मेरे नए

जीवन का रास्ता दिखाना था। स्वाभाविक था कि मनुष्य होने के नाते मौत का फरमान सुनते ही मुझे क्षणिक झटका लगा, कंचन भी अत्यंत गंभीर हो चुकी थी, किंतु यह पूरी स्थिति 1 मिनट से ज्यादा नहीं रही होगी। अपने निर्णय को सुनाते ही एक अल्पविराम देकर डॉ. सिंघल बोल उठे—लेकिन पंत साहब! मैं आपको पिछले लगभग 4 साल से देख रहा हूँ, इतनी कम प्लेटलेट काउंट व अस्वस्थता के बाद भी आप अकेले यहाँ आते हैं, बाहर जाते रहते हैं, अपनी सारी सोशल एक्टिविटीज करते रहते हैं, आपका कॉन्फिडेंस लेवल बहुत ऊँचा है और मैं आपको राय देता हूँ कि आप जैसे कॉन्फिडेंस वाले व्यक्ति को लिवर ट्रांसप्लांट अवश्य कराना चाहिए। बहुत अधिक खर्च आता है, पैसे व डोनर के बारे में तो आपको ही सोचना होगा, लेकिन मेरा पूरा विश्वास है कि आपका लिवर ट्रांसप्लांट पूर्णतया सफल होगा। 1 मिनट की स्वाभाविक गंभीरता के बाद डॉ. सिंघल की उपरोक्त राय ने वातावरण ही बदल दिया और भरी गरमी में रेगिस्तान में तड़पते व्यक्ति को मानो पानी मिल गया हो! ऐसा ही कुछ हुआ मुझे। मैंने कंचन की ओर देखा और पढ़ा उसकी आँखों और चेहरे में एक आत्मविश्वास का भाव और वह कह उठी कि—कैसे होगा यह, मैं नहीं कह सकती, किंतु करवाना अवश्य ही है। डॉक्टर व कंचन के चेहरे के भाव मेरे विचारों में एकाएक क्रांतिकारी स्पंदन पैदा कर गए, मैं मौत की बात का अहसास ही नहीं कर पाया और मन में एक बिजली सी कौंध गई थी। मैं स्वयं से बोल उठा कि दुनिया में कितने ही धनाढ्य लोग हैं, जिनके पास पैसों व संसाधनों की कोई कमी नहीं है, वह चाहे तो कुछ भी कर सकते हैं, सेकंड में। लेकिन ऐसे लोग भी अचानक हार्ट अटैक, एक्सीडेंट या हत्या से मर जाते हैं, पूर्ण सामर्थ्यवान होते हुए भी उन्हें मरने से बचने को सोचने के लिए भी एक सेकंड का समय नहीं मिल पाता है। कई बड़े नेता, उद्योगपति एक सेकंड में मेरे मस्तिष्क में एक फिल्म की तरह घूम गए और मेरा मन भीतर से अचानक खिल उठा और मैं मन-ही-मन बोल बैठा—हे ईश्वर! तेरा लाख-लाख धन्यवाद! मैं कितना भाग्यशाली हूँ कि मुझे अपने जीवन के बारे में सोचने हेतु 4 महीने का समय मिल रहा है, केवल समय ही नहीं, बल्कि

एक रास्ता भी खुल गया है—लिवर ट्रांसप्लांट का। चेहरा आत्मविश्वास से भर गया, खर्च व डोनर के बारे में कुछ न सोचते हुए मैंने डॉक्टर से अपनी प्राथमिक सहमति देते हुए विस्तृत जानकारी प्राप्त करनी प्रारंभ की। यद्यपि मैं स्वयं जीव विज्ञान का छात्र रहा था तथा पिछले 4 वर्ष से अस्पताल के चक्कर काट रहा था, लेकिन मैंने लिवर ट्रांसप्लांट शब्द उसी दिन सुना था। डॉ. सिंघल ने बताया कि यद्यपि यह ऑपरेशन गंगाराम अस्पताल में भी होता है, लेकिन मेरी राय में आपको यह ऑपरेशन अपोलो अस्पताल, दिल्ली या चेन्नई में ही करवाना चाहिए; अच्छा होगा कि आप चेन्नई के बजाय दिल्ली के बारे में ही सोचें।

डॉक्टर सिंघल ने मुझे उस समय डॉ. सुभाष गुप्ता जी के बारे में राय दी तथा कहा कि वही भारत में लिवर ट्रांसप्लांट के विशेषज्ञ माने जाते हैं। डॉ. सिंघल बोलते जा रहे थे, मैं उत्साह भरी नजरों से उनकी ओर देखकर गंभीरतापूर्वक बातें सुन रहा था, पता नहीं कौन सी अदृश्य शक्ति मुझसे कह रही थी कि तुझे अभी कुछ नहीं होना है, बस, कर्तव्य करते जा! मैं धीरे-धीरे आत्मविश्वास की ओर बढ़ता गया। डॉ. सिंघल से खर्च के बारे में चर्चा हुई तो वह बोले लगभग 21 लाख रुपए का खर्च आएगा, वैसे आपको लगभग पच्चीस लाख रुपए की व्यवस्था करनी ही होगी, क्योंकि अस्पताल के अलावा भी कई खर्चे होंगे। मैं इससे पूर्व अपने महँगे इलाज में कई लाख रुपए खर्च कर चुका था तथा आर्थिक तंगी में था। 25 लाख की धनराशि वास्तव में स्वाभाविक रूप से चौंकाने वाली बात थी, परंतु जीवन का रास्ता प्रशस्त करने हेतु तथा अभी जीवन में कुछ करने की इच्छा ने मुझे धनराशि जानकर भी चौंकाने से बचा दिया। डॉ. सिंघल ने बताया कि डोनर घर का ही व्यक्ति, आपके रुधिर वर्ग का ही होना चाहिए। डोनर मिलना लिवर ट्रांसप्लांट में एक कठिन चरण है। मुझे इस बात पर भी कोई भी विस्मय नहीं हुआ, क्योंकि मुझे पता था कि घर में पत्नी, भाई, बेटे सभी तो ओ पॉजिटिव हैं। मैंने डॉक्टर से अंतिम प्रश्न कर डाला कि लिवर ट्रांसप्लांट का सक्सेस स्टेटस व मेरी बीमारी की पुनरावृति न होने की क्या दशाएँ हैं? डॉ. सिंघल ने कहा

कि शरीर तो ईश्वर की इच्छा पर चलता है, कई लोग ऑपरेशन के दौरान ही दम तोड़ देते हैं, कुछ 6 महीने में, कुछ 5 साल और सब अच्छा ही रहा तो कई 10 साल भी जी जाते हैं। यह सब ऊपर वाले की कृपा और रोगी की इच्छाशक्ति दोनों पर निर्भर करता है। उन्होंने पुनः आत्मविश्वास भरते हुए कहा—यह सब तो बेकार की बातें हैं पंत साहब, बस, अब आप अंततः सोच लें, आपका ऑपरेशन हंड्रेड परसेंट सफल रहेगा, ऐसा मेरा विश्वास है। बड़ा आत्मविश्वास था डॉक्टर के स्वर में और एक बड़े भाई की तरह भरोसा देने वाली बातें, उस पर यह जोड़ना कि मैं डॉ. गुप्ता से बात कर लेता हूँ, मेरे स्तर से भी जो मदद बनेगी, मैं भी देखूँगा। बगल में कंचन के चेहरे के भाव बोल रहे थे कि मैं तुरंत हाँ करूँ और चल पड़ूँ अगले मिशन की ओर! मैं समझता हूँ की 23 नवंबर, 2008 के पूर्वाह्न में बीते यह अधिकतम 10–15 मिनट मेरे जीवन में क्रांतिकारी या आजकल की भाषा में 'टर्निंग प्वाइंट' रहे तथा मेरा मन सकारात्मकता से पूर्णतः लबरेज हो गया। बगैर पैसे का आदमी, बिना घरवालों के मशविरे एवं डोनर की चिंता किए, पता नहीं कैसे मैंने डॉक्टर से लिवर ट्रांसप्लांट हेतु अपनी उत्साहजनक सहमति दी और अनुरोध किया कि लिवर ट्रांसप्लांट हेतु मुझे अगली राय दें। डॉक्टर ने सीधे डॉ. सुभाष गुप्ता से फोन पर बात की और डॉ. गुप्ता ने अगले दिन 24 नवंबर, 2008 की प्रातः 11 बजे अपोलो अस्पताल में मिलने का समय दिया। डॉ. सिंघल ने मेरे अनुरोध पर एक प्रमाण-पत्र भी तुरंत बना दिया कि लिवर ट्रांसप्लांट में 15 से 18 लाख रुपया व्यय आएगा, ताकि संभव हो तो मैं अपने विभाग से मदद हेतु आवेदन कर सकूँ। आज मैं इस घटनाक्रम को इस तरह देखता हूँ कि डॉ. सुभाष गुप्ता, जिन्होंने मुझे नवजीवन प्रदान कर ईश्वर की भूमिका अदा की, तो उन तक पहुँचने का कार्य डॉ. सिंघल ने गुरु के रूप में किया। डॉ. सिंघल के लिए सहसा मेरी आत्मा से निकल पड़ा—बलिहारी गुरु आपने गोविंद दियो बताय!

मौत का पैगाम, शरीर की क्षीणता, नई दिशा का द्वार, आर्थिक तंगी, जीवन की अनिश्चितता, घरवालों की ओर से सहमति की अपेक्षा, डोनर की

अनिश्चितता, मानसिक उलझन, यह सबकुछ ऐसा था, मानो पानी में सूखी-गीली कई तरह की चीजें मिलकर एक ऐसा स्वरूप दे रही हों, जिसे पहचाना न जा सके; किंतु मेरा आत्मविश्वास मजबूत हो गया था। 'मौत' शब्द मस्तिष्क में दूर-दूर तक भी नहीं आया, केवल कर्तव्य व समन्वय ही मुझे खींचता गया और मुझे लगा कि अभी पानी हिल रहा है, सभी चीजें अपनी-अपनी तरफ से दिखने का प्रयास कर रही हैं, पानी शांत होगा तथा अपने-अपने घनत्व के अनुसार सभी चीजें क्रम से रुकेंगी और तब यह मिश्रण शायद सुंदर दिखाई पड़े! इस उलझन के बीच ही डॉक्टर से विदा ली तथा डॉ. सिंघल ने आत्मविश्वास भरी आवाज में मेरी पीठ पर हाथ रखकर शुभकामनाएँ देकर हमें विदा किया।

हम दोनों पी.एस.आर.आई. हॉस्पिटल से शांत होकर बाहर निकल आए थे। पता नहीं कैसे मन एकदम शांत था और कुछ समय के लिए अंदर का दृश्य भूल गया, क्योंकि मुझे विज्ञान एवं प्रौद्योगिकी विभाग में अपने आत्मीय एवं दिशादर्शक डॉ. डी.के. पांडे जी से मिलना था। मैं ऐसी ही मन:स्थिति में डॉक्टर पांडे के कार्यालय पहुँच गया तथा उनसे एवं अन्य सहयोगियों से सामान्य रूप से मिला, शायद ही कोई मेरी मन:स्थिति को मेरे चेहरे से पढ़ पाया होगा। मैं डॉक्टर पांडे के कक्ष में बैठा था। 'पहल' संस्था के कार्यों एव कार्यक्रमों की चर्चा समाप्त होने पर डॉक्टर पांडे ने मुझसे मेरे स्वास्थ्य के बारे में पूछा कि रिपोर्ट कैसी आई है तथा डॉक्टर क्या बता रहे हैं? यद्यपि मैं पूर्व में अस्पताल से बाहर निकलते समय मन बना चुका था कि किसी से कुछ न कहूँगा, किंतु डॉक्टर पांडे से विगत 12 वर्षों के आत्मीय संबंध तथा एक बड़े भाई के रूप में उनका मेरे प्रति स्नेह, इन सब ने मुझे बाध्य कर दिया कि मैं अपनी स्थिति उन्हें बता दूँ। मैंने धीरे-धीरे उन्हें डॉ. सिंघल से हुई वार्त्ता का ब्योरा दे दिया। डॉक्टर पांडे स्वभाव से बहुत सुलझे व्यक्ति हैं। उन्होंने हालाँकि, कुछ कुछ क्षणों तक चिंतन किया, फिर एकदम अपनी मुद्रा सहज करते हुए आत्मविश्वास भरे स्वर में बोले—पंत जी, मेरी स्पष्ट राय है कि आपको अवश्य लिवर ट्रांसप्लांट करवाना चाहिए, आप मेरी राय मानिए और

लिवर ट्रांसप्लांट के लिए 'हाँ' कह दीजिए, आप में जीने की जो जिजीविषा व काम करने का जो माद्दा है और फिर आपका कॉन्फिडेंस लेवल कितना ऊँचा है, आप अवश्य ही सफल होंगे, अब ज्यादा मत सोचिए, बस, अब 'हाँ' कीजिए। एक ऐसे व्यक्ति, जिन्हें मैं अपना बड़ा भाई व मार्गदर्शक मानता हूँ, जिनके प्रति मेरी असीम आस्था है, वह मुझमें इतना आत्मविश्वास देख रहे हैं और मुझे राय दे रहे हैं, मुझे ऐसा लगा, मानो डॉ. सिंघल व डॉक्टर पांडे को ईश्वर ने दूत बनाकर भेजा है कि मुझे जीवन का मार्ग मिले! मैंने उनके विचार पर सहमति व्यक्ति की। डॉक्टर पांडे ने विभिन्न संस्थाओं, विभागों से आर्थिक मदद के साथ-साथ यह भी जोड़ा कि मेरी ओर से भी जितनी मदद हो सकेगी, मैं भी करूँगा, आप निस्संकोच बता दीजिएगा। मौत से विजय प्राप्त करने के दुस्साहसी कदमों में पहले कदम की सकारात्मकता से निश्चित तौर पर मैं मजबूत होता गया था।

गैस्ट हाउस पहुँचने के बाद शाम को हम दोनों टहलने आर.के. पुरम के पास के छोटे से बाजार में निकल गए, इस बहाने कि थोड़ा परिवर्तन महसूस हो। वहाँ उस दिन सेल लगी थी। ठसाठस भरी गलियों में लोग सामान खरीदने में व्यस्त थे, एक-दूसरे को धक्का दे-देकर दुकानों में घुस रहे थे। कंचन को ध्यान में आया कि 14 फरवरी को हमारे भतीजे मोहिल की शादी है, घर में मेहमानदारी होगी, महिलाएँ हमारे कमरे में रुकेंगी, मेकअप के लिए तैयार होने के लिए कुछ-न-कुछ अन्य सामग्रियों की भी आवश्यकता होगी। हम लोगों ने पता नहीं कैसे अपनी मन:स्थिति परिवर्तित कर ढेर सारी मेकअप और ड्रेसिंग टेबल की सामग्रियाँ खरीदीं, ताकि मेहमानदारी के दौरान किसी को कमी का अहसास न हो। मौत के नजदीक पहुँचा मैं और उसकी साक्षी कंचन, पता नहीं ईश्वर ने कौन सी शक्ति दी कि हम सामने खड़ी मौत से बचने के उपक्रम से हटकर भतीजे की शादी की मेहमानदारी के लिए उत्साहित हो गए थे! आज लगता है कि निश्चित तौर पर ईश्वर ने मुझे असामान्य शक्ति प्रदान कर दी थी।

इंतजार खत्म हुआ और सवेरा हो गया और वह समय आ गया, जब 24 नवंबर को हमें डॉ. सुभाष गुप्ता, जिन्होंने मुझे ऑपरेशन के बारे में अंतिम

निर्णय देना था, मुझे उनसे मिलना था। प्रातः 10 बजे अपनी पूरी रिपोर्ट्स को एक प्लास्टिक के थैले में डालकर हम दोनों चल पड़े अपोलो अस्पताल की ओर। वर्ष 2005 में जब मुझे पोर्टल हाइपरटेंशन का गंभीर दौरा पड़ा था और जहाँ से मेरी बीमारी की शुरुआत हुई थी, तब भी मुझे अपोलो हॉस्पिटल ही लाया गया था तथा वहाँ के एक डॉक्टर ने ही मेरी बीमारी चिह्नित की थी तथा इलाज भी किया था। उन्हीं डॉक्टर की भूल से दी गई राय से इलाज बाद में मैंने बंद कर दिया था। आज पुनः अपोलो हॉस्पिटल पहुँचने पर एक शंका से मैं परेशान था कि कहीं उन्हीं डॉक्टर को मेरे बारे में पता चल गया तो मेरी स्थिति अजीबोगरीब हो जाएगी! मैं स्वयं में अपराधबोध महसूस कर रहा था। अस्पताल परिसर में मेरी आँखें उन्हीं डॉक्टर को तलाश रही थी, ताकि मुझे रू-बरू न होना पड़े और मैं पहले ही सुरक्षित तरीके से किनारा कर लूँ, पर सब ठीक रहा, वह डॉक्टर कहीं नहीं दिखे।

मैं व कंचन पहुँचे डॉ. सुभाष गुप्ता के चेंबर नं. 1112 के सामने। चेंबर के पास हमें श्री नीतीश, जो डॉ. गुप्ता के निजी सचिव थे, मिले। सुंदर व्यक्तित्व के नीतीश जी से हमने डॉ. सिंघल का संदर्भ देकर चर्चा आगे बढ़ाई; क्योंकि अभी डॉ. गुप्ता अस्पताल में नहीं पहुँचे थे, तो हमें नीतीश जी के साथ बैठने का कुछ मौका मिला। मन में लिवर ट्रांसप्लांट के प्रति कौतूहल, जिज्ञासा व तनाव तो था ही, मैं नीतीश जी से ऑपरेशन की पूरी जानकारी प्राप्त करने का प्रयास करता रहा। प्रारंभ में उन्होंने मुझे काफी बातें बताईं, क्योंकि वह काफी व्यस्त थे, अतः उन्हें मेरा ज्यादा पूछताछ करना बहुत भारी लग रहा था, तो मुझे टालने के लिए उन्होंने कहा कि देखिए, पूरी जानकारी तो डॉ. गुप्ता ही देंगे। आपको उनके पास मरीज को लाना होगा, मरीज की स्थिति देखकर ही डॉ. गुप्ता सही राय दे सकेंगे। उनकी बातें सुनकर मेरे चेहरे पर एक अजीब सी मुस्कराहट आई और मैं बोल बैठा, सर! मरीज तो मैं ही हूँ। मेरा ऐसा कहना था कि नीतीश जी चौंक उठे और बोले—आपका लिवर ट्रांसप्लांट होना है? वह बोले—भाईसाहब! डॉक्टर साहब तो जो राय देंगे, वह देंगे ही, किंतु मैं भी इतने समय से मरीजों को देख रहा हूँ। ऐसा व्यक्ति, जिसका स्वयं का

लिवर ट्रांसप्लांट होना है, वह इतने आत्मविश्वास से पूछ रहा है! आपको तो हंड्रेड परसेंट ट्रांसप्लांट करवाना ही चाहिए, क्योंकि आपकी विल पावर बहुत मजबूत है। नीतीश ने हमें सामने लॉबी में बैठे तमाम मरीजों की ओर इशारा करते हुए बताया कि यह सब लिवर ट्रांसप्लांट वाले मरीज ही हैं, आप डॉक्टर साहब के आने तक इन लोगों से बात कीजिए, आपको खुद कई बातें समझ में आ जाएँगी। मैं उठकर मरीजों के बीच में चला गया, कई लोगों ने चेहरे पर मास्क पहन रखा था, जिससे स्पष्ट हो रहा था कि यही ट्रांसप्लांट किए हुए व्यक्ति रिसिपिएंट अथवा डोनर हैं। उनमें अधिकांश लोग पाकिस्तान, श्रीलंका व दिल्ली के थे। मैंने कई लोगों से जानकारियाँ बटोरना प्रारंभ किया। इन लोगों के अनुभवों ने डॉक्टर के आने तक मेरे आत्मविश्वास के स्तर को और बढ़ा दिया था।

प्रतीक्षा करते-करते आखिरकार 1 बजे डॉ. सुभाष गुप्ता अपने चेंबर में आ ही गए। सुंदर सा दैदीप्यमान चेहरा, आँखों में चश्मा, आत्मविश्वास व स्नेह जिनके रोम-रोम में झलक रहा था, ऐसे व्यक्ति ने कमरे में प्रवेश किया। उनके आते ही ऐसा लगा, मानो आस-पास कुछ सकारात्मक कंपन पैदा हो गए हैं! क्योंकि मेरा अपॉइंटमेंट डॉ. सिंघल के द्वारा पूर्व से लिया गया था, अतः सबसे पहले मुझे बुलाया गया। मैं डॉ. गुप्ता के चेंबर में प्रवेश कर रहा था तो ईश्वर को याद कर कृतज्ञता के भाव से भरा था। भीतर प्रवेश किया तो देखा कि एक युवा दंपती पूर्व से ही अंदर बैठे थे, जिनकी गोद में उनकी 10 माह की बच्ची, जिसका 4 माह पूर्व 6 माह की उम्र में लिवर ट्रांसप्लांट हुआ था। वह पूर्ण स्वस्थ थी। माँ की गोद में मस्त 6 माह की बच्ची का सफल ऑपरेशन देखकर प्रेरणा मिली और आत्मविश्वास पुनः बढ़ गया। डॉ. गुप्ता इस दंपती से विमर्श के उपरांत जैसे ही निवृत्त हुए, उन्होंने बड़े प्रेम से मुस्कराते हुए मुझे सामने बैठाया, साथ में कंचन भी बैठी। उन्होंने मात्र मेरा नाम व उम्र पूछी और अपने पैड में लिखने के बाद बोले कि अब आप पूरी बात शुरू से बताएँ। उन्होंने पेन किनारे रख दिया था और सहज होकर बैठ गए थे तथा हमारी बातों को गंभीरता से सुन रहे थे। चिकित्सक को मरीज की बातें इतनी

गंभीरता से सुनते हुए देखना यह मेरे लिए आश्चर्य भरा तथा पहला अनुभव था, अन्यथा चिकित्सक मरीज के बोलते-बोलते तक दवा लिख दिया करते हैं, ऐसा मैंने देखा था। मैं लगातार बोलता जा रहा था, बीच-बीच में कंचन भी बोल रही थी, मेरी अस्वस्थता व उपचार का क्रम एक फिल्म की कहानी की तरह प्रस्तुत किया जा रहा था। मैंने उन्हें पूर्व में अपोलो अस्पताल में लिये उपचार का जिक्र भी किया और अनुरोध किया, कृपया उन डॉक्टर से जिक्र न करें। कहानी चलती जा रही थी। डॉक्टर ने बताया कि इस हॉस्पिटल में पहले जो हुआ सो हुआ, अब मैं स्वयं व्यक्तिगत रूप से चीजों को देख रहा हूँ, ताकि अच्छे-से-अच्छे रिजल्ट्स मिलें तथा मरीज को किसी भी तरह की दिक्कत न हो। वार्त्तालाप चल रहा था, 'अधजल गगरी छलकत जाए' की शैली में मैं अपनी मेडिकल हिस्ट्री का बखान कर रहा था। कंचन भी कुछ कुछ बातें बीच-बीच में कह रही थी। अचानक डॉ. गुप्ता ने प्रश्न किया कि यह बताइए कि क्या मेरे पास आने से पूर्व भी आप किसी से लिवर ट्रांसप्लांट के बारे में मिले थे? मैंने कहा कि नहीं, केवल डॉ. सिंघल से ही पिछले 3 साल से संपर्क में हूँ और उन्होंने ही आपके पास रैफर किया है। वह कुछ व्यंग्यात्मक उत्सुकता से बोले—मैं तो इसलिए पूछ रहा हूँ कि आप लोग बड़े नॉलेज वाले लगते हैं। मेरी पूरी बात सुनने के बाद डॉ. गुप्ता ने कहा कि अभी आप डीकंपनसेटेड लिवर सिरोसिस की स्टेज के उस चरण में है, जब आपके पेट में पानी बनने लगा है, जो एक गंभीर स्थिति है, इसके बाद चार चरण और होंगे—क्रमशः शरीर में सूजन बढ़ेगी, धीरे-धीरे चक्कर-से आने लगेंगे तथा याददाश्त भी प्रभावित होगी, फिर कभी-कभी आपको बेहोशी के दौरे पड़ने लगेंगे और फिर किसी भी दौरे के दौरान आपकी किडनी फेल हो जाएगी, यही इसका अंत है। आपसे हुई बातों से मुझे लगा कि आपका आत्मविश्वास बहुत ऊँचा है और आपका ऑपरेशन बिल्कुल सफल होगा। मैंने सफलता पर और कुछ जिज्ञासा रखी तो डॉ. गुप्ता ने कहा—यदि आपको किसी नजदीकी रिश्ते व कम-से-कम 18 वर्ष के आस-पास का डोनर मिल जाए तो ऑपरेशन उतना ही सफल होगा। मैंने कंचन, दीदी, बड़े भाई, दोनों बेटों के ओ पॉजिटिव

होने की बात भी रखी और उन्होंने इन सबके ब्लड टेस्ट करवाने की सलाह दी। उन्होंने कहा कि अभी आपका बिलीरुबिन 8 पॉइंट पर है, यहाँ तो कहीं आगे तक पहुँचे रोगी भी ट्रांसप्लांट के बाद सफल हुए हैं। डॉ. गुप्ता ने मेरी जिज्ञासा को बखूबी समझ लिया था और उसी के आधार पर वह मुझे मजबूत कर रहे थे। वह बोले—पंतजी! मैं विश्वास दिलाता हूँ कि मैंने अब तक 200 से अधिक ऑपरेशन किए हैं और सभी सफल रहे हैं। आपकी विल पावर बहुत मजबूत है, आपका ऑपरेशन शत-प्रतिशत सफल होगा, लेकिन मैं आपसे 90 प्रतिशत की ही बात कर रहा हूँ, क्योंकि आखिर मेरे हाथ भी इंसान के ही हाथ हैं, बाकी तो सब ईश्वर की इच्छा होती है। डॉ. गुप्ता जैसे विरलतम सर्जन, जिन्हें स्वयं ईश्वर का दूत समझना चाहिए, वह भी उस अदृश्य शक्ति के प्रति आस्था व निर्भरता रखते हैं तथा उनका भी उस शक्ति के प्रति समर्पण है, यह बात निश्चित ही प्रेरणास्पद व नए विचारों को जन्म देने वाली थी। डॉ. गुप्ता ने सलाह दी कि मैं आज से ही पानी व नमक ऑपरेशन तक बिल्कुल बंद कर दूँ। 24 घंटे में शरीर के अंदर टोटल लिक्विड 1.50 लीटर से अधिक नहीं जाना चाहिए, ताकि सूजन न आए तथा किडनी ठीक से कार्य करती रहे। पानी व नमक जैसी शरीर की अनिवार्यताओं पर पूर्ण प्रतिबंध त्रासदी भरा तो था ही, किंतु मैंने उसे स्वीकार कर लिया। अब बात आई ऑपरेशन करवाने की सहमति की। मुझे अपनी जिंदगी की पता नहीं क्यों परवाह सी नहीं रही, क्योंकि मृत्यु शब्द तो मेरे दिमाग व मन में आया ही नहीं था। मुझे लग रहा था कि ऑपरेशन तो होगा ही, फिर धीरे-धीरे सब ठीक हो जाना है, बाकी काम भी तो देखने हैं। मेरे मन में ऑपरेशन से ज्यादा अपने भतीजे की 14 फरवरी को होने वाली शादी की बात पहले आई। मैंने डॉ. गुप्ता से कहा कि मैं ऑपरेशन तो करवाऊँगा ही, लेकिन 20 फरवरी के आस-पास, ताकि तब तक घर में शादी का काम निबट जाए तथा मेरी वजह से शादी में कोई व्यवधान न हो। डॉ. गुप्ता ने आश्चर्य भरी नजरों से मुझे देखा, उनकी आँखें कह रही थीं कि यह किस तरह का आदमी है! इसे बेवकूफ कहूँ या फिर जिम्मेदार, या फिर अति आत्मविश्वासी? उन्होंने सिर्फ इतनी ही प्रतिक्रिया दी—ठीक है, जैसा आपको

सूट करे, 4 महीने से पहले-पहले यह करवाना होगा, नहीं तो स्थिति बिगड़ चुकी होगी। पानी, नमक बंद का फरमान, ऑपरेशन 4 माह बाद, फिर दिमाग दौड़ा कि 2 और 3 दिसंबर को टिहरी गढ़वाल में राज्य स्तरीय बाल विज्ञान कांग्रेस है, क्योंकि मैं इस कार्यक्रम का राज्य समन्वयक एवं प्रमुख व्यक्ति था और मेरी उपस्थिति वहाँ अनिवार्य थी, अतः मेरे ऊपर टिहरी कार्यक्रम में जाने की बात हावी हो गई। मैंने डॉ. गुप्ता से टिहरी जाने व अपनी अनिवार्य उपस्थिति हेतु अनुमति की बात कही तो डॉक्टर साहब पुनः आश्चर्य में पड़ गए और बड़े खुश होकर बोल उठे—मैं आपकी विल पावर की दाद देता हूँ, ऐसी स्थिति में भी आपको घर में शादी, अपने कार्यक्रम में जाने आदि की उत्साहजनक इच्छा बनी है, आप बिल्कुल टिहरी जाइए, बस, ध्यान रखिएगा कि नमक और पानी का पूरा परहेज रखना होगा तथा तीन-तीन घंटे में यात्रा में विराम दे दीजिएगा। डॉ. गुप्ता ने एक पुस्तक मुझे दी, जिसमें लिवर ट्रांसप्लांट के बारे में तथा इससे जुड़े सभी प्रश्न-उत्तर दिए गए थे। उन्होंने कहा कि इस बीच आप इस पुस्तक को पूरा पढ़ डालिए, ताकि आपको सारी बातें स्पष्ट हो जाएँ, आप मुझसे कभी भी बात कर सकते हैं। डॉ. गुप्ता ने मेरे अनुरोध पर अपने सचिव श्री नीतीश जी को बुलवाकर ऑपरेशन का 18.50 लाख का एस्टीमेट भी उपलब्ध कराया तथा बताया कि लगभग पच्चीस लाख रुपए की व्यवस्था करनी होगी।

मौत की नजदीकी आशंकाओं का निवारण, जीवन की अनिश्चितता, नमक, पानी की बंदी, डोनर की व्यवस्था, भतीजे की शादी, राष्ट्रीय बाल विज्ञान कांग्रेस में प्रतिभाग, 25 लाख रुपए की व्यवस्था, जीवन जीने की उत्कट अभिलाषा, अपने जीवन की उपयोगिता अथवा 25 लाख रुपया खर्च कर जीने के निर्णय की स्थिति, बच्चों का भविष्य, 'मानस एकेडमी' की स्थापना का अधूरा कार्य, कंचन जैसी समर्पित व सीधी-सादी पत्नी, दीदी का महत्त्वपूर्ण करीबी का अहसास, शिवा की बी.डी.एस. की महँगी पढ़ाई का अधर में होना, देवाशीष का कॅरियर, कोई मजबूत आर्थिक-सामाजिक अथवा राजनीतिक पृष्ठभूमि का अभाव, पिछले 4 वर्ष में इलाज में किया

गया खर्च, और उसके उपरांत भी ऑपरेशन की सफलता अथवा असफलता आदि-आदि ऐसे असंख्य प्रश्नों की कड़ी भीतर-ही-भीतर चल रही थी; किंतु इन कड़ियों में अंतरात्मा की आवाज—'तुझे मरना नहीं है, तुझे अभी बहुत काम करने हैं' ने मानो सारे प्रश्न हाशिए में डाल दिए और मन मात्र एक ही लक्ष्य पर केंद्रित हो गया कि अब व्यवस्थाएँ सुनिश्चित करनी है। चिंता का स्थान चिंतन ने ले लिया था। ऑपरेशन के लिए जुट जाना है, बाकी कुछ नहीं। ईश्वर ने पता नहीं कहाँ से वह शक्ति दी! मैं समझता हूँ कि शायद 23-24 नवंबर को डॉ. सिंघल व डॉ. गुप्ता के साथ चर्चा में यदि एक सेकंड को भी मेरी सोच नकारात्मक हो जाती तो आज मैं इस दुनिया में नहीं होता! इतनी अधिक सकारात्मकता, जिसकी मैं आज कल्पना भी नहीं कर सकता, कहाँ से आई, यह स्वयं मेरे लिए एक प्रश्न है। इसी स्थिति में हमने डॉ. गुप्ता व नीतीश जी से यह कहकर विदा ली कि फोन द्वारा तारीख के बारे में बाद में बात कर लेंगे।

नीतीश जी से बातों में अचानक यह निकलकर आया कि क्यों न कंचन का ब्लड सैंपल दे दिया जाए? क्योंकि वह भी ओ पॉजिटिव है! अतः ब्लड सैंपल दे दिया गया। हमने ईश्वर की इच्छा व आस्था के साथ अपोलो अस्पताल से बाहर कदम रखा व ऑटो कर पुनः अपने गेस्ट हाउस में आ गए। रास्ते में लगभग मौन या, बहुत सीमित बातें, दिमाग में फिल्म की रील घूम-घूम रही थी। मन बार-बार यही प्रश्न पूछ रहा था कि मेरे साथ यह सब क्यों? और कैसे? फिर भीतर से आवाज आती थी—शायद यह मेरी जिजीविषा व आत्मविश्वास की परीक्षा ली जा रही है! मैंने तय किया कि अपना ऑपरेशन ईश्वर को समर्पित कर, साक्षी भाव से कर्तव्य करूँ, सब ठीक होगा। इसी उधेड़बुन में हम दोनों कब कमरे में आ गए, पता भी न चला। कंचन का आत्मविश्वास भी प्रेरणास्पद और संबल देने वाला था। आँखों से आँसुओं को गायब कर वह पता नहीं कैसे हिम्मत जुटा चुकी थी और बार-बार ईश्वर के नाम पर सब छोड़ व्यवस्थाओं की बात कर रही थी। मुझे अपने मिशन में आगे बढ़ने के लिए पत्नी का सहयोग पूर्ण समर्पित भाव से मिल रहा था।

वास्तव में मैं स्वयं को भाग्यशाली समझ रहा था। मेरा मानना था कि क्योंकि कंचन को पता है कि मेरे ऑपरेशन में इतनी बड़ी धनराशि व्यय होनी है और यह जीवन का पूरा जुआ है। पैसे के चक्कर में यदि मैं ऑपरेशन न करवाऊँ तो यह निश्चित है कि मेरा शरीर तीन-चार महीने के भीतर साथ छोड़ देगा। भविष्य में मेरे बच्चे अपनी माँ से पूछेंगे कि पापा को क्या बीमारी थी, डॉक्टर ने क्या कहा था? और जब उनकी माँ उन्हें यह कहेगी कि ऑपरेशन में आने वाले अत्यधिक व्यय के कारण ऑपरेशन नहीं करवाया तो बच्चे माँ को कोसेंगे कि पैसे व संपत्ति को बचाने के चक्कर में पापा को खो दिया! यह कलंक मैं कंचन के ऊपर नहीं लगने देना चाहता था और यही एक महत्त्वपूर्ण कारण था कि मैंने ऑपरेशन के लिए 'हाँ' कहा। कंचन मेरी बातों को गंभीरता से सुन रही थी, उसे लग रहा था कि शायद मैं उसके दिल की बात कह रहा हूँ। खैर, ऐसे ही दिन और रात कट गई। हमने यह तय कर लिया था कि लिवर ट्रांसप्लांट होने की बात बाहर व्यक्त नहीं करेंगे, क्योंकि ऑपरेशन होने में अभी काफी दिन शेष थे।

अगला दिन 25 नवंबर का था, हमें अपने बेटे देवाशीष से मिलने उसके कमरे में जाना था, तब वह वहाँ एक कंपनी में नौकरी प्रारंभ कर रहा था। हम दिन में उसके ऑफिस व कमरे में गए। मैंने बातों ही बातों में उसे मानसिक रूप से इस बात को तैयार किया कि हो सकता है मेरा कोई ऑपरेशन भविष्य में हो तो खून की जरूरत पड़ सकती है, क्योंकि उसका ब्लड ग्रुप ओ पॉजिटिव था, वह सहर्ष तैयार हो गया था। इसी तरह की कुछ अधूरी सी बात मैंने टेलीफोन से बड़े भाईसाहब से भी की। मेरा विश्वास बढ़ रहा था कि डोनर मिल ही जाएगा। मैंने भाईसाहब से भी लिवर ट्रांसप्लांट करने की बात गोपनीय ही रखी। ऐसे ही दिन कट गया, मन में प्रश्नों की झड़ी लगती, फिर स्वयं ही उत्तर मिलते जाते। बस, इसी स्थिति में हम रात्रि की ट्रेन से हल्द्वानी को रवाना हो गए। नमक व पानी छोड़े आज दूसरा दिन हो गया था।

26 नवंबर, प्रातः 6:30 बजे हल्द्वानी पहुँचे, क्योंकि मेरा स्वास्थ्य खराब था ही, मैं काफी कमजोर हो गया था तथा चेहरा काला हो गया था, यह बात

घर में सबको पता थी। हल्द्वानी में बड़े भाईसाहब ने कार की व्यवस्था की थी। हम लोग कार में सवार होकर लगभग 1:30 बजे पिथौरागढ़ पहुँचे। रास्ता अपनी ही उधेड़बुन में पता नहीं कैसे कटा। कार चल रही थी और उससे कई गुना अधिक गति से मन दौड़ रहा था—ऑपरेशन, जिंदगी, पैसा, कंचन, बच्चे, 'मानस एकेडमी' स्कूल के बच्चे, अभिभावकों से संकल्पबद्धता, बैंक का कर्ज, बच्चों का खर्च, सभी बातें बिना किसी क्रम के दिमाग में उथल-पुथल मचा रही थीं। यही स्थिति कमोबेश शायद मेरी पत्नी की भी रही होगी। बीच-बीच में हम स्वाभाविक तौर पर अन्य बातें भी कर ले रहे थे, फिर पता नहीं कैसे धीरे-धीरे पुराना ताना-बाना प्रारंभ हो जा रहा था। हाँ, इतना अवश्य था कि इस ताने-बाने में व्यवस्थाएँ और संभावनाएँ घूम रही थीं। कहीं भी नेगेटिविटी और 'मौत' जैसा शब्द नहीं आ रहा था। घर पहुँचे, आराम किया। मन में निर्णय लिया था कि भतीजे की शादी से पहले मुँह नहीं खोलेंगे। भाईसाहब आए और स्वास्थ्य का हाल व डॉक्टर की राय आदि पूछी। शुरू में तो मन को मजबूत रखकर सामान्य चर्चा की, छोटे भाईसाहब से भी ऐसी ही सामान्य चर्चा की। बाद में मैंने सोचा कि मुझे डोनर के बारे में निर्णय लेना है, परीक्षण करवाना है, काफी लंबी प्रक्रिया से गुजरना है, भाईसाहब का मेरे प्रति काफी स्नेह भी है, अतः मुझे उन्हें सत्यता बता देनी चाहिए। यह विचार तुरंत अभिव्यक्ति में आ गया। मैंने भाईसाहब से अलग बैठकर वास्तविकता व्यक्त कर डाली और यह भी बताया कि मैंने डॉक्टर से 14 फरवरी के उपरांत ही ऑपरेशन की बात कही है। सारी बातें सुनकर उनका स्तंभित हो जाना स्वाभाविक था। उन्होंने कहा, लिवर मैं डोनेट करूँगा तथा पैसे की व्यवस्था हेतु जो भी संभव प्रयास होंगे, करेंगे। उन्होंने यह भी जोड़ दिया कि सरकार से मदद मिले तो ठीक है, नहीं तो हम सभी अपने स्तर से व्यवस्था करेंगे, लेकिन ऑपरेशन तो कराना ही है। भाईसाहब की विश्वास भरी बातों ने फिर एक कदम और आत्मबल बढ़ाया। मुझे लगा कि मेरी वास्तव में अभी जरूरत है। भाईसाहब को भी यही कहा गया कि हम प्रयास व पूर्व तैयारियाँ करते हैं, किंतु अभी इस बात को आम न किया जाए, यहाँ तक कि यह बात मैंने छोटे भाईसाहब व दीदी जी

को भी नहीं बताई। किसी को न बताने का उद्देश्य सिर्फ यही था कि अभी ऑपरेशन में लंबा समय है, अभी से सभी को तनाव में रखना उचित नहीं है। मैंने टिहरी राष्ट्रीय बाल विज्ञान कांग्रेस के राज्य स्तरीय आयोजन का दायित्व भी निभाना है। राष्ट्रीय आयोजन हेतु राज्य की टीम के प्रतिभाग के कागजात तैयार करने हैं, कार्यक्रम की रिपोर्ट, 'पहल' के विभिन्न लंबित कार्य निपटाने हैं; क्योंकि डॉक्टर साहब ने बताया था कि मुझे लगभग 4 माह दिल्ली में रहना होगा, अत:मेरी इच्छा थी कि मेरी अनुपस्थिति में संस्था एवं 'मानस एकेडमी' का कोई भी कार्य बाधित न हो। मैं शांत भाव से अपना काम करता रहा। दीदी को टिहरी में बाल विज्ञान कांग्रेस के आयोजन की तैयारी का दायित्व दिया था। यदि उन्हें यह पता चलेगा तो वह तनाव में आ जाएँगी तथा आयोजन प्रभावित हो सकता है। इस तरह के कई कारण थे, जिनकी वजह से मैंने मुँह न खोलने तथा चुपचाप काम करते रहने का निर्णय लिया। राष्ट्रीय बाल विज्ञान कांग्रेस की तैयारियों हेतु अपने कार्यालय सहयोगी श्री राजेश से सारे प्रफोर्मा, सूचनाएँ आदि तैयार करवाईं। सारा ध्यान राज्य स्तरीय आयोजन की सफलता पर चला जा रहा था। स्वास्थ्य की चिंता तैयारियों पर कदापि हावी नहीं हो सकी।

1 दिसंबर को मैं कंचन व 'पहल' के सहयोगियों आदि के साथ चल पड़ा टिहरी गढ़वाल में राष्ट्रीय बाल विज्ञान कांग्रेस के आयोजन में प्रतिभाग के लिए। रास्ते भर हाथ-पैर में क्रैंप्स आना, स्वास्थ्य की विषम परिस्थितियाँ, खाने के लिए प्रतिबंध-ही-प्रतिबंध एवं अन्य विडंबनाओं को आयोजन के दायित्व के अहसास के सामने स्थान न देकर मैं चलता ही गया। उस बीच मेरा स्वभाव चिड़चिड़ा हो गया था। लोगों की बातें सहन नहीं हो रही थीं, मूड में अकस्मात् बदलाव आ रहा था। सबकुछ अत्यंत असहज होते हुए भी सहज दिखाने का झूठा प्रयास जारी था। लंबी यात्रा के बाद रात्रि विश्राम किया छोटी दीदी के पास काशीपुर में। मेरे सहयोगी एवं मित्र कुमकुम साह, श्री गजेंद्र बोहरा, श्री योगेश भट्ट भी वहीं रुके, बाकी लोग अलग-अलग जगह रुके। वह रात भी एक याद रहने वाली रात रही। रात लगभग 12 बजे के आस-पास मेरे हाथ-पैर बहुत जोर से मुड़ गए और मैं बिलखता व असहाय-सा पागल

बनकर फर्श पर लोट-पोट करता रहा। रात में अन्य लोगों को व्यवधान न हो, इस भाव से चुपचाप तड़पता रहा। कंचन लगातार मेरी मालिश कर मुझे सामान्य करने का प्रयास करती रही। लगभग 45 मिनट बाद ही मैं सामान्य हो सका।

अगले दिन सबेरा होने से पहले हम सभी लोग निकल पड़े टिहरी की ओर। एक गाड़ी एडवांस पार्टी के रूप में पहले दिन जा चुकी थी। स्वास्थ्य की विषमताओं को साथ में ढोते हुए शाम को मैं पहुँचा टिहरी गढ़वाल के मुख्यालय में, जहाँ सोलहवीं राष्ट्रीय बाल विज्ञान कांग्रेस का आयोजन होना था। मेरे सभी दायित्व जैसे—इवेलुएटर्स की मीटिंग लेना, समन्वयकों की मीटिंग, व्यवस्थाओं को अंतिम रूप देना, सभी टीमों से समन्वय बनाना तथा नीतिगत निर्णय लेना आदि दायित्व बोध व काम करने की भावना ने मुझे कहीं डिगने नहीं दिया। कभी मन में यह भी लग रहा था कि कहीं यह मेरी अंतिम बाल विज्ञान कांग्रेस तो नहीं है! फिर मन से आवाज आ रही थी—नहीं! अभी तो तूने बहुत कुछ करना है! पता नहीं कौन सी शक्ति मुझे संबल प्रदान कर रही थी! दीदी के ऊपर सारी व्यवस्थाओं का जिम्मा था, अत: उन्होंने अंदर से मेरी स्थिति की गंभीरता का अहसास करते हुए भी स्वास्थ्य की सामान्य जानकारी हासिल की। मैंने भी उनसे अपने लिवर ट्रांसप्लांट होने की बात गोपनीय रखना ही उस समय उपयुक्त समझा, अन्यथा आयोजन व व्यवस्थाएँ प्रभावित हो सकती थीं। टिहरी की दिसंबर की ठंड, खाने में प्रतिबंध, पानी व दूध, चाय का प्रतिबंध, शरीर की क्षीणता, सफर की थकावट, हाथ-पैर मुड़ना, यह सब एक नजर में अत्यंत दुखदाई थे, किंतु ईश्वर मेरी गाड़ी हाँक रहा था और मैं किसी को कुछ भी अहसास दिलाए बगैर सहज होकर कार्य करने में जुट गया था।

□

ऑपरेशन से पूर्व अपने ज्येष्ठ पुत्र देवाशीष एवं पत्नी कंचन के साथ

डॉ. सुभाष गुप्ता, सफल लिवर प्रत्यारोपण के नायक

मेडिकल का छात्र शिवाशीष

ऑपरेशन के लिए तैयार अपने छोटे बेटे और डोनर शिवाशीष के साथ

डॉ. सुभाष गुप्ता के साथ मैं और शिवाशीष

पुत्र शिवाशीष के साथ ऑपरेशन से पूर्व

ऑपरेशन से पूर्व अपनी पत्नी एवं दोनों बेटों के साथ

अपनी पत्नी एवं दोनों भतीजों अंशुल एवं मोहिल के साथ

ट्रांसप्लांट हेतु तैयार पिता एवं पुत्र

ऑपरेशन के लिए प्रस्थान—परिवारजनों के साथ

परिवारजनों के साथ ऑपरेशन के लिए प्रस्थान करते हुए

लिवर ट्रांसप्लांट को जाते समय परिवार के साथ लिया गया 4 जनवरी, 2009 का चित्र

ऑपरेशन की सफलता के बाद अपने सर्जन डॉ. सुभाष गुप्ता के साथ

सरिता विहार में अपने कक्ष की व्यवस्था

पत्नी कंचन एवं पुत्र शिवा तथा डॉक्टर्स के साथ

लिवर ट्रांसप्लांट के पूर्व एवं उपरांत ठीक होने के चरणों की तस्वीर

ऑपरेशन के बाद सरिता विहार के कमरे में स्वागत करती हुई पत्नी

मार्च 2009 में पत्नी एवं दीदी के साथ सरिता विहार में

फरवरी 2009 में पत्नी के साथ सरिता विहार में

लिवर ट्रांसप्लांट के पश्चात् पत्नी कंचन और शिवा के साथ सरिता विहार, नई दिल्ली में

16 मई, 2010 'विमर्श' हेल्पलाइन का लोकार्पण

'विमर्श' हेल्पलाइन का शुभारंभ समारोह

'विमर्श' हेल्पलाइन पर सलाह लेने आए लोगों से बातचीत करते हुए

मानस एकेडमी, पिथौरागढ़ के 'विश्व मातृभाषा दिवस समारोह' में

मा. मुख्यमंत्री द्वारा प्रदत्त 'विज्ञान पुरोधा सम्मान-2023'

लिवर ट्रांसप्लांट सेमिनार में मुख्य अतिथि फिल्म अभिनेत्री सुश्री चित्रांगदा सिंह के साथ डॉ. अशोक कुमार पंत एवं पत्नी श्रीमती कंचनलता पंत

पत्रकार वार्त्ता करते हुए

सी.एल.बी.एस. के चेयरमैन डॉ. सुभाष गुप्ता
डॉ. अशोक कुमार पंत को 'लिवर चैंपियन' से सम्मानित करते हुए

सन् 2015 में सीमांत फाउंडेशन द्वारा आयोजित स्वास्थ सेवा शिविर में मुख्य अतिथि श्रीमती स्मृति ईरानी द्वारा सम्मानित

सन् 2022 में सामाजिक संगठनों द्वारा 'पिथौरागढ़ गौरव सम्मान' से सम्मानित

चिंता और चिंतन

2 दिसंबर का दिन राष्ट्रीय बाल विज्ञान कांग्रेस के राज्य स्तरीय आयोजन के उद्घाटन का दिन था। भीतर से खोखला, अक्षम, असमर्थ, अस्वस्थ शरीर, परंतु दायित्वबोध का अहम कवच पहने मैं काली पेंट, सफेद कमीज, हाई नेक स्वेटर और बाहर से लाल ब्लेजर पहनकर स्वयं को यह अहसास दिलाने का प्रयास कर रहा था कि राज्य समन्वयक के रूप में मैं पूर्ण सक्षम व्यक्ति हूँ तथा आयोजन के हर सूत्र में हूँ। मैं बहुत अच्छा लग रहा हूँ। मैं ही आयोजन का प्रमुख पात्र हूँ, ऐसी कई सकारात्मक भावनाओं को लेकर मैं पूरे उद्घाटन सत्र में सामान्य रहा। सामान्य ही नहीं, किसी भी व्यक्ति ने शायद मेरी स्वास्थ्य की गंभीरता का अहसास भी नहीं किया होगा। शिक्षा निदेशक श्रीमती पुष्पा मानस मुख्य अतिथि थीं। विशेष अतिथि के रूप में मेरे दिशादर्शक व श्रद्धा पात्र डॉ. डी.के. पांडे, श्री रोहताश रघुवंशी जी थे, जो दिल्ली से आए थे और जिन्हें मेरी स्थिति का अहसास था। पड़ोस की भाभी श्रीमती गोविंदी कोरंगा, जो तब बाल विकास बोर्ड की अध्यक्ष थीं वह तथा कुछ अन्य राजनीतिक व्यक्ति, अकादमिक व्यक्तित्व सब उपस्थित थे। खूब सुंदर व्यवस्थाएँ थीं। आकर्षक स्थल, सुंदर बैंड, सबकुछ अत्यंत भव्य था। मैं इन तीन-चार घंटों के दौरान सबकुछ भूल गया था कि मैं जीवन के अंतिम मुकाम पर खड़ा हूँ। मुझे सबकुछ उत्साहजनक-सा ही लग रहा था। उद्घाटन सत्र बहुत सुंदर हुआ था; क्योंकि मैं राज्य समन्वयक था, अतः उद्घाटन सत्र में मेरी महत्त्वपूर्ण भूमिका थी। मैंने संबोधन भी दिया पूरी सहजता व आत्मविश्वास के साथ। मंच से बोलते समय सामने बैठे बाल वैज्ञानिकों को

देखकर मुझे संदेश मिल रहा था कि मैं पुनीत एवं महत्त्वपूर्ण विषय को लेकर चला हूँ, मुझे कुछ नहीं होगा। पता नहीं बार-बार भीतर से एक मजबूत व सकारात्मक विचार कौन सी शक्ति दे रही था! उद्घाटन सत्र पूरा हुआ। अब मुझे इंतजार था उस मौके का, जब मैं शिक्षा निदेशक श्रीमती पुष्पा मानस से अकेले मिलूँ और विभागीय सहयोग हेतु अपनी वास्तविकता व्यक्त करूँ।

गेस्ट हाउस में लंच के लिए सभी विशिष्ट अतिथिगण पहुँचे। अचानक श्रीमती मानस ने मुझसे रूम खुलवाने के लिए कहा, शायद वह फ्रेश होना चाह रही थीं। मैंने तुरंत एक सूट खुलवा दिया। वह वॉशरूम गईं। मुझे तो बस, जैसे मौका ही मिल गया था। मैं बाहर वेटिंग रूम में बैठ गया। निदेशक महोदया बाहर निकलीं और मुझे कमरे में देखकर आश्चर्य से बोलीं—अशोक, तुम यहाँ? मैंने अपनी सारी व्यथा कह डाली कि मुझे 4 माह के जीवन का अल्टीमेटम मिल गया है। बचने के लिए लिवर ट्रांसप्लांट का एक रास्ता है। मेजर ऑपरेशन का खर्चा लाखों में है। मैंने उन्हें बताया कि मैं पूरी फाइल बनाकर लाया हूँ। मैंने अपनी दीदी को भी यह बात नहीं बताई है, ताकि आयोजन बाधित न हो। मैं कल ही उनके माध्यम से विभागीय वित्तीय सहायता की फाइल आपके पास भिजवा दूँगा, कृपया मेरी मदद कीजिएगा। मैं एक बार में ही सारी बातें फटाफट कह गया। निदेशक महोदया मुझे गौर से देखती रहीं। उन्हें यह सब अत्यंत अस्वाभाविक लगा, उनकी आँखें भर आई थीं। उन्होंने मेरी पीठ पर हाथ रखा और भावुक होकर कहा—'अशोक! मदद की तुम चिंता मत करो, किंतु ऐसी स्थिति में और तुम यहाँ टिहरी में? मैं सिर्फ यही कहती हूँ कि यह आत्मविश्वास, जो तुमने इस समय बना रखा है, उसे बनाए रखना, टूटने मत देना।' मैं बहुत हल्का हो गया था, शायद इस भाव से कि मदद के लिए मैं एक सर्वोच्च अधिकारी से अपनी बात कह चुका हूँ तथा मुझे आश्वासन भी मिल गया है।

बाल विज्ञान कांग्रेस के आयोजन का पहला दिन व्यस्तता में बीता। दिसंबर का महीना, टिहरी की ठंड और उस पर नाजुक स्वास्थ्य, बस, मैं किसी तरह खड़ा हो रहा था। ठंड व पानी की कमी से शाम को लगातार मेरे

हाथ की उँगलियाँ व पैर सिकुड़ते जा रहे थे। रात को दीदी जी हमारे कमरे में आईं और फिर मैंने उनके सामने अपने स्वास्थ्य का राज खोला। बच्चों एवं शिक्षकों का टिहरी डैम देखने का प्रोग्राम था। सभी बाल वैज्ञानिक, शिक्षक व हम सब निकल पड़े आयोजन स्थल से टिहरी डैम साइड पर। पूरा आनंद लिया था इस विजिट का मैंने। शाम को समापन समारोह प्रारंभ हुआ। काफी लंबे समय तक चला था यह कार्यक्रम। संचालन प्रति वर्ष की भाँति मुझे ही करना था, क्योंकि आयोजन का प्रमुख पात्र होने के नाते मुझे लगता था कि कहीं कोई त्रुटि न हो जाए, इसलिए इस भाग का संचालन मैं ही करता आया था। उस दिन भी मैंने ही किया। मंच से दीदी जी ने घोषणा की थी कि राज्य समन्वयक डॉ. अशोक पंत, क्योंकि अस्वस्थ हैं, अतः वह बैठे-बैठे ही संचालन करेंगे। पूरे 2 घंटे के समापन समारोह का संचालन मेरे द्वारा किया गया। पूरा कार्यक्रम बहुत सफलतापूर्वक संपन्न हो चुका था। मैंने ईश्वर को धन्यवाद दिया कि उसने मेरे दायित्व-निर्वहन एवं मिशन पूर्णता में मुझे शक्ति दी। दोहरा चेहरा पहने मैं अगले दिन प्रातः सभी साथियों के साथ रवाना हो गया वापस पिथौरागढ़ को। हम लोग 3 गाड़ियों में थे तथा सभी के साथ-साथ मैं भी मस्ती में ऐसे ही शरीक होने का झूठा प्रयास कर रहा था, जैसे मैं भी उन्हीं की तरह स्वस्थ हूँ! हरिद्वार तक दीदी भी साथ थीं और मैंने फाइल उन्हें सौंप दी थी।

शाम को काशीपुर में छोटी दीदी के घर में रुके थे हम लोग। रात्रि में मैंने सोचा कि पता नहीं भविष्य के गर्भ में क्या छुपा है, मुझे अपनी छोटी दीदी को अपने बारे में बता देना चाहिए! मैंने काफी भूमिका जमाने के बाद हल्के से अपनी बात कहनी आरंभ की तथा डॉक्टर द्वारा बताई गई स्थिति बताने का प्रयास किया, किंतु चाहकर भी अपनी बात कह नहीं सका। मुझे लगा कि इंसान केवल अच्छा देखने, अच्छा सुनने का अभ्यस्त है। कष्ट और मौत को भीतर से स्वीकार करने में उसे अस्वाभाविकता महसूस होती है और यही उसे कमजोर बनाता है। मुझे लगता है कि जिसने मौत को समझ लिया तथा मौत सामने खड़ी है, यह स्वीकार कर लिया हो, उसे वास्तव में संघर्ष का बोध

होता है और वही अंदर से मजबूत होता है; क्योंकि मौत से संघर्ष जीवन का सबसे बड़ा संघर्ष है। इंसान अंतिम क्षणों तक संघर्ष कर आशान्वित रहता है कि वह अवश्य विजयी होगा! यह सकारात्मक सोच इंसान को मजबूत करती है, जिसमें यह सकारात्मकता क्षीण हो जाती है, वह समय से पहले जिंदगी से हार जाता है। हारता तो वह भी है, जो सकारात्मकता से ओत-प्रोत है, किंतु कुछ देर में। मौत से जीतना तो अकल्पनीय है, असंभव है, हाँ, संघर्ष करते हुए कुछ समय और शक्ति आ जाती है। अगले दिन मैं व कंचन सभी साथियों के साथ रवाना हो गए पिथौरागढ़ के लिए तथा रास्ते भर उसी तकलीफ को झेलते हुए रुकते-रुकाते जैसे-तैसे घर पहुँचे। स्वास्थ्य की त्रासदी एवं कल की अनिश्चितता के बावजूद भी मैं बड़े आत्मविश्वास से भरा था कि मैं अपनी समाज के प्रति जिम्मेदारी एवं मिशन को पूरा कर लौटा हूँ तथा मैंने घोर अस्वस्थता के बावजूद भी अपने सामाजिक दायित्व का निर्वहन किया। इन विचारों ने मुझे वास्तव में मजबूत बनाया और उस बीच फिर काम करने की शक्ति दी। भाईसाहब की सलाह पर डॉ. सुभाष गुप्ता से फरवरी के स्थान पर दिसंबर माह में ही ऑपरेशन की बात हो गई थी। डॉ. गुप्ता ने दिसंबर के अंतिम सप्ताह में दिल्ली आने तथा जनवरी प्रथम सप्ताह में ऑपरेशन की अनुमति दे दी थी।

अब मैं टिहरी गढ़वाल से घर लौट आया था। घर आकर यदि मैं बाहर कह देता कि मैं गंभीर दौर से गुजर रहा हूँ तथा मेरा लिवर ट्रांसप्लांट होना है तो शायद घर में लोगों से घिरने लगता और अपना काम नहीं कर सकता था; क्योंकि मुझे राष्ट्रीय आयोजन में राज्य की टीम को प्रतिभाग कराने हेतु ढेर सारे कागजात, राज्य की रिपोर्ट आदि कई औपचारिकताएँ पूर्ण करनी थी, जिसमें काफी समय और मेहनत लगती थी। यह 10-15 दिन का कठिन काम था। सभी जिलों की रिपोर्ट को संकलित कर राष्ट्रीय स्तर पर भेजना निश्चित ही कठिन अभिलेखीकरण होता है, साथ ही अपने स्कूल 'मानस एकेडमी' के नए सत्र की तैयारी भी करनी थी, क्योंकि मुझे पता था कि मैं अप्रैल-मई से पहले दिल्ली से नहीं लौट पाऊँगा। इसी तरह के अन्य दायित्व का भी

निर्वहन करना था। मुझे समय चाहिए था, अतः निर्णय किया कि ऑपरेशन की बाहरी तैयारियाँ व व्यवस्थाएँ करते हुए भीतर-ही-भीतर कार्यालय सहायक श्री राजेश को लेकर 15 दिन कंप्यूटर पर बैठकर सारे काम निपटाए जाएँ। स्वास्थ्य दिन-प्रतिदिन गिरता जा रहा था। लगातार बैठा नहीं जाता था। एक आसन में पाँच मिनट तक बैठने या काम करने से हाथ-पाँव मुड़ जाते थे। कई बार राजेश ही कंप्यूटर छोड़कर मेरे हाथ-पाँव मलकर मुझे ठीक करने का प्रयास करता। कंचन को स्कूल भी जाना होता था, जो भीतर से अपने पति की जीवन-अनिश्चितता तथा भविष्य की त्रासदी की कल्पना में जी रही थी। वह स्कूल से प्रायः जल्दी आ जाती थी तथा अधिकतम समय मुझे दे रही थी। मैं निरंतर व्यस्त रहा और सारी व्यवस्थाएँ, जो मेरी तीन-चार माह की अनुपस्थिति में अपेक्षित होतीं, सब पूरा किया, इसका मुझे परम संतोष था। इस दौरान मैं, भाईसाहब व दीदी पैसे की व्यवस्था, डोनर की व्यवस्था, सरकार से वित्तीय सहयोग की फाइल आदि की व्यवस्था में लगे रहे चुपचाप।

18 दिसंबर को बड़े भाईसाहब दिल्ली रवाना हो गए थे अपने व देवाशीष के परीक्षण के लिए। दीदी शासन स्तर पर वित्तीय सहयोग की स्वीकृति के प्रयासों में व्यस्त थीं। वह भी संघर्ष कर रही थीं तथा पत्रावली की नवीनतम स्थिति से मुझे अवगत कराती जा रही थीं, ताकि मैं आश्वस्त हो सकूँ। इस बीच जब मैंने लगभग सारे काम पूरे कर लिये तथा दिल्ली में परीक्षण, डॉक्टर से सलाह और डोनर की व्यवस्था का कार्य प्रगति में था, मुझे लगा कि चूँकि 28 दिसंबर को मुझे दिल्ली जाना है ऑपरेशन के लिए, अतः मुझे अब लोगों को बता देना चाहिए। मैंने सबसे पहले अपने श्रद्धेय गुरुजी डॉ. नीलांबर पुनेठा जी को बताया और फिर धीरे-धीरे बात बाहर आकर समाज में मेरे चिर-परिचितों तक बात पहुँचने लगी। समाज का तकाजा शुरू हुआ और फिर शुरू हुआ हाल-चाल जानने वालों का आना-जाना। दो-चार दिन में ही यह स्थिति हो गई कि प्रातःकाल मैंने नहाने-धोने का कार्य भी न किया होता था कि लोग आने लगते तथा यह दौर रात 9-10 बजे तक चलता। मैं सुबह ही नहा-धोकर तैयार हो जाता, जैसे कि मुझे ड्यूटी पर जाना है! लोगों के आने का सिलसिला

बना रहता, आने-जाने वालों की हद थी कि इस बीच दो दिन मैं लंच भी नहीं कर सका। मैं काफी कमजोर हो चुका था। नमक-पानी बंद हुए 1 माह हो चुका था। शरीर बार-बार क्रैंप्स से परेशान था, फिर भी मैं एक सामान्य व्यक्ति की तरह लोगों से मिल रहा था। अपने स्वास्थ्य एवं होने वाले ऑपरेशन की जानकारी दे रहा था। मुझे डॉ. गुप्ता द्वारा दी गई लिवर ट्रांसप्लांट की पुस्तक के अध्ययन से ऑपरेशन से संबंधित पूरी जानकारी हो चुकी थी और मैं उस पूरी प्रक्रिया के लिए मानसिक रूप से तैयार और आश्वस्त था। लोगों के पूछने पर मैं लोगों को लिवर ट्रांसप्लांट की प्रक्रिया ऐसे बताता था, जैसे मैं स्वयं ही अपना ऑपरेशन करने वाला हूँ! आने वाले लोगों को मेरी बातों से बड़ा आश्चर्य होता था। 22 दिसंबर से 27 दिसंबर तक लोगों से मिलने का सिलसिला रोज दरबार जैसा लगना जारी रहा तथा अधिकांश परिचित, जिन्हें पता चला था, मेरी कुशलक्षेम जानने पहुँचे थे। मुझे भी बल मिला कि मेरे मित्र व चाहने वालों की संख्या काफी है। इस बीच मेरे कई मित्रों ने प्रत्यक्ष या दूरभाष संदेश पर यह कहा था कि आपकी समाज को जरूरत है। आपको जिंदा रहना है। समाज के लिए आपको अभी बहुत काम करने हैं आदि-आदि। इन बातों ने भी मेरा मनोबल निश्चित तौर पर बढ़ाया था।

क्योंकि मेरे ऑपरेशन में लगभग 30 लाख के आस-पास खर्च आने की संभावना थी, तो कई परिचितों ने बिना कुछ कहे चुपचाप आर्थिक मदद भी की। कई लोग सिर्फ मुँह से बड़ी-बड़ी बातें कह जा रहे थे कि मदद के लिए कहना, और ऐसा लगता था कि शायद वे लोग सामाजिक औपचारिकता का निर्वहन कर रहे थे। हाँ, मैंने अपने एक निकटस्थ मित्र से इच्छा जरूर जाहिर की थी, किंतु इस घनिष्ठता के बावजूद, उनके मुख से मदद का एक शब्द भी नहीं निकला। यह भी मेरे लिए एक बड़ा कड़वा अनुभव रहा। इस बीच मैंने समाज को काफी नजदीक से देखा। कुछ लोग वास्तव में दु:खी थे और वास्तव में मदद भी करना चाहते थे। कुछ लोगों में मात्र यही भाव दिखे कि शायद वह मुझे अपने मित्र होने का अहसास दिलाने की औपचारिकता पूरी करने आए थे। कुछ लोग लिवर ट्रांसप्लांट जैसी अटपटी बात सुनकर

कौतूहलवश आ रहे थे। कुछ मात्र दिखावा कर ऐसा जता रहे थे कि शायद वही मेरे अभिन्न मित्र व वास्तविक हितैषी हैं। कई तरह की अफवाहें भी चली थीं। मुझे यह कहते हुए बिल्कुल भी कष्ट नहीं हो रहा है कि सबको मेरी मौत दिख रही थी और लोग मुझे व घरवालों को अपनी उपस्थिति का अहसास दिला रहे थे। मैंने महसूस किया कि समाज एक झूठ है, एक ढकोसला है। व्यक्ति जब स्वयं में सुखी व संपन्न होता है तो उसे दु:खी व परेशानी में पड़े व्यक्ति को उपदेश देने में जो आनंद आता है, उससे लगता है कि शायद उसे कभी दु:ख नहीं आएगा और वह तो लंबा जिएगा, मरेगा तो सिर्फ सामने वाला! मैंने सबकी आँखों में झाँका तो मुझे लगा कि इनकी आँखों में मेरी मौत का इंतजार है। वे मुझे इस तरह सांत्वना देकर ढाँढ़स बँधा रहे थे, जैसे उनकी और मेरी अब दोबारा मुलाकात नहीं होगी। यह ईश्वर की अनुकंपा थी कि उनकी आँखों में अपनी मौत देखकर मुझे भीतर-ही-भीतर शक्ति व दीर्घायु का अहसास हो रहा था और मित्रों द्वारा दी गई शुभकामनाएँ मेरे लिए संजीवनी जैसी बन रही थीं।

मुझे भीतर-ही-भीतर यह अनुभव हो रहा था कि विपत्ति में समाज की ओर देखना स्वयं को कमजोर करना है। स्वयं को देखा जाए तो व्यक्ति मजबूत होता है। मुझे इस बीच रवींद्रनाथ टैगोर की 'गीतांजलि' में आई कविता 'विपदा मोरे रक्खा करो' की ये पंक्तियाँ याद आ रही थीं—"हे ईश्वर! विपत्तियों से मेरी रक्षा कर, यह भाव लेकर मैं तेरे द्वार पर नहीं आया हूँ। विपत्ति भरी अँधेरी रातों में जब पूरी दुनिया मेरा उपहास कर रही हो तो मैं तनिक भी विचलित न होऊँ, इतनी शक्ति देना मुझे।" वास्तव में मैं भी ईश्वर से यही प्रार्थना कर रहा था। शायद मेरी प्रार्थना सुनी जा रही थी और मैं रुग्णता की पराकाष्ठा, संसाधनों की विषमता, समाज का उपहास और भविष्य की प्रतिपल अनिश्चितता के दौर में स्वयं को खड़ा रख सका।

मेरे अधिकतर मित्र घड़ियाली आँसू बहाकर मुझे कमजोर कर रहे थे। मेरे एक मित्र ने मुझे पिछली बीमारी के बाद संबल दिया था और मुझे लगा था कि शायद उसने मुझे भीतर से समझने का प्रयास किया है। इसी अनुभूति

ने मुझे उसके काफी करीब ला दिया था तथा मैं काफी बातें उससे बाँटता था; लेकिन मेरे इस मित्र ने भी इस कठिन दौर में मुझे उपदेश जरूर दे दिए थे और यहाँ तक कह दिया कि आपके पास जितना भी समय है, उसे अपने बच्चों को दीजिए। उन्हें अच्छी बातें बताइए तथा कुछ बातें उनके लिए लिख दीजिए। शायद उनकी आँखों में भी मेरी मौत उतर आई थी। उन्होंने बाद में मेरी स्वस्थता के बाद इस बात को कबूला था कि वह भीतर से टूट चुका था, तभी उसने वैसा कहा। मुझे उससे उम्मीद थी कि वह ही एकमात्र ऐसा मित्र हो सकता है, जो मुझे मजबूत करेगा, लेकिन मैं निश्चित रूप से निराश हुआ। मैंने तुलसीदास की चौपाई—'धीरज धर्म मित्र अरु नारी, आपद काल परखिए चारी' को इस दौर में भीतर से महसूस किया था और लगा कि तुलसीदास ने वास्तव में सही टिप्पणी की थी। ईश्वर ने मुझे धैर्य व धर्म-पालन का साहस दिया, मित्र सब टूट ही गए थे। हाँ, यदि बचा था तो मेरी पत्नी का साहस, धैर्य व आत्मबल। तनिक भी विचलित हुए बिना वह सभी आने-जाने वालों के साथ मिलती रही, आतिथ्य भी पूर्ण किया तथा सहानुभूति प्रदान करने वालों को स्वयं ही समझाती भी रही। यह सत्य है कि यदि इस दौर में मेरी पत्नी टूट जाती तो शायद नैराश्य भाव मुझे घेरने में सफल हो सकते थे, किंतु पत्नी का साथ मुझे अपनी साँसों की तरह मिलता रहा। मेरे अलावा शायद दूसरी व केवल दूसरी वही थी, जिसके विश्वास की तरंग मेरे साथ मिली थी और हम दोनों विपत्ति के इस दौर को आत्मबल के साथ जी रहे थे।

लोगों के आने-जाने का दौर जारी था। मैं कमजोर तो हो ही गया था, स्वभाव भी बहुत चिड़चिड़ा हो गया था। चेहरा एकदम काला पड़ गया था। सहनशक्ति खत्म-सी हो गई थी, याददाश्त भी कम होने लग गई थी, पूरा परिदृश्य व व्यक्तित्व बदल गया था। एक दिन मेरी एक मित्र ने मुझसे उलाहना किया था कि मैंने इतनी घनिष्ठता के बावजूद उसे अपने स्वास्थ्य के बारे में नहीं बताया। मैंने प्रतिक्रिया स्वरूप उसके साथ निश्चित तौर पर तीखा व्यवहार किया, क्योंकि मेरी सहनशक्ति अब खत्म हो चुकी थी। मैंने पूर्व में कई बार उसे बताने का प्रयास किया था, किंतु उसने हर बार मेरी बात की उपेक्षा की

थी। मुझे गुस्सा आ गया था। जब वह रोकर जाने लगी तो मैंने उससे आपा खोकर कह दिया कि जाओ और मेरे मरने पर भी यहाँ मत आना। मुझे अपना हाल पूछने आए घनिष्ठ मित्र से ऐसा व्यवहार नहीं करना चाहिए था, किंतु सहनशक्ति की समाप्ति ने मुझे ऐसा करने को मजबूर कर दिया। शरीर की स्थिति के अनुसार बदले मेरे स्वभाव को किसी ने स्वीकार नहीं किया था, शायद ही मेरी स्थिति को किसी ने मनोवैज्ञानिक रूप से समझने का प्रयास किया हो!

इस बीच एक दौर यह भी चला, जब कई सयाने अथवा तथाकथित हितैषी बंधुओं ने मुझसे तंत्र-मंत्र, झाड़-फूँक आदि की बात कही। कई ने कहा कि गाँव जाकर इष्ट की पूजा करो, आपका इष्ट नाराज है। मुझे ठीक से मालूम था कि माँ ने कई वर्षों पहले इष्ट की पूजा गाँव जाकर बड़ी निष्ठा से की थी और इष्ट ने अवतरित होकर स्वयं कहा था—जा, तूने अपनी जड़ें धो ली हैं। अब तेरे बाल-बच्चों का बाल भी बाँका नहीं होगा। ऐसे में मैंने आत्मबल जुटाया और इस बात का विरोध किया। मैंने यह भी कहा कि मैं पिछले 10-15 साल से लोगों में वैज्ञानिक सोच पैदा करने के अभियान में लगा हूँ तथा जहाँ-तहाँ भाषण करता हूँ कि बीमारी का इलाज सिर्फ डॉक्टरी इलाज है, टोना-टोटका नहीं। मैं हमेशा वैज्ञानिक सोच की बात करता आया हूँ तथा लोगों में वैज्ञानिक सोच पैदा करने हेतु प्रेरित किया करता हूँ। मेरी इस काम से एक अलग पहचान है। मैंने कहा कि यदि अपनी मौत की दहलीज पर किसी ने मुझे झाड़-फूँक अथवा टोना-टोटका वाले के हाथों अपना उपचार कराते देखा तो निश्चित तौर पर समाज में यही संदेश जाएगा कि मैं भाषण तो खूब देता था, लेकिन जब मेरी अपनी जान पर बन आई तो मैंने भी वही अवैज्ञानिक रास्ता ढूँढ़कर मौत से खुद को गुमराह किया! मैं मजबूत हो गया था और बोल उठा था—नहीं! मैं किसी तंत्र-मंत्र या पूजा-पाठ में नहीं पड़ूँगा। समाज को गलत संदेश देकर मरने से अच्छा है, इलाज व ऑपरेशन के संघर्ष की वैज्ञानिक राह देखना। मैंने कहा कि मेरे पास मेडिकल रिपोर्ट और डॉक्टर का परामर्श है तथा मुझे अच्छी तरह पता है कि लिवर ट्रांसप्लांट करवाने के

बाद मैं ठीक हो जाऊँगा। इसी विश्वास पर मैं टिका रहा। आज मुझे गर्व होता है कि मैं स्वयं को वैज्ञानिक सोच का जीता-जागता उदाहरण मानता हूँ तथा लोग मुझसे प्रेरित होते हैं।

इस बीच मैंने राजनीतिज्ञों के माध्यम से भी मदद एवं मा. मुख्यमंत्री स्तर से सहायता हेतु कोशिश की, किंतु मेरे साथ भी वही हुआ जैसा प्रायः लोगों के साथ होता रहा है। घोर निराशा ही हाथ लगी तथा राजनीतिक संवदेनहीनता का एहसास हुआ। तत्कालीन मुख्यमंत्री कार्यालय में भी उनके पी.आर.ओ. ने मेरी फाइल पर टिप्पणी की थी—इस अनुदान राशि का प्रोटोकॉल क्या होगा? दीदी से अनायास कह दिया था कि राज्य में अभी तक किसी मंत्री तक को लिवर ट्रांसप्लांट के लिए धनराशि स्वीकृत नहीं हुई है, इतनी राशि हम कैसे स्वीकृत कर सकते हैं? यह ऐसी बात थी, मानो कि धनराशि स्वीकृत करने की शर्त हो कि राज्य में पहले ऐसी स्वीकृति किसी मंत्री को मिली हो! कितनी हास्यास्पद एवं संवेदनहीनता वाली बात थी! और इसी के साथ मुख्यमंत्री राहत कोष की फाइल की इतिश्री हो गई।

विभागीय पत्रावली पर दीदी हर स्तर से लगी थीं। काफी अनुनय-विनय के बावजूद सचिवालय कर्मियों की फाइल घुमाने की प्रक्रिया अनु सचिव, उप सचिव, अपर सचिव आदि के बीच से फाइल सचिव तक पहुँच ही नहीं पा रही थी। उस पर तीन विभागों शिक्षा, स्वास्थ्य एवं वित्त का मिला-जुला काम। समय की सीमा कम होती जा रही थी। दीदी छाया की तरह फाइल के साथ-साथ चल रही थीं, गिड़गिड़ा रही थीं, सचिवालय के बाबुओं के सामने अपने स्वाभिमान व प्रतिष्ठा दाँव पर लगा रही थीं। उन दिनों सर्वपल्ली श्री राधाकृष्णन जी के नाती श्री केशव देसिराजू स्वास्थ्य विभाग के प्रमुख सचिव थे। सब तरफ से हारकर अपना पूर्व परिचय लेकर दीदी सीधे उन्हीं के समक्ष पहुँचकर फूट पड़ीं। दीदी की आँखों में आँसू देखकर देसिराजू साहब ने तुरंत ही मेडिकल बोर्ड बुलाकर राय-मशविरा किया, किंतु इससे भी कोई सार्थक हल नहीं मिला। तब उन्होंने स्वयं अपना व्यक्तिगत कंप्यूटर खोलकर लिवर ट्रांसप्लांट के संदर्भ में 17 पेज का अभिलेख तैयार किया, उसे उस फाइल में

लगाया और उस पर टिप्पणी लिखी कि 'मैं आश्वस्त हूँ कि लिवर ट्रांसप्लांट के पश्चात् 80 प्रतिशत मरीज स्वस्थ जीवन जीने लायक हो जाते हैं, अत: अशोक कुमार पंत को लिवर ट्रांसप्लांट के लिए अग्रिम धनराशि स्वीकृत करने की संस्तुति करता हूँ।' यह उन्हीं की संवेदनशीलता और आत्मबल था कि जैसे-तैसे अंतिम समय तक फाइल अग्रिम स्वीकृति हेतु अनुमोदित हो गई थी। फिर बजट मिलने की दौड़-धूप व मेरे प्रतिष्ठान से ड्राफ्ट बनाने की कठिन प्रक्रिया ने शासन तंत्र की पोल खोलकर रख दी थी। ईश्वर की अनुकंपा थी कि परेशानी खड़ी करने वालों की भीड़ में एक ईश्वरीय चेहरा भी था, जिनकी संस्तुति से ऑपरेशन के पहले दिन दस लाख रुपया ड्राफ्ट द्वारा मिल गया था। उस समय यह बहुत बड़ी राहत थी, जिसके लिए आज भी मैं उनके प्रति कृतज्ञ हूँ।

पैसा जुटाना अपने आप में एक महत्त्वपूर्ण प्रक्रिया व चुनौती थी। लगभग 35 लाख जुटाना निश्चित तौर पर कठिन था। अपने पास कोई भी जमा पूँजी नहीं थी। कुछ था भी तो वह पिछले 4 वर्ष के महँगे इलाज में खर्च हो चुका था। ईश्वर की कृपा व नियोजन यहाँ भी दिखाई पड़ा। वर्ष 1996 में हल्द्वानी में खरीदी गई एक सस्ती जमीन, जो कि अब मेरे प्रयोग के मतलब की नहीं थी, क्योंकि 'मानस एकेडमी' की स्थापना के बाद हल्द्वानी में मकान बनाने का कोई औचित्य नहीं रह गया था और मैं विगत 2 वर्षों से इस जमीन को बेचने का प्रयास कर रहा था। शहर से दूर होने के कारण वह बिक नहीं पा रही थी। इसी बीच मेरे हल्द्वानी के मित्र श्री डी.के. जोशी जी का फोन आया कि उन्हें एक ग्राहक मिला है, जो हमारे रेट पर ही जमीन खरीदेगा। मैंने ईश्वर को धन्यवाद दिया और कहा कि हे ईश्वर! तूने मेरी आज की विपत्ति को झेलने के लिए 1996 में ही व्यवस्था कर दी थी। भूमि क्रय करने वाले व्यक्ति ने तेरह लाख रुपया मेरे खाते में भेज दिए थे, बिना किसी लिखत-पढ़त के, यह भी एक आश्चर्य ही था। इतनी बड़ी रकम अनायास मिल जाने से शक्ति व आत्मबल बढ़ना स्वाभाविक था। मुझे विश्वास हो गया था कि ईश्वर ने उपक्रम और नियोजन कर रखा है, चिंता

की कोई बात नहीं। एक बार पुनः दिल मजबूत हो गया। इस बीच यह तय था कि 28 दिसंबर को दिल्ली के लिए रवाना होना है ऑपरेशन के लिए। लोगों का आना-जाना जारी था। उधर भाईसाहब दिल्ली में डोनर तैयार करने की व्यवस्था में जुटे थे। मेरे बड़े पुत्र देवाशीष का परीक्षण करवाया गया, किंतु वह फैटी लिवर के चलते डॉक्टर द्वारा संस्तुत नहीं किया जा सका। भाईसाहब भी उम्र अधिकता के कारण डॉक्टर द्वारा अयोग्य घोषित कर दिए गए। एक प्रश्न उठ खड़ा हो गया कि डोनर अब कौन होगा? पैसे की व्यवस्था तो धीरे-धीरे हो रही थी, विभागीय सहायता की उम्मीद बन गई थी, जमीन का पैसा आ गया था, एल.आई.सी. और अपने जी.पी. एफ. से लोन ले लिया था। साथ ही मेरे कई मित्र व हितैषी डॉक्टर पुनेठा, श्री सुरेश प्रसाद उप्रेती, श्री एल.डी. कापडी, डॉ. कुमकुम शाह आदि भी मुझे बताए बगैर कंचन को चुपचाप पैसा दे गए थे। बड़े भाईसाहब व छोटे भाईसाहब ने भी अपने स्तर से आर्थिक मदद की थी। मुझे अपने कुछ करीबी मित्रों एवं रिश्तेदारों से भी उम्मीद थी, किंतु वे एकदम चुप थे और रिश्तों की सच्चाई व्यक्त कर रहे थे। मुझे याद है कि मुझे 35 लाख रुपए जुटाने थे, किंतु मेरे ऑपरेशन के दिन मेरे पास कुल 48 लाख रुपए की व्यवस्था हो चुकी थी और मैं ईश्वर को धन्यवाद दे रहा था तथा उसकी व्यवस्थाएँ देखकर अभिभूत था। आत्मबल मजबूत होता जा रहा था। बात डोनर पर अटकी थी। मैं मन-ही-मन चिंतित था कि पैसा तो हो रहा है, किंतु डोनर ही नहीं होगा तो क्या होगा? लेकिन मन में यह बात थी कि मेरे छोटे पुत्र शिवाशीष का ब्लड ग्रुप भी ओ पॉजिटिव है? लोग पूछ रहे थे कि डोनर कौन है? मैं स्पष्ट उत्तर नहीं दे रहा था। ईश्वर की इच्छा पर छोड़ दे रहा था। शिवाशीष तब देहरादून में बी.डी.एस. की पढ़ाई कर रहा था, उसकी परीक्षाएँ चल रही थीं। उसे मेरे स्वास्थ्य की गंभीरता तथा ऑपरेशन के बारे में कुछ भी पता नहीं था। हमने भी उसकी मेडिकल की परीक्षाओं को ध्यान में रखते हुए उसे वास्तविक बात नहीं बताई थी। बीच-बीच में वह रोज फोन से मेरा हाल पूछता था अपनी मम्मी से कि पापा कैसे हैं? उसे हमेशा

ही 'पापा ठीक हैं' कहकर प्रत्युत्तर दे दिया जाता था। 22 तारीख दिसंबर को शिवाशीष की परीक्षाएँ खत्म हुईं, शाम को रोज की तरह उसका फोन आया। अब समय आ गया था कि उसे बात बता दी जाए; किंतु उसे डोनर के रूप में जिक्र करना बहुत व्यावहारिक नहीं लग रहा था। यद्यपि मेरी पत्नी भी डोनर हो सकती थी, किंतु डॉक्टर ने सलाह दी थी कि ट्रांसप्लांट के बाद आपको बहुत ज्यादा देख-रेख की जरूरत होगी, जो पत्नी ही कर सकेंगी। अगर वह डोनर होंगी तो वह कुछ नहीं कर पाएँगी और आपको आप दोनों को देखने के लिए फिर एक नई व्यवस्था बनानी होगी। मैंने उसे बताया कि मेरा स्वास्थ्य बहुत अच्छा नहीं है तथा मुझे इस बीच दिल्ली जाना है। मुझे कुछ दिन अपोलो अस्पताल में भर्ती होना पड़ सकता है। शायद मेरे लिवर का कोई छोटा सा ऑपरेशन भी हो, जिसके लिए मुझे खून की आवश्यकता पड़ेगी। मैंने चूँकि उसे धीरे-धीरे मानसिक तौर पर तैयार करना था, अतः मैं बातें घुमा-फिराकर तथा अत्यंत सहज होकर कह रहा था। मैंने ऐसे ही मजाक में कहा—बेटा, अगर खून की जरूरत पड़ेगी तो तुम दोगे? उसने अपनी हल्की स्वाभाविक प्रतिक्रिया व्यक्त कर कहा कि—हाँ-हाँ क्यों नहीं दूँगा? लेकिन शिवाशीष का चिंतन आगे बढ़ता रहा, क्योंकि वह मेडिकल का विद्यार्थी था। उसके मन में सहज ही प्रश्न उठा कि लिवर का ऑपरेशन तो सुनाई नहीं पड़ता, आखिर मेरे पापा का कैसा ऑपरेशन है? उसने कुछ ही देर में अपनी मम्मी को फोन करके कहा कि पापा लिवर के छोटे से ऑपरेशन की बात कह रहे थे, ऐसा तो कोई ऑपरेशन होता ही नहीं! कहीं पापा का लिवर ट्रांसप्लांट तो नहीं होना है? यह वास्तविकता थी, जिसे शिवाशीष स्वयं भाँप चुका था। हम उसे सीधे-सीधे बताना नहीं चाह रहे थे, ताकि उसे घबराहट या चिंता न हो। उसे धीरे-धीरे मानसिक रूप से तैयार करना हमारा उद्‌देश्य था। कंचन ने फोन पर उसकी प्रतिक्रिया को मनोवैज्ञानिक तौर पर लिया तथा उत्तर दिया कि मुझे तो लिवर ट्रांसप्लांट की जानकारी नहीं है, लेकिन यदि होगा भी तो उसे भी देख लेंगे। दिल्ली जाकर डॉक्टर जैसा कहेंगे, वैसा करेंगे। शिवा उसी शाम दीदी के पास चला गया।

उसने स्वयं कहा कि मेरा टेस्ट भी पहले हो जाना चाहिए। दीदी और शिवा दोनों ने दिल्ली जाकर अपना-अपना टेस्ट कराने का निर्णय लिया और 23 दिसंबर को सुबह सबसे पहले टैक्सी लेकर दोनों 10 बजे अपोलो पहुँच गए। सीनियर सिटीजन होने के कारण दीदी के टेस्ट करने से डॉक्टर ने मना कर दिया। 2 बजे तक शिवाशीष के सारे टेस्ट संपन्न हो गए और दोनों वहीं कैंटीन में खाना खाकर उसी टैक्सी से वापस देहरादून आ गए। डॉक्टर ने उसे उपयुक्त घोषित कर दिया, लेकिन शिवाशीष को डोनर वाली बात नहीं बताई गई थी। डोनर की उपयुक्तता घोषित होते ही मैं भावुक हो उठा कि मेरा पुत्र ही मेरा सच्चा साथी है! हे ईश्वर! तेरा कोटि-कोटि धन्यवाद! भाईसाहब ने 25 तारीख को रिपोर्ट लेकर डॉक्टर को दिखाई तो चिकित्सा प्रोटोकॉल व अंग प्रत्यारोपण ऐक्ट के तहत 18 से कम उम्र में अंगदान नहीं किया जा सकता। यदि मेरा ऑपरेशन कुछ ही माह पूर्व होता तो उस समय शिवाशीष की उम्र 18 से कम थी, वह डोनर नहीं बन सकता था। मेरे ऑपरेशन का समय व उसकी उम्र 18 से कुछ ऊपर हो जाना, इसे ईश्वर की सोची-समझी योजना न कहूँ तो फिर क्या कहूँ? मेरा सिर कृतज्ञता से झुक गया। ईश्वर के अस्तित्व व आस्था के लिए अब कुछ चिंतन नहीं बचा था। घर के अन्य सदस्य भी तनाव से उबर रहे थे कि डोनर मिल गया। डॉक्टर ने कहा था कि अपना ही बच्चा, वह भी 18 वर्ष के थोड़ा ऊपर का हो तो वह सर्वोत्तम डोनर माना जाता है। मेरे लिए भी आदर्श स्थिति बन गई थी। इस बीच शिवाशीष के कई अन्य परीक्षण हो रहे थे। मैं डॉक्टर द्वारा दी गई पुस्तक को पूरी तरह पढ़ चुका था तथा संभावित सभी प्रश्नों के उत्तर जान लिये थे।

लोगों का आवागमन लगा ही था। जैसे-जैसे दिन नजदीक आ रहे थे, भीड़ बढ़ती ही जा रही थी। मेरी हालत भी निरंतर गिरती जा रही थी। एक दिन कई लोगों की भीड़ थी, लेकिन मेरे पेट में इतना असहनीय दर्द उठा था कि मैं किसी से बोल भी न सका। आए हुए लोगों को भी बड़ी खिसियाहट का अनुभव हुआ। मेरा स्वभाव चिड़चिड़ा होता जा रहा था। कुल मिलाकर हालात बड़े नाजुक चल रहे थे। याददाश्त भी कम होती जा रही थी। 27

तारीख को शनिवार था। प्राय: पहाड़ों का रिवाज है शनिवार व मंगलवार को लोग अस्वस्थ व्यक्ति को देखने नहीं जाते हैं। हालाँकि, मैं इसे नहीं मानता था, फिर भी लोग स्वयं को रोक नहीं पाए थे, क्योंकि अगले दिन रविवार को मुझे दिल्ली को प्रस्थान करना था। मस्तिष्क में बार-बार विचार कौंध रहा था कि शिवाशीष बहुत छोटा है, पढ़ाई कर रहा है, यदि उसे डोनर बनाया जाए तो उसके स्वास्थ्य पर प्रतिकूल प्रभाव पड़ सकता है। क्या मुझे उसके लिवर को लेना चाहिए? ऐसे कई विचार दिमाग में घूम रहे थे और मैं तनाव व दुविधा में था। देवाशीष फैटी लिवर होने के कारण मना कर दिए जाने पर अत्यंत तनाव में था तथा उसने मम्मी से फोन पर कहा था कि मैं पापा के काम नहीं आ सका। कंचन व मैं बेहद तनाव में थे।

मैं पहले ही इलाज पर पिछले 4 वर्षों में लगभग 5-6 लाख रुपया खर्च कर चुका था। मैं इस खर्च को प्रतिदिन के हिसाब से गणना कर रहा था। फिर प्रश्न उठ रहा था कि क्या इतने महँगे जीवन को जीना उचित है? जहाँ लोग दुनिया में भूखे मर रहे हैं, वहीं मैं इतनी महँगी जिंदगी जी रहा हूँ! आगे फिर 35 लाख रुपए खर्च होना है। मैं कितने साल जी लूँगा? फिर गणना कर रहा था कि अगर अधिकतम 10 साल भी जी लूँगा तो साढ़े तीन लाख रुपया प्रतिवर्ष की कीमत, पर क्या यह सही है? मैं अपने जीवन के महत्त्व पर कीमत के सापेक्ष गणना कर रहा था कि मैं कर्ज में परिवार को डुबाकर अपने स्वास्थ्य की सोच रहा हूँ। यदि मुझे कुछ हो गया तो दुनिया मेरा उपहास करेगी कि कितना स्वार्थी इंसान था, जो परिवार को कर्ज में डुबाकर चला गया, आदि-आदि बातें दिमाग में चल रही थीं। तब मुझे पिछले कुछ वर्ष पूर्व बेंगलुरु से 'पहल' संस्था के एक कार्यक्रम में आए समाज विज्ञानी श्री नरेंद्र नायक की वह बात स्मरण हो आई, जब उनके पिता की मृत्यु का समाचार जानकर भी उन्होंने अपनी कक्षा सुचारू रूप से चलाई और उसके बाद मुझे बताया। मैंने उनसे पूछा कि क्या उनका इलाज बाहर नहीं करवाया? श्री नायक ने कहा कि उनके पिता के इलाज पर बहुत ज्यादा खर्चा आ रहा था और उम्र भी काफी हो गई थी और इस उम्र में इतनी महँगी जिंदगी का कोई अर्थ नहीं है। मुझे

लगा कि मैं तो बहुत ही महँगी जिंदगी जीने की सोच रहा हूँ, क्या मेरे लिए इतनी महँगी जिंदगी की कोई सार्थकता है? क्या मैं अपने परिवार के लिए, समाज के लिए सार्थक हूँ? ऐसी कुछ बातें घूम रही थीं मन में। दिल्ली जाने की तैयारी भी चल रही थी, यह बात भी घूम रही थी कि यदि मैं ऑपरेशन न कराऊँ तो भविष्य में बच्चे व समाज कहेगा कि पैसे खर्च न करने के कारण जवान व्यक्ति को नहीं बचाया गया और यह आक्षेप सीधे मेरी पत्नी पर लगेगा और उसे कोसा जाएगा। मन ने कहा कि नहीं, उसे आक्षेपों का शिकार न बनाया जाए। मन बोल उठा कि तेरी अभी जरूरत है। साँसें तेरे अपने वश में हैं नहीं। ईश्वर ने जो रचा है, वैसा ही सिलसिला लगेगा। भविष्य के गर्भ में क्या छुपा है, यह इंसान के वश में नहीं है। मुझे कुछ हो भी गया तो ईश्वर ने सबके जीने का नियोजन कर ही रखा है। कोई भी व्यक्ति केवल स्वयं के लिए अवश्य अपरिहार्य होता है, उसके अलावा वह किसी के लिए भी अपरिहार्य नहीं होता। यही दुनिया का सत्य है। सोच एक जगह स्थिर हो गई और मैं ईश्वर पर सबकुछ छोड़कर जुट गया जीवन रक्षा के उपक्रम पर। मन ने कहा कि तुझे जीना है, सिर्फ जीना है! आगे बढ़, रुक मत; और स्वयं से संवाद के उपरांत मैं अब तनाव-मुक्त हो गया।

शिवाशीष के खून के मैच कर जाने से मुझे रेगिस्तान में पानी की बूँद सा सुखद अनुभव हुआ। मैंने विचार किया कि मैं बेटे पर डोनेशन के लिए कोई दबाव नहीं बनाऊँगा, यदि वह स्वत: तैयार हो जाएगा तो ही स्वीकार करूँगा। वह दिल्ली में था तथा इधर रोज मैं उससे फोन पर बातें कर माहौल तैयार कर रहा था। अप्रत्यक्ष रूप से मैंने उसे तैयार करने का प्रयास किया था। उसकी बातों में मुझे उसकी स्वैच्छिक स्वीकारोक्ति मिल चुकी थी, फिर भी मैं खुलकर कुछ नहीं बोला। मैंने सोचा कि मिलने पर ही साफ-साफ बातें होंगी। अपने जीवन की रक्षा के लिए बेटे के जीवन से खिलवाड़ करना सा लग रहा था मुझे यह सब। शिवाशीष के आत्मविश्वास भरे स्वर ने मुझे ताकत दे दी थी और इतना अवश्य लगभग तय हो गया था कि मेरा ऑपरेशन अवश्य हो जाएगा। पैसों की व्यवस्था भी लगभग हो गई थी। मैंने

डॉ. सुभाष गुप्ता व उनके निजी सचिव श्री नीतीश जी से वार्त्ता कर ली तथा अनुरोध किया कि वह कृपया शीघ्र ही तिथि निर्धारित कर दें। डॉक्टर ने बताया कि जनवरी प्रथम सप्ताह में ऑपरेशन हो जाएगा। हमने 28 दिसंबर को दिल्ली जाने का निर्णय ले लिया था, क्योंकि मुझे ऑपरेशन से पूर्व अभी कई परीक्षण करवाने थे।

27 दिसंबर का दिन शनिवार होते हुए भी अत्यंत व्यस्तता भरा रहा। अगले दिन प्रातः 5 बजे जाना था दिल्ली। तीन-चार महीने रुकना था। जाड़ों के दिन थे, अनजान जगह रहना था, इसलिए हम दोनों जितना समय मिलता, सामान व्यवस्थित करते रहे। उस दिन आगंतुकों के दबाव के साथ ही अटैची व बैग आदि तैयार करते-करते रात 10 बज गए थे और सुबह 5 बजे जाना भी था। हम दोनों देर रात तक सामान जमाते रहे। सबकुछ करते-करते लगभग 11:30 बज चुके थे और मैं बिस्तर पर जा चुका था; क्योंकि याददाश्त कम होने लगी थी, तो मैंने सोते वक्त पत्नी से कहा कि एक बार याद कर लो कि सब चीजें रख ली हैं—कपड़े, बिस्तर, मेडिकल रिपोर्ट और फिर याद आई पैसा, और पैसा कहते ही दोनों को याद आया कि पैसे तो भूल से अलमारी में ही रह गए हैं। अच्छा हुआ कि याद आ गई, वरना दिल्ली जाकर कितना परेशान होते! कंचन ने अलमारी में रखा पैसा निकालना चाहा तो वहाँ कुछ नहीं, उसने आश्चर्य से बताया कि वहाँ पैसा नहीं है। मैं बिस्तर छोड़कर स्वयं देखने लगा, लेकिन मुझे भी आश्चर्य हुआ, पैसा वहाँ नहीं था। हम दोनों तनाव में आ गए थे। दिल्ली के लिए पैक किया सामान एक-एक कर खोला, पूरा सामान चेक किया, किंतु निराशा के अलावा कुछ हाथ न लगा। कुछ भी याद नहीं आ रहा था, ढूँढ़ते-ढूँढ़ते शरीर व दिमाग थक गया था इतनी देर रात तक। 5 बजे प्रातः जाना है, क्या करें क्या न करें? यह ऐसी स्थिति थी, जिसकी कल्पना करना किसी अन्य के लिए असंभव है। बहुत परेशान होकर मन ने आवाज दी—छोड़ दे सब ऊपर वाले पर, शायद वह मेरी परीक्षा ले रहा था। मैंने कंचन से कहा, 'सब छोड़ दो, कुछ नहीं करते हैं, सो जाते हैं।' मैंने चाय पीने की इच्छा व्यक्त

की, हालाँकि, मुझे पानी और चाय नहीं देनी थी, किंतु शरीर चकनाचूर हो गया था, सारा सामान व घर टटोलते तन व मन थक गया था। आधे से भी कम कप चाय पी और सोचा, रिलैक्स होकर सो जाऊँ और हम दोनों सो गए। रात लगभग एक बज गया होगा। जैसे ही सोया था, अचानक दिमाग ने काम किया और एक दिशा मिल गई कि पैसा कहाँ रखा है! मैं अचानक उठा और उसी दिशा पर ढूँढ़ने का प्रयास किया तो पैसा रखा मिल गया। दरअसल, याददाश्त बहुत कमजोर हो गई थी। मैंने त्रुटिवश पैसा उसके मूल स्थान से उठाकर अप्रत्याशित स्थल पर रख दिया था। ईश्वर को धन्यवाद दिया हमने। हम रिलैक्स हो चुके थे, थके-हारे सो गए। कई न भुला पाने वाली रातों में वह एक रात भी अविस्मरणीय है।

28 तारीख की प्रात: मेरे मित्र डॉक्टर सुनील पांडे गाड़ी लेकर आ गए थे। हमने भी तैयारी कर ली थी, लेकिन आश्चर्य था कि जाड़े के दिन इतनी सुबह मुझे छोड़ने को बहुत अधिक संख्या में लोग उपस्थित थे। उनकी आँखें कह रही थीं कि मैं शायद वापस आऊँ या न आऊँ, यद्यपि उन्होंने शुभकामनाएँ देकर मुझे विदा किया था। शुभचिंतकों की उपस्थिति से मेरा मनोबल निश्चित रूप से बढ़ा था। इस समय मैं थोड़ा भावुक भी हो रहा था। मैं मंदिर गया, ईश्वर को साक्षी भाव से देखा कि वह मुझे सही दिशा दे रहा है। माता-पिता के चित्र पर प्रणाम कर आशीर्वाद लिया और बैठ गया कार में और सबसे विदा लेते हुए हम दोनों पति-पत्नी एक मिशन की तरह निकल पड़े दिल्ली को।

अस्वस्थता की बिगड़ती हालत ने सफर बहुत कठिन कर दिया था। रास्ते भर बार-बार रुकना पड़ रहा था। अल्मोड़ा तक तो सफर कई बार रुककर कट गया। कई स्थानों पर आराम करते हुए हम आगे बढ़ रहे थे। अल्मोड़ा पहुँचने पर मैं धारानौला में अपने मित्र श्री जे.सी. तिवारी जी से मिला। वह परिवार सहित मेरी प्रतीक्षा कर रहे थे। मेरे सालिग्राम चारु भी मुझसे मिलने आए थे। कुछ देर विश्राम लेने के बाद हम रवाना हो गए थे। श्री तिवारी जी और भाभी जी हमारे लिए खाना पैक करके लाए थे, जिसे हमने

रास्ते में खा लिया था। तिवारी जी व भाभी जी ने भी शुभकामनाएँ देकर मुझे विदा किया। अल्मोड़ा के बाद सफर करना मेरे लिए एक सजा की तरह हो गया था। मैं सफर बरदाश्त ही नहीं कर पा रहा था, जगह–जगह रुक–रुककर यात्रा ऐसे कर रहा था, मानो कोई यातना सह रहा हूँ! इतनी बेचैनी थी कि वर्णन नहीं किया जा सकता। डॉ. सुनील पांडे व उनके सहयोगी श्री विनोद पांडे भी साथ थे, वह भी मेरी हालत देख परेशान थे। वह कुछ कर भी तो नहीं सकते थे। हर 2 किलोमीटर के बाद रुकना पड़ जाता था। भीमताल पहुँचने के बाद मैंने अचानक गाड़ी रुकवाई और सड़क के किनारे एक जीर्ण–शीर्ण हालत में बंद चाय के खोमचे की गंदी सी बेंच पर जाकर लेट गया तथा एक प्रकार से ठान लिया था कि अब कार में नहीं बैठूँगा। शरीर जवाब देने लगा था, ऐसा लग रहा था कि मुझे कोई उठाकर सीधे काठगोदाम ट्रेन में बैठा दे! कंचन, सुनील और विनोद तीनों मेरी स्थिति को देखकर स्वयं को असहाय महसूस कर रहे थे, किंतु मुझे ढाँढ़स बँधा रहे थे। जैसे–तैसे मुझे फिर कार में बिठाया गया। चंदा देवी तक पहुँचते–पहुँचते फिर वही स्थिति आ गई। मैंने थोड़ा आगे बढ़ते ही एकाएक गाड़ी रुकवाई और तुरंत दरवाजा खोलकर पागलों की तरह अस्त–व्यस्त हालत में नंगे पैर लड़खड़ाते हुए, बगैर पीछे साथ वालों को देख पैदल चल पड़ा। मैं अस्त–व्यस्त हालत में विक्षिप्तों की तरह बेकाबू होकर हल्द्वानी की ओर चला जा रहा था। रास्ते में जो लोग चलती गाड़ियों से मुझे देख रहे होंगे, उनकी नजर में मैं शायद एक शराबी अथवा विक्षिप्त व्यक्ति था, जो साथ वालों को छोड़कर लड़खड़ाते हुए जा रहा था। कंचन परेशान हो मेरे पीछे–पीछे आ रही थी। उसके पीछे विनोद भी पैदल चलकर आ रहा था। श्री सुनील पांडे धीरे–धीरे गाड़ी लाते हुए दिखाई पड़ रहे थे। मुझे रोकने के प्रयास किए जा रहे थे। हल्द्वानी अब मात्र 7 किलोमीटर ही था, इतना सफर करने की भी स्थिति नहीं रही थी। पागलपन के इस दौर में एक अजीबोगरीब घटना घटित हुई। मैं रानीबाग एच.एम.टी. कॉलोनी के पास सड़क के किनारे बने पैराफिट पर बैठने की सोच रहा था। ज्यों ही बैठा और हाथ पैराफिट पर रखा तो मुझे लगा कि हाथ में कुछ लगा।

मैंने हाथ पलटकर देखा। मेरे हाथ में एक लैमिनेटेड सुंदर सी फोटो आ गई थी, वह फोटो श्री साईं बाबा की थी। फोटो देखकर मेरा ध्यान बदल गया। मैं स्तब्ध सा हो गया। इतनी खराब हालत में मेरा रुकना और हाथ में श्री साईं की फोटो, यह कैसे हो गया? मेरा ध्यान मनोवैज्ञानिक तौर पर बदल गया और शरीर कुछ देर को टूटन को भूल गया। मुझे शक्ति मिल गई थी। कार भी धीरे-धीरे तब तक वहाँ पहुँच चुकी थी। मैंने फोटो को उठाकर ईश्वर का आशीर्वाद समझ जेब में रख लिया और चुपचाप सामान्य अवस्था में कार में बैठ गया और हल्द्वानी तक पहुँच गया। इस घटना को श्री साईं बाबा के भक्त बाबा के चमत्कार के रूप में प्रचारित कर सकते हैं, लेकिन मैं इसे ईश्वर की व्यवस्था मानता हूँ। शायद उस समय मेरा मनोविज्ञान बदलना तथा मुझे आगे बढ़ाने का ईश्वर का निर्णय था। वह फोटो आज भी मैंने श्रद्धापूर्वक अपने पास रखी हुई है, उसे देखकर मुझे उपरोक्त घटना स्मरण हो आती है तथा ईश्वर की व्यवस्था के प्रति मुझे नतमस्तक करवाती है।

हम लोग हल्द्वानी पहुँच गए। मुखानी चौराहे पर गिरीश भाईसाहब व श्री डी.के. जोशी जी इंतजार कर रहे थे। जैसे ही कार रुकी तो मैं पास में हार्डवेयर की दुकान के पास रखे लोहे की सरिया के ढेर के ऊपर बैठ गया। मैं खड़े होने की स्थिति में नहीं था। हल्द्वानी शहर के मुख्य बाजार में सरिया के ढेर पर बैठने की मैं आज कल्पना भी नहीं कर सकता हूँ, किंतु मनुष्य परिस्थितियों के सामने लाचार होता है। उस समय मैं वहीं आराम महसूस कर रहा था। यह पूर्व में तय था कि भोजन आदि की व्यवस्था को ध्यान में रखते हुए काशीपुर जाऊँगा। वहीं से मेरा दिल्ली के लिए ट्रेन में आरक्षण था। यहाँ सुनील, विनोद व श्री जोशी जी से शुभकामनाएँ लीं व गिरीश भाईसाहब के साथ ही कार में सारा सामान पलटकर मैं व कंचन रवाना हुए काशीपुर को। हल्द्वानी में यात्रा का आंशिक विराम, श्री साईं की फोटो की घटना का मनोवैज्ञानिक प्रभाव, गिरीश भाईसाहब और श्री जोशी से मिलना, गाड़ी बदल जाना तथा अब मैदानी क्षेत्र की यात्रा, इन सबका मिला-जुला असर रहा कि मुझे हल्द्वानी से काशीपुर जाने में कोई विशेष परेशानी नहीं हुई तथा हम काशीपुर छोटी दीदी के घर

पहुँच गए। मुझे बहुत जोर की भूख लग गई थी, अत: मेरे लिए बिना नमक की खिचड़ी बना दी गई थी। खिचड़ी खाई और बिस्तर पर आराम करने लगा। कुछ ही देर में मेरी पत्नी के बड़े भाईसाहब, भाभी जी सहित कुछ और लोग आ गए थे, जिन्हें मेरे आने की सूचना थी। कंचन की बरेली वाली भाभी भी आई थी। कुछ समय पूर्व ही उनका मस्तिष्क का बहुत बड़ा ऑपरेशन हुआ था। उनसे अनुभव के आदान-प्रदान से कुछ शक्ति तथा मनोबल बढ़ा।

रात्रि 10 बजे की ट्रेन से हम चल पड़े दिल्ली के लिए दीदी व गिरीश भाईसाहब छोड़ने आए थे हमें। ट्रेन रास्ते में कोहरे की वजह से लेट थी, जब हमें दिल्ली पहुँचना था, तब हम गाजियाबाद से भी पीछे थे। बड़े भाईसाहब व शिवाशीष को हमसे मिलना था। विज्ञान सदन में डॉक्टर डी.के. पांडे जी के माध्यम से गेस्ट हाउस में बुकिंग कराई गई थी, क्योंकि ट्रेन लेट थी और भाईसाहब गाजियाबाद में रुके थे, अत: फोन से तय हुआ कि हम गाजियाबाद ही उतर जाएँ। भाईसाहब व शिवाशीष स्टेशन पर मिल गए थे, वह कार लेकर आए थे। उनके साथ विज्ञान सदन पहुँचकर आराम किया।

मुझे हिदायत दी गई थी कि मैं खाली पेट अस्पताल आऊँ, क्योंकि कई परीक्षण होने थे। 10 बजे मैं अपोलो अस्पताल में था। कुछ ही देर में डॉ. गुप्ता से मुलाकात कर ऑपरेशन की संभावित तिथि पर चर्चा हुई। डॉ. गुप्ता ने बताया कि जनवरी प्रथम सप्ताह में हो जाएगा। उन्होंने कई परीक्षणों के बारे में राय दी। मेरे व शिवाशीष के लगातार परीक्षण हो रहे थे। इनमें प्रमुख रूप से एम.आर.आई., सी.टी. स्कैन, इको टेस्ट, कलर डॉप्लर, अल्ट्रासाउंड, टी.एम.टी. आदि सबसे प्रमुख थे। सबसे प्रमुख व अत्यंत महँगा टेस्ट था डी.एन.ए. टेस्ट, जो दोनों का होना था। तीन दिन परीक्षणों की व्यस्तता में कट गए थे। शिवा का साइकेट्रिक टेस्ट भी होना था, जो लेडी साइक्लोजिस्ट ने लिया था। मुझे बताया गया था कि यह टेस्ट इसलिए महत्त्वपूर्ण होता है, क्योंकि यदि डोनर कमजोर होगा तो वह लिवर डोनेशन के लिए मना कर देगा। डोनर कई बार इस परीक्षण के बाद टूट जाते हैं और मना कर देते हैं। मैं चिंतित था, शिवाशीष को टेस्ट के लिए बुला लिया गया था, लेकिन

वह बहुत जल्दी बाहर आ गया। उसने बताया कि डॉक्टर ने उसे कुछ डराने का प्रयास किया था तथा डाँटकर पूछा था, जानते हो, तुम लिवर दान कर रहे हो? पता है कि तुम्हें क्या होगा? क्योंकि शिवाशीष मेडिकल साइंस का विद्यार्थी था तथा मैंने उसे लिवर ट्रांसप्लांट के लिए तैयार कर दिया था, अत: उसने पूरे आत्मविश्वास भरे स्वर में उत्तर दिया—मैं मेडिकल का छात्र हूँ और मैंने एनाटॉमी पढ़ी है। हाँ, मैं जानता हूँ कि मेरे लिवर का एक हिस्सा काटकर पापा के लिवर के स्थान पर लगा दिया जाएगा; क्योंकि लिवर में पुनर्जनन की क्षमता होती है, अत: कुछ ही दिन में मेरा लिवर पूरा बन जाएगा। डोनर के आत्मविश्वास भरे स्वर के कारण साइकेट्रिस्ट ने तुरंत ओ.के. कर दिया। उसकी बातें सुनकर मुझे बड़ा संतोष हुआ था। दिल्ली पहुँचने पर मैंने देवाशीष व शिवाशीष को कंचन के साथ बैठाकर अपने स्वास्थ्य की स्थिति, ऑपरेशन आदि की बातें विस्तार से बताई थीं, ताकि उन्हें कोई भ्रांति न रहे। शिवाशीष ने स्वैच्छिक रूप से लिवर देने के लिए स्वीकृति दे दी थी। देवाशीष मन-ही-मन परेशान था, क्योंकि फैटी लिवर की समस्या के कारण उसे पोटेंशियल डोनर नहीं माना गया था।

मुझसे पिथौरागढ़ में कई लोगों ने कहा था कि ऑपरेशन के दिन वह लोग अवश्य दिल्ली आएँगे तथा उन्हें तारीख बता दी जाए। कई लोगों को आना था। मेरा ध्यान अपनी व्यवस्थाओं को छोड़ इस बात पर था कि मेरे ऑपरेशन के दिन कई सारे लोग आएँगे तो कहाँ रहेंगे? यह समस्या मेरे लिए स्वयं के ऑपरेशन से भी बढ़कर हो गई थी। मेरा ध्यान उनकी भोजन व आवास व्यवस्था पर टिक गया था। मैंने विज्ञान और प्रौद्योगिकी विभाग में डॉ. डी.के. पांडे जी को फोन कर विज्ञान सदन तथा उसके अलावा भी कुछ गेस्ट रूम बुक करवाने हेतु अनुरोध किया था। मेरी बातें सुनकर डॉक्टर पांडे आश्चर्यचकित थे—यह कैसा आदमी है? अपनी स्थिति इतनी खराब है, लेकिन मेहमानों के बारे में चिंतित है! डॉ. पांडे ने पूछा था कि लगभग कितने लोग आपके ऑपरेशन के दिन होंगे? मैंने सहजता से अनुमानित तौर पर कहा कि लगभग 40 तो होंगे ही। मैंने अपने लोगों की सूची बना रखी

थी। मेरी इच्छा भी थी कि ये लोग मेरे ऑपरेशन के दौरान अस्पताल में हों। डॉ. पांडे जी ने कुछ भारी स्वर में कहा कि 'आप इतने लोगों को बता ही क्यों रहे हो? फिर वह कहाँ रहेंगे, क्या यह आपका सिर दर्द है? जो आएगा, वह अपनी व्यवस्था करेगा। कोई गेस्ट हाउस मत कराओ, उन्होंने सयानेपन के तौर पर बेबाक राय दी थी। मैंने डॉ. गुप्ता के सचिव श्री नीतीश जी से भी कहा था कि हमारे लिए आस-पास कोई सस्ता मकान दिला दीजिए, ताकि मेरे मेहमान वहाँ रह सकें। मेहमानों की अनुमानित संख्या सुनकर वह भी चौंक उठे, बोले—पंत साहब! मेरी समझ में नहीं आता कि आप इतने लोगों को क्यों बुला रहे हो? आप मेरी मानिए, किसी को भी मत बताइए कि ऑपरेशन किस तिथि को हो रहा है, ताकि लोग कम-से-कम आएँ। नीतीश जी ने कहा था कि हमारा तजुरबा है कि मरीज के साथ जब इतनी भीड़ होती है तो इसका सबसे बड़ा नुकसान यह है कि वह डॉक्टरों को लगातार डिस्टर्ब करते रहते हैं। कुछ-न-कुछ पूछते रहते हैं, इससे काम में बाधा होती है। नीतीश जी ने फिर कहा था—पंत साहब! हमारा सामाजिक तकाजा यह है कि ऑपरेशन के दिन खूब ढेर सारी भीड़ यहाँ जमा होगी, आप ऑपरेशन थिएटर में 20-22 घंटों के लिए बेहोश होंगे, आपकी पत्नी और घर के लोग भीषण तनाव में होंगे और यह जो आपके तथाकथित मित्र यहाँ आएँगे, वह वापस जाकर कहेंगे कि हम इतनी दूर से ऑपरेशन के दिन अशोक के पास गए थे, किंतु उनके घरवालों ने हमारी उपेक्षा की, हम से ठीक से बात तक नहीं की। यह टिप्पणी और ज्यादा कष्टकारी होगी, क्योंकि नीतीश जी ने बात अनुभव वाली कही थी, अत: मैं समझ गया और निर्णय किया कि वास्तविक तारीख नहीं बताऊँगा।

सारे परीक्षणों के बाद सबसे कठिन चरण था—मेडिकल बोर्ड के सामने मेरे व शिवाशीष का प्रस्तुतीकरण व साक्षात्कार, क्योंकि लिवर ट्रांसप्लांट भारतीय अंगदान ऐक्ट के अंतर्गत एक विधिक प्रक्रिया से आच्छादित है, अत: मेडिकल रिपोर्ट के आधार पर रिसीपिएंट व डोनर का अंतिम निर्णय हो जाने के उपरांत दोनों को मेडिकल व विधिक बोर्ड के समक्ष प्रस्तुत होना आवश्यक

होता है, ताकि बोर्ड उस ऐक्ट की परिधि में यह सुनिश्चित कर सके कि ऑर्गन डोनेशन किसी दबाव में नहीं किया जा रहा है। जीवन रक्षा की स्थिति में भी साक्षात्कार से गुजरना निश्चित रूप से एक त्रासदी का अनुभव दिला गई।

शाम को अपोलो अस्पताल के प्रशासनिक खंड में हमें ले जाया गया। प्रशासनिक ब्लॉक की व्यवस्था अत्यंत आकर्षक थी। बड़े कॉरपोरेट सेक्टर की तरह सभी कार्यालय व व्यवस्थाएँ देखने का भी एक मौका था यह। सी.एच.ओ. के कक्ष के बगल में छोटा सा कॉन्फ्रेंस हॉल था, वहीं बाहर बैठे हम दोनों साक्षात्कार की प्रतीक्षा कर रहे थे। साथ ही कई विदेशी नाइजीरियन, यूगांडियन आदि भी लाइन में थे। हमारे विवरण पुनरीक्षित किए गए तथा हमसे इंतजार करने को कहा गया। दूसरे या तीसरे नंबर पर मेरा नाम पुकारा गया। पूरा दृश्य ऐसा था, मानो मैं किसी कंपनी के साक्षात्कार में जा रहा हूँ! वैसी ही मानसिकता बन गई थी, जैसी साक्षात्कार के बाद सफल घोषित होने की प्रतीक्षा होती है। भीतर प्रवेश किया, काफी सीनियर लोग, जो बोर्ड के सदस्य थे, एक-एक पेपर लेकर अलग-अलग बैठे थे। अपोलो की मेडिकल सुपरिंटेडेंट एक महिला थीं, जो साक्षात्कार की प्रक्रिया का संचालन कर रही थीं। पूरी प्रक्रिया की वीडियो रिकॉर्डिंग हो रही थी। मुझसे मेरा नाम-पता पूछा गया, उम्र पूछी गई और पूछा गया कि क्या आपको पता है कि आपको कौन सी बीमारी है आदि-आदि। कई संबंधित प्रश्न पूछे जा रहे थे तथा सदस्यगण पेपर में कुछ लिख रहे थे, शायद अपनी टिप्पणी लिख रहे हों। बोर्ड में कोई डॉक्टर अथवा अस्पताल का सदस्य नहीं था। बाद में मुझे बताया गया कि यह बोर्ड विधिक व प्रशासनिक बोर्ड था, जिसमें दिल्ली सरकार के लोग होते हैं, जो विधिक दृष्टिकोण से अंगदान की प्रक्रिया को संस्तुति प्रदान करते हैं। मेरी बात पूरी रिकॉर्ड की गई थी और मुझे जाने के लिए कहा गया। मैं ऐसे बाहर आया था, जैसे मेरा इंटरव्यू अच्छा रहा। अंदर के परिदृश्य ने कुछ क्षण के लिए मेरा मनोविज्ञान ही बदल दिया था। फिर आया शिवाशीष के साक्षात्कार का नंबर। यह अत्यंत ही महत्त्वपूर्ण था, क्योंकि दोनों को ओ.के. करना ही महत्त्वपूर्ण होता है। चिकित्सकीय परामर्श, मेडिकल परामर्श से तो दोनों का

ओ.के. हो चुका था, परंतु दिल्ली सरकार के बोर्ड से अंग दान ऐक्ट की परिभाषाओं से भी ओ.के. होना शेष था।

शिवाशीष अंदर चला गया था, हम ऐसी उत्सुकता से प्रतीक्षा कर रहे थे, जैसे कई चरण पार कर कोई बच्चा अंतिम सिलेक्शन की स्थिति में हो! शिवाशीष भीतर बोर्ड को फेस कर रहा था, हम उत्सुक थे और प्रतीक्षा कर रहे थे उसके बाहर आने की। कुछ ही देर में शिवाशीष बाहर आ गया था। उसके चेहरे पर संतुष्टि के भाव थे, उसने भीतर का सारा वृत्तांत सुनाया। हम ऐसे पूछ रहे थे, जैसे किसी इंटरव्यू बोर्ड के बाहर प्रतीक्षारत अभ्यर्थी अंदर से आने वाले अभ्यर्थी से पूछते हैं। शिवाशीष ने बताया कि बोर्ड ने यह आश्वस्त होना चाहा कि वह अपने पिता को स्वेच्छा से लिवर डोनेट कर रहा है तथा उस पर किसी प्रकार का पारिवारिक या अन्य दबाव नहीं डाला गया है। वह डोनेशन की प्रक्रिया परिणामों को ठीक से जानता है तथा वह बालिग है आदि-आदि। शिवाशीष ने संभवत: काफी आत्मविश्वास से बातें रखी थीं। हम खुश थे तथा वापस लौटकर पुन: डॉक्टर की लॉबी में आ गए थे।

जीवन-संघर्ष, रुग्णता, त्रासदी, अनिश्चितता, आर्थिक बोझ और मौत का सामना करने के माहौल में इस इंटरव्यू ने यह सिद्ध कर दिया था कि जीवन-संघर्ष आसान नहीं है। ईश्वर ने शक्ति दी और मैंने इस पूरी प्रक्रिया को तनिक भी गंभीरता से न लेकर एक प्रकार से एंजॉय किया था तथा मैं एकदम सहज था। नीतीश जी ने हमें कुछ देर बाद बता दिया था कि बोर्ड द्वारा हमारा केस ओ.के. कर दिया गया है।

मेरे ऑपरेशन की तिथि 4 जनवरी को निर्धारित कर दी गई थी। 2 तारीख को मुझे तथा 3 तारीख को डोनर को भर्ती होने के साथ ही यह भी हिदायत दी थी कि तारीख किसी को न बताएँ, ताकि वहाँ भीड़ न हो। उन्होंने बताया था कि हमें 17 यूनिट खून व दो यूनिट प्लाज्मा की जरूरत होगी, जो हमें व्यवस्था करनी होगी। एक ओ पॉजिटिव ब्लड डोनर ऑपरेशन के समय स्टैंडबाई रखना होगा। उन्होंने विस्तार से सारी बातें समझा दी थीं। नीतीश जी बहुत सहयोगी व्यक्ति थे, हमें उनकी राय पर पूरा विश्वास था। उन्होंने यह भी कहा

कि आपके परिचितों में से जितना भी किसी भी ग्रुप का ब्लड हो सके, वह डोनेट कर दे, ओ पॉजिटिव ब्लड बैंक एक्सचेंज कर देता है। उन्होंने इस बारे में ज्यादा चिंतित न होने की बात भी कही थी, क्योंकि सारा पैकेज में शामिल था। उन्होंने बताया कि ब्लड बैंक वाले बहुत दबाव बनाएँगे, लेकिन आप लोग जितना कर सकेंगे, कीजिएगा, क्योंकि ब्लड तो अस्पताल में चाहिए, लेकिन दबाव में मत आइएगा। अन्य व्यवस्थाएँ भी विस्तार से समझा दी थीं।

ऑपरेशन की तारीख 4 जनवरी, 2009 को मैं तथा सभी परिजन बहुत खुश थे, लेकिन इसे गोपनीय रखना था, ताकि अधिक लोग न आएँ। हालाँकि, मेरी हार्दिक इच्छा थी कि जब मुझे ऑपरेशन के लिए ले जाया जा रहा हो तो मेरे मित्र व रिश्तेदार मेरे सामने हों। दीदी जी मेरी पत्रावली पर स्वीकृति करवाकर दिल्ली पहुँच गई थीं। हम सब व्यवस्थाओं में जुट गए थे। शासन ने दस लाख रुपया स्वीकृत कर दिया था, जिसे छोटे भाईसाहब को ड्राफ्ट द्वारा लाना था। काफी जटिल प्रक्रिया के परिणामस्वरूप दीदी के व्यक्तिगत प्रयासों का परिणाम थी यह धनराशि। व्यवस्थाएँ होती जा रही थीं, बड़े भाईसाहब व दीदी जी अपोलो अस्पताल के पास मकान की व्यवस्था देख रहे थे।

1 जनवरी, 2009 आ गया था। नए वर्ष का आगाज हो चुका था और मुझे ऐसा लगा कि यह सवेरा वर्ष 2008 की विदाई के साथ मेरे जीवन के अंधकार को मिटाकर नए जीवन का प्रकाश लेकर आया है। मैं ईश्वर के सामने नतमस्तक हुआ। दीदी, बड़े भाईसाहब, अंशुल, मोहिल, देवाशीष, शिवाशीष सब साथ ही थे वहाँ। मुझे भी संतोष था कि पूरा परिवार साथ है। विज्ञान सदन में आज मैंने पूर्ण आराम किया था तथा टेलीफोन डायरी खोलकर सभी परिचितों, मित्रों और परिजनों को स्वयं फोन किए और अपने ऑपरेशन की बात भी कही, हालाँकि मैंने तिथि की अनिश्चितता बनाए रखी। मैंने सभी से शुभकामनाएँ और आशीर्वाद प्राप्त किया। मेरा मन अत्यंत हल्का व सहज था। सभी लोग अपनी-अपनी व्यवस्था में व्यस्त थे, कमरा ढूँढ़ना प्राथमिकता थी। प्रभात प्रकाशन के श्री पीयूष कुमार जी के सहयोग से सरिता विहार में सुरजीत नामक व्यक्ति के मकान में एक कमरा लेने की बात तय हो गई, वो

भी दस हजार रुपया प्रतिमाह की दर से। पूरा दिन सहजता से बीत गया तथा धीरे-धीरे सामान समेटने का कार्य भी होता रहा, क्योंकि अगले दिन हमें कमरा भी बदलना था तथा मुझे ऑपरेशन के लिए अस्पताल में भर्ती हो जाना था। मैंने डायरी में इलाज के व्यय का विवरण, पासबुक, ए.टी.एम. आदि कंचन को सौंप दिए थे। कई हिदायतें भी दी थीं, उनमें सबसे बड़ी हिदायत थी कि कैसी भी परिस्थिति हो वह शांति बनाए रखें।

2 जनवरी को हम सब सरिता विहार के सुरजीत के मकान में लिये गए कमरे में पहुँच गए। सामान वहीं डाल दिया था। मकान मालिक ने 4 से ज्यादा लोगों को अनुमति नहीं दी थी, लेकिन चोरी-छुपे तरीके से घर के काफी लोग रह रहे थे वहाँ। वहाँ किचन की व्यवस्था थी, लेकिन वह कॉमन किचन था। दीदी किचन की व्यवस्था को व्यवस्थित कर रही थीं। भाईसाहब, मोहिल, अंशुल व देवाशीष ब्लड डोनर्स की व्यवस्था में लगे थे। मुझे अपोलो अस्पताल में डीलक्स रूम में रखा गया था। मुझे लगा कि अस्पताल है या कोई पाँच सितारा आलीशान होटल, व्यवस्थाएँ देखते ही बनती थीं। बहुत अच्छा लगा था मुझे कमरे में आकर। सुंदर ड्राइंग रूम, सुंदर बाथरूम, चाय बनाने आदि की व्यवस्थाएँ और सामने की बड़ी खिड़की से दिल्ली का सुंदर दृश्य व सड़क पर चलता ट्रैफिक, बड़ा सुखद अनुभव था यह। हालाँकि, यह सब पैसों का ही कमाल था। हम जैसे मध्यम वर्ग के व्यक्तियों की हैसियत से परे की थी यह व्यवस्था। मुझे अब सोच-सोचकर आश्चर्य होता है, जब मैं सुनता हूँ कि अमुक व्यक्ति के इलाज में ज्यादा खर्चा आ रहा था, इसलिए उपचार नहीं करा पाए या कभी सुनाई पड़ता है कि किसी की किडनी ट्रांसप्लांट होनी थी, लेकिन पैसे के कारण नहीं हो सकी। पता नहीं ईश्वर ने 32 लाख रुपया खर्च कर इतना बड़ा निर्णय लेने का अहसास व हिम्मत कैसे दी थी ? मैं तो 32 लाख रुपए शायद पूरी नौकरी में कमा भी नहीं पाऊँगा। हैसियत से बाहर का निर्णय लेना उसी की कृपा थी, मैं तो मात्र साक्षी बना था। मेरे लिए ब्लड बैंक में ब्लड की व्यवस्था की बात चल रही थी। डॉ. मुट्टू, जो ब्लड बैंक के हेड थे, मैं उनसे मिला था, स्वभाव से तो वह भले प्रतीत हुए, लेकिन 2 दिन उन्होंने

जिस तरह से 17 यूनिट ब्लड की व्यवस्था के लिए दबाव बनाया, वह निश्चित तौर पर गलत था। मेरे मेडिकल पैकेज मैं वह ब्लड भी शामिल था, लेकिन उन्होंने व्यक्तिगत तौर पर इतना दबाव बनाया कि भाईसाहब लोग अत्यंत तनाव में थे। 4 तारीख को ऑपरेशन होना था, केवल 1 दिन बचा था, उस दिन भी शायद अवकाश था। मेरे भतीजे अंशुल व मोहिल तथा अन्य परिचितों से ब्लड डोनेशन की बात चल रही थी। मोहिल के दोस्तों की इस बारे में बहुत सहायता मिली थी। ब्लड के साथ-साथ प्लाज्मा की भी जरूरत थी। एक या दो ओ पॉजिटिव ब्लड वाले व्यक्ति रिजर्व में रखने थे। बहुत तनाव के बाद व्यवस्थाएँ हो पाई थीं। मुझे याद है कि मेरे छोटे भाईसाहब, पीयूष कुमार के अलावा श्री विपिन पांडे, श्री संदीप पांडे, श्री रवि जोशी, अभिषेक मेहरोत्रा, संदीपन, अमित, सत्येंद्र रजत, विवेक, रोहित, अंकित ने अपना रक्त ब्लड बैंक में दिया था। ब्लड बैंक ने उसके बदले मुझे 17 यूनिट ओ पॉजिटिव ब्लड दिया था। मुझे बाद में डॉक्टर ने बताया कि मुझे 17 यूनिट ब्लड चढ़ा था। बड़े भाईसाहब से प्लेटलेट और बड़े भतीजे अंशुल से प्लाज्मा लिया गया था। मेरे शुभचिंतक श्री योगेश भट्ट का भी ओ पॉजिटिव ब्लड था, उन्हें रिजर्व में रखा गया था। श्री योगेश भट्ट विज्ञान कांग्रेस के नागालैंड कार्यक्रम से मुझसे मिलने वहाँ पहुँचे थे तथा बहुत मनोबल बढ़ाया था मेरा। सारी व्यवस्थाएँ ऐसे हुईं, जैसे रिमोट से कोई कंट्रोल कर रहा हो!

मैं अपोलो अस्पताल के सुपर डीलक्स रूम नंबर 3606 में था तथा अपने रोज के कपड़ों में ही था। 3 जनवरी को शिवाशीष को भी भर्ती कर दिया गया। उसे भी उसी कमरे में रखा गया, एक पलंग और लग गया था। घर के सभी लोगों तथा नजदीक के रिश्तों में ऑपरेशन की सूचना दे दी गई थी, अतः रामनगर से गिरीश भाईसाहब और नवीन भी आ गए थे। मुझे कई अन्य लोगों के आने की प्रतीक्षा थी, किंतु वे नहीं आए थे। हम सभी लोग कमरे में हँसी-मजाक कर रहे थे, कोई भी नहीं चाहता था कि माहौल गमगीन व तनावपूर्ण हो। 2 दिन सुपर डीलक्स कमरे में अपोलो का खाना भी खाया था। चूँकि अपोलो अस्पताल में भर्ती होना, वार्डों की व्यवस्था,

अस्पताल की व्यवस्था देखना सभी के लिए नया विषय था, अतः सब लोग कौतूहल व जिज्ञासा से हर चीज को देख रहे थे। इन 2 दिनों में सबसे अच्छी बात यह लगी कि मेरे ऑपरेशन से जुड़े सभी डॉक्टर अपने-अपने समय के हिसाब से मुझसे मिलने आए थे। उन्होंने अपना परिचय देते हुए ऑपरेशन में अपनी भूमिका से अवगत कराया। डॉक्टर अलग-अलग आकर बताते थे कि मैं आपको एनेस्थीसिया दूँगा, मैं बॉडी ओपन करूँगा आदि-आदि। मेरा खूब हौसला बढ़ाया था उन सभी ने; हालाँकि, अगले दिन मेरा ऑपरेशन होना था और जीवन की अनिश्चितता तो थी ही, किंतु तैयारियों का माहौल ऐसा बना था, मानो कोई समारोह होने जा रहा हो! मैं भी उत्सुक था हर चीज को सुनने व समझने को। डॉक्टरों के स्वभाव ने हम सभी को अत्यंत प्रभावित कर दिया था तथा मेरा आत्मविश्वास कई गुना बढ़ गया था। मुझे लगा कि वास्तव में मैं सुरक्षित हाथों में हूँ। डॉ. सुभाष गुप्ता एक बार पूरी टीम को लेकर आए तथा मेरी हौसलाअफजाई कर गए थे तथा पूरा विश्वास दिलाकर गए थे कि यह ऑपरेशन शत-प्रतिशत सफल होगा। कंचन से वह खूब सहजता एवं अपनत्व से बात कर रहे थे। अटेंडेंट के साथ वरिष्ठ डॉक्टरों का सहज स्वभाव तथा उत्साहवर्धन एक मिसाल थी। बड़े अस्पताल की इस व्यवस्था से हम सभी अत्यंत प्रभावित थे। मैंने अपने पूर्व चिकित्सक डॉक्टर दिनेश सिंघल से भी बात कर शुभकामनाएँ ली थीं, उन्होंने भी फोन से मेरा साहस बढ़ाया था। कई मित्रों के फोन भी आ रहे थे तथा मेरा मनोबल बढ़ाया जा रहा था। रात्रि में डॉक्टर ने हिदायत दी थी कि खाना खाकर सो जाना, पूरा रेस्ट लेना तथा 12 बजे रात के बाद कुछ भी मत लेना। सभी लोग कमरे में बैठे रहे, खाना भी खा लिया था, परिवार के लोग भी एक-एक करके सरिता विहार के कमरे में खाना खाकर वापस अस्पताल आ-जा रहे थे। वहाँ की व्यवस्था दीदी ने सँभाली थी। डॉक्टर ने हिदायत दी थी की कंप्लीट रेस्ट करना। वह शायद जानबूझकर कह गए थे, क्योंकि मैं पूरी रात ठीक से सो नहीं पाया था। कभी ब्लड प्रेशर, कभी टेंपरेचर, कभी पल्स, कभी शुगर, कई बार ब्लड सैंपल रात 10 बजे, 12 बजे, 2 बजे, 4 बजे, यही

क्रम जारी था। ठीक से सोने का तो प्रश्न ही नहीं था। 10 बजे रात नाई आ गया था, उसने परदा खींच दिया था तथा पार्ट प्रिपरेशन की तैयारी के लिए पूरे कपड़े उतारने को कहा था, बोला—'आज आपको जवान बना देते हैं,' उसने चेस्ट से नीचे घुटनों के ऊपर तक पूरा रेजर चला दिया था। मेरे बाद यही हाल शिवाशीष का किया था। फिर हमसे नहाने को कहा गया। फिर नर्स आकर पार्ट प्रिपरेशन करने लगी, बीटाडीन सॉल्यूशन से पूरा हिस्सा पीला कर दिया गया था तथा प्रातः 4 बजे पुनः नहाने को कहा गया था। 4 बजे नहाने के बाद मुझे अस्पताल के साफ कपड़े, पायजामा व गाउन पहना दिया गया। पूरी रात हम दोनों को ऐसे तैयार कर रहे थे, जैसे लड़की को पूर्वांग रस्म में हल्दी स्नान आदि कराया जाता है। लग रहा था, जैसे कोई शुभ कार्य होने जा रहा है! मन में कहीं भी चिंताएँ, घबराहट, मृत्यु या कोई भी बुरा विचार नहीं था। जितना भी सोने को मिलता, अच्छी नींद आ रही थी। मैंने महसूस किया था कि शिवाशीष भी समर्पण भाव से सब तैयारी कर रहा था। ऐसा लग रहा था कि उसके मन में भी किसी प्रकार की शंका, संशय, दुविधा या भय नहीं है। यह बात इस नाजुक अवसर पर महत्त्वपूर्ण थी। डॉक्टर भी उसकी खूब प्रशंसा कर रहे थे। हमें बताया गया था कि प्रातः 7 बजे पहले शिवाशीष को ऑपरेशन के लिए ले जाया जाएगा, उसके एक घंटा बाद मुझे। डोनर का ऑपरेशन पहले प्रारंभ होता है, बाद में रिसिपिएंट का। सभी परिजन प्रातः 6 बजे ठंड में ठिठुरते हुए कमरे में पहुँच गए थे। कई लोगों को मुझे बिस्तर में देखकर ऐसा लगा कि शायद वह गलत मरीज के कमरे में दाखिल हो गए हैं, कारण, मेरी दाढ़ी-मूँछ साफ कर दी गई थीं तथा मैंने गाउन पहन रखा था। कल रात तक तो सब मुझे कपड़ों में रोज की तरह मेरे मूल स्वरूप में देख गए थे। रात ही रात सब बदल गया था। सभी लोग स्वाभाविक तौर पर भावुक थे। मेरे जीवन की इस नाजुक घड़ी में सबकुछ अनिश्चित था। कुछ भी संभावना हो सकती थी, यहाँ तक कि यह सबसे आखिरी मुलाकात हो सकती थी। हम दोनों पिता-पुत्र गाउन पहने, क्लीन शेव किए, नए कलेवर में ऐसे तैयार थे, जैसे किसी लक्ष्य को भेदने

जा रहे हो! सभी ने हमारे साथ फोटो खिंचवाई, ग्रुप फोटो भी खिंचवाया गया। सभी के मस्तिष्क में अच्छा-बुरा सब घूम रहा था। ऐसी घड़ी में मैं शायद अकेला शख्स था, जिसके मस्तिष्क में केवल अच्छा-ही-अच्छा घूम रहा था। मैंने ऑपरेशन को एक वैज्ञानिक प्रक्रिया माना था और विश्वास था कि सब ठीक होगा। हाँ, लोगों की भावुकता मुझे जरूर परेशान कर रही थी। कंचन भी मजबूत होकर खड़ी थी। उसे पता था कि यदि उसकी आँख में आँसू आ गए तो मैं टूट सकता हूँ। उसने भी सीने पर पत्थर रख स्वयं को कृत्रिम मुस्कराहट व सहजता से अलंकृत कर रखा था तथा वह अन्य लोगों को सहज कर रही थी, यह उसकी महानता थी। यदि आग कहीं लगी होगी तो सबसे ज्यादा उसी के कलेजे में, क्योंकि जिस जवान महिला का पति व पुत्र दोनों मेजर एवं असामान्य ऑपरेशन के लिए साथ-साथ जा रहे हों, एक की जान दूसरे को बचा रही हो, बिना अपनी जान की परवाह किए और फिर कुछ निश्चित भी तो नहीं था कि सब ठीक ही हो जाएगा! भविष्य सामने चुनौतियाँ दिखाकर डरा रहा हो, दुनिया जिसे दया के पात्र के रूप में देख रही हो, लोग जिसके सामने उसकी किस्मत का रोना रो रहे हों, ऐसी महिला इस समय अग्निपरीक्षा दे रही थी। उसे पता था कि उसका एक आँसू ऐसे संकट के समय उसके पति व पुत्र को तोड़ सकता है। वह अग्नि की ज्वाला में तपती हुई भी बर्फ की तरह शांत व सहज थी। उष्णता व शीतलता का यह सम्मिश्रण उस समय कंचन के चेहरे पर देखने को मिला था। नारी का धीरज और धर्म परिभाषित हो रहा था वहाँ।

4 जनवरी, 2009 का सवेरा नई किरण ले आया था। ठीक 7 बजे सिस्टर व्हीलचेयर लेकर आ गई और शिवाशीष को चलने का निर्देश दिया। श्रवण कुमार की अभिव्यक्ति से भरा, पिता के जीवन की रक्षा हेतु तत्पर शिवाशीष भावुकता को छोड़कर कर्तव्य को प्राथमिकता देते हुए रवाना हो गया। बड़ा आत्मविश्वास था उसमें। उसने भी यह सब एक प्रक्रिया का हिस्सा मान लिया था। अपनी स्वाभाविक सहज मुस्कान से मुझे प्रणाम कर अन्य को हाथ हिलाता हुआ वह लिफ्ट की ओर चल दिया। सभी भावुक थे, किंतु सभी अपने

को सहज करने का प्रयास कर रहे थे। जबरदस्ती कुछ इधर-उधर की बातें करके मैं भी अपने को सहज कर चुका था, क्योंकि भलाई इसी में थी कि भावुकता को दरकिनार कर दिया जाए।

ठीक 1 घंटे बाद सिस्टर ने दरवाजा खोला। हाउसकीपिंग वाला व्हीलचेयर लेकर खड़ा था। मुझे निर्देश मिला कि मैं चलूँ ऑपरेशन थिएटर के लिए। हमारी अपेक्षा से कुछ पूर्व में ही बुलावा आ गया था। मुझे बताया गया था कि मेरा लगभग 20-22 घंटे का कठिनतम ऑपरेशन होगा तथा मैं लंबे समय तक बेहोश रहूँगा। इतनी अवधि में लाइफ सपोर्ट सिस्टम में रहकर मैं दूसरी दुनिया में होऊँगा, यही बात मन में थी; क्योंकि दीदी, दोनों भाईसाहब, कंचन सबके चेहरे भावुकता भरे थे और मन मोटा करके आँखें उनकी पीड़ा को व्यक्त कर रही थीं। स्वाभाविक था कि मैं भी भावुक हो पड़ा, मेरी भी आँखें छलछला गई थीं। एकाएक मैंने स्वयं को कठोर किया। मन ने कहा कि ऐसे काम नहीं चलेगा! मैं उठा और दीदी, भाईसाहब आदि बड़े लोगों को प्रणाम किया, छोटों ने मुझे प्रणाम किया और शुरू हुआ एक उत्सव के लिए विदाई का सा वातावरण! व्हीलचेयर पर बैठते समय मैं स्वयं को रोक नहीं पाया था कंचन से मिलने को, मैंने उसे जोर से पकड़ा और वचन दिया कि 'तू मजबूत रहना, मुझे कुछ नहीं होगा, हम दोनों ठीक होकर आएँगे।' मैं ऑपरेशन के डर से एकदम निश्चिंत, जीवन की अनिश्चितता से बिल्कुल बेखबर, पूरे आत्मविश्वास के साथ व्हीलचेयर पर चला जा रहा था। सब लोग पीछे-पीछे चले आ रहे थे और मुझे लगा, लाखों समस्याओं के बीच भी जो सबसे खूबसूरत और अनमोल चीज है, वो है जिंदगी। मैं उसी जिंदगी की जंग को जीतने चल पड़ा। मैं बढ़ता ही गया। मुझे लिफ्ट में ले जाया गया। किसी को भी सूचना न देते हुए भी बहुत संख्या में लोग आ गए थे। मुझे बाद में पता चला था कि उस दिन 21 लोग लगातार मेरे ऑपरेशन के समय अस्पताल में उपस्थित थे। लिफ्ट के बाहर सभी को मना कर दिया गया। केवल छोटे भाईसाहब व योगेश भट्ट लिफ्ट में मेरे साथ थे। मुझे ऑपरेशन थिएटर के बाहर एनेस्थीसिया कक्ष, जिसमें मरीज

को कुछ देर रखा जाता है, वहाँ ले जाकर पलंग पर लिटा दिया गया था। अब मैं अपनों से दूर, डॉक्टरों के हवाले स्वयं को समर्पित कर चुका था। वार्ड की सिस्टर ने ओ.टी. की सिस्टर को मेरी फाइल के साथ हैंड ओवर किया, जो एक महत्त्वपूर्ण प्रक्रिया थी और ऐसा लग रहा था कि वह सिस्टर एक जीवित व्यक्ति को उसे सौंप रही है। शायद इस भावना के साथ कि इसे स्वस्थ होकर ही बाहर रिसीव करूँगी! ओ.टी. की सिस्टर ने बड़ी गंभीरता के साथ पूरी फाइल टेकओवर की। वार्ड सिस्टर मुझे एक हल्की मुस्कराहट के साथ 'बाय' करके चली गई। बिल्कुल एक कार्यालय से दूसरे कार्यालय में स्थानांतरण व चार्ज देने की प्रक्रिया थी। 2 दिन से वार्ड की सिस्टर व स्टॉफ से दोस्ती सी हो गई थी।

□

ऑपरेशन और एम.ओ.टी.यू.

अब तो पूरा नया माहौल था। हर व्यक्ति चाँद के मानव की तरह दिख रहा था—गाउन, मास्क, कैप, गल्ब्ज पहने, कोई पहचानने के लायक ही नहीं था। डॉक्टर, नर्स, स्टाफ सब एक जैसे ही हरे-नीले दिख रहे थे। रही-सही कसर मुझे एक कमरे में अकेले लिटाकर पूरी हो गई। मैं अकेला लेटा था, केवल आस-पास लोगों की हलचलों का अहसास हो रहा था। कुछ देर में एक डॉक्टर आए, उन्होंने कुछ देर मुझसे बातें की थीं। मैंने पूछा था कि मेरे बेटे का ऑपरेशन कहाँ होगा? उन्होंने बताया कि इस कमरे के एकदम बगल वाले कमरे में। उन्होंने यह भी बताया कि उसका ऑपरेशन प्रारंभ भी हो चुका है। मैंने आँखें बंद कर ईश्वर से प्रार्थना की। डॉक्टर चले गए थे, शायद जनरल ऑब्जर्वेशन हेतु आए थे। मैं फिर अकेला था, थोड़ी देर में एनेस्थीसिया के सीनियर डॉक्टर आ गए। उन्होंने अपना परिचय दिया कि वह डॉक्टर अनेजा हैं तथा सीनियर एनेस्थेटिक हैं, वही मुझे एनेस्थीसिया देंगे। मैंने उनसे पूछा था कि मुझे कौन सा एनेस्थीसिया दिया जाएगा, तो उन्होंने बताया था कि जनरल एनेस्थीसिया दिया जाएगा। मेरी इंक्वायरी पर वह थोड़ा मुस्कराए भी। कुछ ही देर में मुझे ऑपरेशन थिएटर में ले जाकर पलंग पर लिटा दिया। मैं कौतूहल से भरा सब देख रहा था। मुझे दीवार में घड़ी दिखाई दे रही थी, जिसमें 9:10 का समय हो चुका था।

पलंग ओ.टी. के दरवाजे पर था। डॉक्टर ने मेरे लिए व्हीलचेयर मँगवाई तो मैंने कहा कि डॉक्टर साहब! क्या व्हीलचेयर में जाना जरूरी है? मैं तो पैदल ही अंदर जा सकता हूँ, मुझे कोई तकलीफ नहीं है। मेरे इस आत्मविश्वास

भरे स्वर को देख डॉक्टर ने चेयर मना कर दी, बोले—वेरी गुड, आइए, आप ऐसे ही आइए। वह बोले—'वेरी गुड पेशेंट', मुझे हँसी आ रही थी कि पेशेंट भी क्या वेरी गुड! दरवाजे के भीतर प्रवेश करते ही मैं एक नई दुनिया में पहुँच गया था। एक अजीब सी गंध से भरा था वह स्थान। विशाल हॉल, चारों ओर मशीनें-ही-मशीनें, उपकरण-ही-उपकरण, कमरे की दीवारों का रंग फीका-फीका सा था, हरे-नीले कलेवर में कई लोग खड़े थे। मेरे लिए वह दृश्य किसी दूसरे लोक का सा था, जहाँ कोई भी पहचाना नहीं जा रहा था। डॉक्टर ने इशारा किया ऑपरेशन टेबल की ओर आने को। मैंने डॉक्टर साहब से कहा—डॉक्टर साहब! प्लीज 5 मिनट रुक जाएँ। वह आश्चर्य से बोले, क्या हुआ? मैंने कहा कि आप लोग फिर कभी इस थिएटर में तो घुसने नहीं देंगे। मैं आया हूँ तो एक बार सब चीजें देखना व समझना चाहता हूँ, फिर कहाँ मौका मिलेगा? डॉक्टर व अन्य लोग यह सुनकर आश्चर्य में पड़ गए कि जिसकी जिंदगी अंतिम चरण में हो, सबकुछ अनिश्चित हो, उसे यह सूझ रहा है! लेकिन डॉक्टर साहब ने मेरी बात मानी और मेरे अनुरोध पर सारे उपकरणों और मशीनों के बारे में संक्षेप से समझाया। सामने गोल शीशे की खिड़की से दिल्ली का मनोहारी दृश्य दिखाई पड़ रहा था। डॉक्टरों की आँखें रिलैक्स करने का यह महत्त्वपूर्ण माध्यम था। सिस्टर एक निश्चित क्रम में खड़ी थीं। पता नहीं कौन-कौन खड़े थे। मैं स्वयं को एक वी.वी.आई.पी. महसूस कर रहा था। डॉक्टर ने कहा था, "पंत साहब! आपकी विल पावर बहुत ही मजबूत है। लिवर ट्रांसप्लांट में विल पावर की बहुत ही महत्त्वपूर्ण भूमिका रहती है। आपका ऑपरेशन पूरा सफल होगा तथा आप 16 दिन में ही एम.ओ.टी.यू. से बाहर आ जाएँगे तथा डिस्चार्ज हो जाएँगे।" अब मुझे इशारा किया गया टेबल पर लेटने को। बहुत पतली चौड़ाई की टेबल थी, जिस पर नीले रंग का फीका सा कपड़ा बिछा था। दोनों ओर से फोल्डिंग आर्म थी। मुझे ठीक से लिटाया गया तथा दोनों आर्म खोलकर हाथ व्यवस्थित कर दिए गए तथा अब ड्रिल प्रारंभ हुई। मैंने सोचा था कि एनेस्थीसिया कैसे देते हैं तथा कैसे बेहोश होते हैं, जानूँगा। ड्रिल प्रारंभ हो गई। सिस्टर ने सभी तैयारियों के

पूर्ण होने की ओ.के. रिपोर्ट दी। अंदर और बाहर की घड़ियों को सिंक्रोनाइज कर दिया गया। ओ.के. होने पर डॉक्टर मेरे सामने बाईं ओर खड़े थे, बाँहों में विगो लगा था। डॉक्टर साहब ने कहा, पंतजी! अब मैं आपको एनेस्थीसिया दे रहा हूँ। आप ईश्वर के नाम का सुमिरन कीजिए। मैं डॉक्टर के मोशन को देखने को उत्सुक था तथा मन में ईश्वर का सुमिरन कर रहा था। वह मुझे विगो से इंजेक्शन दे रहे थे। उन्होंने कहा था—वन, टू और शायद थ्री भी कहा होगा, लेकिन मैं अब इस दुनिया से बाहर हो चुका था। उसके बाद का मुझे कुछ याद नहीं।

मेरा ऑपरेशन लगभग 18 घंटे चला था, शिवाशीष का 12 घंटे। सभी परिजन आई.सी.यू. वेटिंग लॉबी में थे। दीदी बताती हैं कि वह सबसे नाश्ता करने कैंटीन में जाने का अनुरोध करती रहीं, पर कोई भी जाने को तैयार नहीं हुआ। तब वे स्वयं वहाँ से उठीं और बाजार से मटर, गोभी, गाजर आदि खरीदकर सरिता विहार वाले कमरे में ले गईं और उन्होंने उस बड़े भगोने में पुलाव बनाया, जिसमें पानी गरम किया जाता था। 19 लोगों ने उसी कमरे में आकर पुलाव खाया और 2 के लिए कैसरोल में भरकर अस्पताल भेजा गया। उस पुलाव में न जाने कैसा अनोखा स्वाद था कि आज भी लोग याद करते हैं।

मुझे बाद में सारी बातें बताई गई थीं कि उन सबकी नजर ओ.टी. के दरवाजे में थी तथा माइक के अनाउंसमेंट पर ध्यान था। कितना तनाव रहा होगा, यह मैं समझ सकता हूँ। 12 से 18 घंटे का समय, ऑपरेशन के परिणाम की प्रतीक्षा, उन सबको कितना लंबा समय लगा होगा! बताते हैं कि लगभग 9:30 बजे रात्रि में शिवा को बाहर लाने की सूचना डॉक्टर लेनिन ने देवाशीष को मोबाइल पर दी थी। सभी तेजी से दौड़े थे। इन्होंने लिफ्ट के अंदर बस, आधे मिनट शिवा को देखा था। उसने देवाशीष को पहचान लिया और बोला, "ददा, इनसे कह दो, मुझे बहुत दर्द हो रहा है। उसने दूसरा वाक्य बोला, पापा कैसे हैं?" होश में आते ही पापा की कुशल पूछना, यह स्पष्ट कर रहा था कि शिवा के मन में मैं ही था। शिवा को एम.ओ.टी. यू. (मल्टी ऑर्गन ट्रांसप्लांट यूनिट) के कमरा संख्या 3221 में रखा गया था, जो कि

अपोलो अस्पताल के चतुर्थ तल में था। शिवा से रात्रि में किसी को भी मिलने नहीं दिया गया था।

मुझे बताया गया था कि रात्रि 1:30 बजे मेरा ऑपरेशन पूरा हुआ था तथा मुझे वेंटिलेटर में रखकर ही एम.ओ.टी.यू. ले जाया गया था। पूरा शरीर कई लाइफ सपोर्ट मशीनों व उपकरणों से घिरा था। मुझे एम.ओ.टी.यू. स्थित आई.सी.यू. के कक्ष संख्या 3225 में रखा गया था। इस प्रकार वर्ष 2009 का अपोलो का प्रथम लिवर ट्रांसप्लांट ऑपरेशन व अपोलो का 69वाँ लिवर ट्रांसप्लांट ऑपरेशन पूरा हो गया। डॉ. सुभाष गुप्ता, जो टीम लीडर व मुख्य सर्जन थे, उन्होंने भाईसाहब को मेरे ऑपरेशन के सफल होने की सूचना दी थी। यह उनका बड़प्पन था कि वह ओ.टी. वेटिंग लॉबी में गए और कंचन से कहा था कि पंत जी का ऑपरेशन सफल हो गया है, बाकी बातें कल होंगी। 18 घंटे से जटिलतम ऑपरेशन में व्यस्त सर्जन रात 2:00 बजे मरीज की पत्नी के पास स्वयं जाकर ऑपरेशन के सफल होने की सूचना दें, यह सामान्य चिकित्सक न कर सकें, लेकिन बड़े तो बड़े ही होते हैं, वह छोटे-छोटे, लेकिन अति महत्त्वपूर्ण काम ऐसे कर देते हैं कि उनके सामने सामान्य व्यक्ति एकदम बौना प्रतीत होता है। इसीलिए यह लोग बड़े प्रतीत होते हैं। कंचन ने बताया था कि डॉ. सुभाष गुप्ता से बात होने पर उसे पूरा विश्वास व शांति हो गई थी तथा दिन भर का तनाव भी दूर हो गया था। सभी का मन संतोष से भर उठा था।

मेरे ऑपरेशन में लगभग 22 डॉक्टरों व सहयोगियों की टीम थी। डॉ. सुभाष गुप्ता, जो एशिया के जाने-माने लिवर ट्रांसप्लांट सर्जन हैं, वह टीम लीडर थे। उनके साथ डॉ. नीरव गोयल, डॉ. पुनीत डार्गन, डॉ. अजिताभ श्रीवास्तव, डॉ. दीपक गोविल, डॉ. विवेक विज जैसे सर्जन थे तथा साथ-साथ डॉक्टर मानव वधावन एवं डॉ. अजय कुमार ट्रांसप्लांट फिजिशियन व गैस्ट्रोएंटेरोलॉजिस्ट के रूप में तैनात थे। डॉ. संदीप एस. सिंधू व डॉ. आर.आर. कासलीवाल को बाह्य परामर्शदाता के रूप में बुलाया गया था। टीम में लिवर ट्रांसप्लांट यूनिट के रजिस्ट्रार व रेजिडेंट्स के रूप में डॉ. विशाल चौरसिया, डॉ. फुरकान, डॉ. श्रीधर लेनिन एवं डॉ. आरिफ शामिल थे। डॉ. अनेजा व

उनके दो सहयोगी एनेस्थीसिया टीम में थे। स्टाफ नर्स व अन्य सपोर्ट स्टाफ भी भारी संख्या में था। यह जानकारी मैंने एम.ओ.टी.यू. से बाहर आने पर बाद में ली थी। मेरे लिए डॉ. सुभाष गुप्ता ईश्वर का अवतार हैं तथा उनकी टीम भी देव-दूतों का प्रतिनिधित्व करती है। डॉ. गुप्ता नहीं होते तो मेरा ऑपरेशन नहीं हो सकता था। मेरा ऑपरेशन नहीं होता तो आज मैं शायद अपनी इस डायरी को नहीं लिख रहा होता। मुझे अहसास हो गया था कि ईश्वर किसी मूर्ति अथवा मंदिर मैं नहीं होता, वह इंसानों में इन्हीं रूपों में प्रकट हो अपना अस्तित्व समझाने तथा सर्वोपरि संचालक व नियंता होने की अनुभूति दिलाता है। मेरा ईश्वर के प्रति दृष्टिकोण कुछ बदलने लगा था। मुझे समझ में नहीं आ रहा था कि मैं घोर आस्थावान हो गया हूँ या फिर एकदम नास्तिक? मुझे अब मंदिर जाना, मूर्ति पूजा आदि ढकोसला लगने लगे थे। मुझमें भाव जागा कि ईश्वर किसी व्यक्ति, मूर्ति या फिर किसी दूसरे प्रतीक का नाम नहीं है। लिवर ट्रांसप्लांट वर्तमान में एक दुर्लभ ऑपरेशन है। कितनी कठिन थी 18 घंटे की वह जटिलतम ऑपरेशन प्रक्रिया! बेटे का लिवर काटकर मेरे लिवर की जगह लगा देना, कितनी असंख्य शिराओं के जाल को पुनः जोड़ना, लाइफ सपोर्ट सिस्टम में शरीर के विभिन आंतरिक अंगों का संचालन, पता नहीं क्या-क्या चीजें थीं, जो हमें पता नहीं।

मैं पूरे विश्वास से कहता हूँ कि मैं आज जिंदा हूँ तो केवल डॉ. सुभाष गुप्ता की वजह से तथा शिवाशीष के त्याग से। वही एकमात्र सर्जन थे, जिन्हें भारतवर्ष में तब वह हुनर प्राप्त था। वे इस प्रक्रिया में दक्ष हैं और मेरे जीवन को बचाया तो मैं उनको ही ईश्वर मानता हूँ। जीवन में जो भी व्यक्ति उस प्रक्रिया में दक्ष है, जो हमारी समझ से परे है, तो हमें उसे ईश्वर की तरह सम्मान देकर समर्पण कर देना चाहिए। यदि हम इस तरह देखें तो हम पाएँगे कि हमें रोज कई बार ईश्वर के दर्शन हो जाते हैं, लेकिन हम अपने अहं के आवरण से इसे स्वीकार करने में संकोच करते हैं। ईश्वर का दर्शन न कर पाने की भूल स्वयं करते हैं और फिर ढूँढ़ते हैं उसे मूर्तियों में, मंदिरों में, मस्जिदों में, गिरजाघरों, गुरुद्वारों और भी न जाने कहाँ-कहाँ! पूरे ब्रह्मांड का संचालन एक

प्रक्रिया है। किस तरह ग्रह घूम रहे हैं, सूर्य ऊर्जा व प्रकाश दे रहा है, ऋतुओं का एक निश्चित क्रम चल रहा है, यह सब एक प्रक्रिया नहीं तो क्या? क्या यह प्रक्रिया हमारी समझ या नियंत्रण में है? यदि नहीं तो फिर तर्क-वितर्क क्यों करना? जो हो रहा है, वही सत्य है, वही पूज्य है, वही स्वीकार्य है। साक्षी बनो, समर्पण करो, यही व्यवहार है। मैं प्रातःकाल उठकर बाहर जाता हूँ, बाहर सूरज दिखाई पड़ता है, सवेरा हो चुका है, पक्षी बोलने लगे हैं, धूप आ रही है या बारिश हो रही है, लोग अपने-अपने कामों के लिए निकल पड़े हैं। मैं सब यह देख रहा हूँ। रात में मैं जब सोया था तो क्या नींद में मुझे पता था कि मैं सवेरे उठूँगा और बाहर वही दृश्य देख पाऊँगा? मुझमें हर क्षण ईश्वर को एक अज्ञात प्रक्रिया के रूप में देखने की प्रवृत्ति जग गई थी। मैं अपने से अधिक जानकार हर व्यक्ति में ईश्वर के दर्शन करता हूँ, क्योंकि मुझे लगता है कि उसमें वह है, जो मुझमें नहीं है। निश्चित तौर पर वह मेरे लिए पूज्य है, वंदनीय है, फिर चाहे वह छोटा हो या बड़ा, इससे क्या अंतर पड़ता है!

5 जनवरी का दिन, मुझे ठीक से याद नहीं समय क्या रहा होगा, लेकिन अगले दिन मुझे उठाने का प्रयास किया जा रहा था। शायद मेरे ऑपरेशन को 36 घंटे हो चुके थे। मुझे अर्द्धमूर्च्छा थी। एनेस्थीसिया का असर अब खत्म होने लगा था, यह मैं महसूस कर रहा था। कोई कह रहा था जोर-जोर से—'पंतजी! उठिए!' मेरे हाथ में हल्के-हल्के थपथपाया जा रहा था। मैंने उठने का प्रयास किया, लेकिन आँखें खुल रही थीं, फिर बंद हो जा रही थीं। मैं शायद 36 घंटे से वेंटीलेटर पर था। मुझे नेचुरल साँस लेने के लिए प्रयास किए जा रहे थे, जैसा कि मुझे बाद में बताया गया था। मुझे जो याद है, वह यह कि आवाज लगाने पर जब मैंने आँखें खोली थीं तो मैं एक नई जगह पर था। पलंग के लगभग 100 डिग्री के कोण पर मेरे दाएँ-बाएँ कई मशीनें लगी थीं। सामने तीन-चार डॉक्टर व नर्सें एम.ओ.टी.यू. की स्टरलाइज्ड ड्रेस में गाउन, मास्क व कैप में थे। कोई पहचान में नहीं आ रहा था। मुझसे मुस्कराहट भरे स्वर में उत्साहपूर्वक पूछ रहे थे—पंत साहब! कैसे हैं? मैं कुछ अन्यमनस्क था। नींद का भी असर था। मैं कुछ समझ नहीं पा रहा था। दर्द नाम की भी कोई

चीज नहीं थी। मुझे तो अंतिम याद वही थी, जब डॉक्टर ने एनेस्थीसिया देते समय—पंत साहब, अब आप ईश्वर का सुमिरन करें, कहा था और एक-दो कहा था। धीरे-धीरे मैंने स्वयं को सहज किया तथा बोलने का प्रयास किया। सबके सब मुझे ऐसे देख रहे थे, जैसे उन्हें परीक्षा के बाद रिजल्ट मिलने का उत्साह हो! मैंने पूछा, डॉक्टर साहब! मैं यहाँ कहाँ? मेरे ऑपरेशन का क्या हुआ? वह बोले, ऑपरेशन तो आपका कब का हो गया है, विश्वास नहीं आ रहा है? उन्होंने मेरा गाउन सामने से खोला बोले—देखो। मुझे आश्चर्य हुआ कि उलटे वाई के आकार में पूरा पेट कटा हुआ है, जिस पर चाँदी की चेन जैसी लगी है, जो स्टील के स्टेपल्स थे। सर्जरी की नई तकनीकी का कमाल था। वह दृश्य मेरी आँखों में आज भी ताजा है। मन में ईश्वर के प्रति धन्यवाद देते हुए मैंने पहला प्रश्न पूछा था कि शिवा कैसा है? वे सभी लोग बड़े उत्साह से बोले थे कि वह एकदम ठीक है, उसे तो रात में ही होश आ गया था। वह एक-दो कमरे छोड़कर पास में ही है, अभी आपसे मिलाएँगे। मैं पूरी तरह फ्रेश नहीं था। झपकी जैसी भी आ रही थी, फिर आँखें खुल रही थीं। नर्सों का आना-जाना लगा था। मैंने देखा कि मुझे निंबस 'हवा भरा गद्दा' में लिटा रखा है, बल्कि आधा उठाकर बैठा रखा है। हाथों में कई तरह के अटैचमेंट्स थे। दाएँ-बाएँ मशीनें, मॉनिटर और वेंटीलेटर थे। मशीन के मॉनिटर बीप कर ताजा स्थिति बता रहे थे। अब मुझे ऑपरेशन होने तथा अस्पताल में एक मरीज के रूप में एम.ओ.टी.यू. में भर्ती होने का अहसास हुआ था। मेरे मन में शिवा को देखने की प्रबल इच्छा थी, जिसे मैंने स्टाफ नर्स से अभिव्यक्त किया था। बाहर शायद घरवालों को भी मेरे होश में आने और बोलने की खबर दे दी गई थी। मुझे भी बताया गया कि आपकी पत्नी, बेटा तथा अन्य सभी बाहर हैं, हम उन्हें बाद में आप से मिलाएँगे। मैं भीतर-ही-भीतर बहुत खुश था, लेकिन शिवा को देखने की इच्छा अत्यंत प्रबल थी। मुझे लग रहा था कि उसकी बदौलत मैं पुनः जीवित हो उठा हूँ, मुझे उससे मिलना चाहिए, लेकिन मैं असहाय था। मशीनों से बँधा, नर्सों और डॉक्टरों से घिरा तथा शरीर से भी लगभग अशक्त था। एम.ओ.टी.यू. के प्रभारी व इंटेंसिविस्ट डॉ. पंकज लोहिया बार-बार मुझे

देखने आ रहे थे। उनकी मुस्कराहट और सहज बातें मुझे प्रभावित कर रही थीं। स्वभाव से वह बहुत मीठी मजाक करते थे। मरीज की मनोदशा को देखकर व्यवहार करते थे। एम.ओ.टी.यू. में ट्रांसप्लांट पेशेंट के लिए मेरी दृष्टि में दूसरा विकल्प नहीं हो सकता डॉ. पंकज का।

मेरे होश में आने के 2 घंटे बाद व्हीलचेयर पर शिवाशीष को मेरे कमरे में लाया गया, जो मेरे लिए सर्वाधिक आश्चर्यपूर्ण, किंतु बेहद सुखद क्षण था। मैं पलंग में उठकर लेटा था। मेरा मन तो शिवा को गले लगाने को हो गया था, फिर शायद उसके पैर छूने को, लेकिन मैं लाचार था, कुछ न कर सका। दोनों की आँखों में एक-दूसरे को ठीक व जिंदा हालत में देखने के संतोष के आँसू थे। उसके भी हाथों में ड्रिप व अन्य अटैचमेंट, कैथेटर और ड्रेन पाइप लगा था। ऐसी हालत में ही उसे मिलाने लाया गया। सुना कि उसने भी होश में आने के बाद बार-बार मेरे बारे में पूछा था तथा मुझसे मिलाने को कहा था। दोनों ने एक-दूसरे को देख लिया था, मन हल्का हो गया था। शिवा के चेहरे में दर्द के कारण तनाव स्पष्ट झलक रहा था। मुझे तो होश में आने के बाद से आज तक एक बार भी दर्द का अहसास हुआ ही नहीं। पता नहीं मेडिकल साइंस भी किस हद तक पहुँच गया है। इतने बड़े ऑपरेशन के बाद दर्द न होना वास्तव में आश्चर्य की बात थी। मेरी इच्छा कंचन व देवाशीष से मिलने की थी। एम.ओ.टी.यू. के नियम इतने सख्त थे कि डॉ. पंकज से अनुमति मिले बगैर मजाल कि कोई अटेंडेंट भीतर आ जाए! एम.ओ.टी.यू. अपने आप में एक विभाग था। मरीज के कमरे तक आने की प्रक्रिया ही अत्यंत जटिल थी। मिलने का समय, डॉ. पंकज की अनुमति, जूते उतारना, ड्रेस पहनकर व मास्क लगाकर हाथों में स्टेरिलिन डालकर अंतरिक्ष यात्री की तरह ही केवल अधिकतम 1 या 2 मिनट के लिए कोई आ सकता था और वह भी केवल दूर से देख सकता था, स्पर्श नहीं कर सकता। एम.ओ.टी.यू. के कक्ष 3225 में मैं अकेला था, साथ में थी तो रूम नर्स। आठ-आठ घंटे में ड्यूटी बदल जाती थी। मॉनिटर पर बीप की आवाज, पल्स, हार्ट रेट, ब्लड प्रेशर, ऑक्सीजन आदि सब डिस्प्ले हो रहे थे। ब्लड प्रेशर ऑटोमेटिक तौर पर नप रहा था।

सारा माहौल अजीबोगरीब था। तीसरे दिन प्रातः मरीज से मिलने का समय था। मुझे बताया गया था कि आज आपसे आपकी पत्नी मिलने आएँगी। कंचन भी पूरे वेश बदले आई थी। स्टेरलाइज्ड ड्रेस में उसे मैं पहचान ही नहीं पाया था। पास आई तो मेरे हर्ष की सीमा न रही, मैंने हाथ स्पर्श करना चाहा, लेकिन नर्स चौकीदारी भी कर रही थी। मैंने कहा कि मैं बिल्कुल ठीक हूँ। मेरी आँखें भरी थीं कि ईश्वर ने यह दिन दिखा दिया, जो मैंने कंचन से वादा किया था कि 'मैं ठीक होकर आऊँगा, तू चिंता मत करना।' मुझे लगा कि ईश्वर ने वह पूरा कर दिया। संक्षेप व इशारे से मैंने दीदी, भाईसाहब के हाल और शिवाशीष के बारे में पूछा था। लग रहा था कि बगल में बैठ जाती तो मैं उसके हाथ पकड़ता और सिर पर हाथ रखता, लेकिन नर्स ने वापस जाने का फरमान जारी कर दिया। देवाशीष को छुट्टियों की समस्या थी तथा उसे ड्यूटी पर जाना था, अतः उसे भी आने का मौका दे दिया। उसे मुझे देखकर संतोष हुआ था। उसकी आज बोर्ड ऑफ डायरेक्टर के साथ मीटिंग थी। वह तैयार होकर आया था, किंतु स्टेरलाइज्ड ड्रेस में सब ढँका था। एक-दो मिनट का मौका छोटे भाईसाहब और बड़े भाईसाहब को भी मिला था। सबकी आँखों में संतोष के आँसू थे। दीदी जी नहीं आई थीं, मैं इस बात से बेचैन था। जो भी मिलने आया, मैंने सबसे यह बात व्यक्त भी की थी।

केवल सुबह व शाम 15 मिनट का समय था अटेंडेंट का मरीज से मिलने का, वह भी एक या दो ही लोग आ सकते थे। तीसरे दिन दीदी जी भी आ गई थीं। उनसे मिलने का कितना संतोष एक-दूसरे को हुआ, यह अब केवल याद करने की ही बात रह गई है। तीन-चार दिन में धीरे-धीरे सभी से एक बार मुलाकात हो गई थी तथा परिजनों का तनाव सामान्य होने लगा था। मुझे आश्चर्य हुआ, जब मुझे दूसरे ही दिन एक बार उठाकर सारे अटैचमेंट सहित लग्जरी चेयर में कुछ देर के लिए बिठाया गया और फिर मुझे ले जाया गया शिवाशीष के कमरे में। यह हम दोनों के लिए अत्यंत सुखद आश्चर्य था। मुझे बाद में बताया गया कि लिवर ट्रांसप्लांट में यह डिजाइन किया गया है कि रिसिपिएंट व्हीलचेयर से डोनर के पास जाता है, उसे धन्यवाद कहने कि

तेरी बदौलत ही मैं जिंदा हूँ, तेरा लाख-लाख शुक्रिया! इसका दूसरा पक्ष यह भी है कि डोनर जब रिसिपिएंट्स को मूवमेंट में देखता है तो निश्चित तौर पर उसका विश्वास प्रबल हो जाता है कि जिसे बचाने को उसने त्याग किया, वह बच गया और उसका त्याग सार्थक हो गया। भावनात्मक रूप से ट्रांसप्लांट कार्यक्रम का यह पक्ष अत्यंत भावप्रधान एवं संवेदनशील है। मुझे भावनात्मक रूप से यह चरण अत्यंत सराहनीय लगा।

एम.ओ.टी.यू. में धीरे-धीरे शिवाशीष, मैं, कंचन, देवाशीष, भाईसाहब और भाभी जी सभी एक-दो मिनट के लिए क्रम से मिलने लगे थे। दीदी जी शुरू में कम आई थीं, क्योंकि उन्होंने सोचा था कि जो लोग बाहर से आए हैं, पहले वह मिल लें। कई लोग ऐसे समय आए, जब मिलने का समय नहीं था, उनसे मुलाकात न हो सकी। कंचन बता देती थी कि कौन-कौन आया था और किस-किस के फोन आए थे। कंचन बताती थी कि खूब फोन आ रहे हैं। लोग उत्सुक हैं जानने के लिए। मुझे यह भी पता चला था कि मेरे ऑपरेशन के दिन प्रो. के.के. भट्ट जी ने अपने घर मे 'दुर्गासप्तशती' का पाठ किया था। विज्ञान एवं प्रौद्योगिकी विभाग की वरिष्ठ वैज्ञानिक डॉ. उज्ज्वला तिर्की मैडम ने चर्च में विशेष प्रार्थना की थी। छोटी दीदी स्वयं नहीं आ पाई थीं, लेकिन उस दिन उन्होंने भी दैवीय अनुष्ठान किया था। यह सब मेरे लिए अत्यंत सुखद अनुभूतियाँ थीं। ऑपरेशन से पहले मैंने कंचन को लगभग तीस-चालीस टेलीफोन नंबर नोट कराए थे कि मेरे होश में आने के बाद इन्हें स्वयं फोन कर सूचना दे देना। ये वह लोग थे, जो मेरे घनिष्ठ थे। कंचन ने बताया था कि उसने सभी को फोन कर दिए थे। मुझे तो वैसे भी बोलने को कम कहा था, फोन का तो प्रश्न ही नहीं था। ऐसे ही कई दिन कट गए एम.ओ.टी.यू. के उसी कमरे में।

एम.ओ.टी.यू. की व्यवस्थाएँ बहुत उत्कृष्ट थीं। डॉ. पंकज की स्टाफ टीम अत्यंत मजबूत व कार्य के प्रति समर्पित थी। डॉ. पंकज का सबसे व्यवहार बहुत ही सहज था। एक परिवार के सदस्यों की तरह ही बोलते थे वह सब। मेरे कमरे में सामने केवल शीशा था। एम.ओ.टी.यू. की पूरी हलचल

दिखाई पड़ती थी। 7 तारीख की रात्रि को मैंने महसूस किया कि देर रात में भी फोन वगैरह हो रहे हैं। मुझे लगा कि कोई मरीज ज्यादा सीरियस है। बाद में पता चला था कि मेरे बगल के कमरे में अशोक शर्मा नाम का मरीज था, जिसका 6 तारीख को लिवर ट्रांसप्लांट हुआ था, वह वेंटिलेटर से बाहर नहीं आ पाया तथा उसकी मृत्यु हो गई। लेकिन मेरे कमरे के बगल में मरीज की मृत्यु का अहसास मुझे भी नहीं हुआ। कोई ऐसी हलचल ही नहीं थी कि लगे किसी की मृत्यु भी हो गई हो, अन्यथा इसका मनोवैज्ञानिक असर अन्य मरीजों पर पड़ सकता था। यह अस्पताल कॉरपोरेट सेक्टर का एक प्रोफेशनल अस्पताल था, अत: वहाँ अपना एक सिस्टम था। ऑपरेशन में ले जाने से पूर्व ही घरवालों से सारे पत्र आदि पर हस्ताक्षर करा लिये जाते थे। मरीज ठीक हो गया तो ठीक, अन्यथा चले भी गया तो ऑपरेशन में जाते समय के दर्शन अंतिम दर्शन होते। मरते समय कोई सामने भी नहीं होता। डॉक्टर मरीज को बचाने का शत-प्रतिशत प्रयास किसी भी हद तक जाकर करते हैं। मरीज नहीं बचा तो वह एक मेडिकल प्रक्रिया की तरह ही उसे मृत घोषित कर मोर्चरी में रख दिया जाता है, घरवाले वहीं लाश लेने आते हैं। रोने व अस्पताल में तमाशा होने का तो सवाल ही नहीं। मोर्चरी एक अलग विभाग था। मरीज नहीं भी बचा तो क्या? अस्पताल के बिलों का भुगतान किए बिना बॉडी घरवालों को नहीं मिल सकती, क्योंकि मरीज के इलाज में अस्पताल का काफी पैसा लग चुका होता है। यह सब एक सिस्टम है, जो देखा जाए तो व्यावहारिक है। जब मुझे पता चला कि मेरे बगल के ऑपरेशन वाला व्यक्ति नहीं बचा तो मन-ही-मन उसके डोनर की मनोदशा सोचने को बाध्य हुआ, शायद ईश्वर का ऐसा ही विधान होगा!

एम.ओ.टी.यू. में रोज प्रात:काल मुझे 4 या 5 बजे स्पंज कराया जाता था। जाड़ों के दिन थे, लेकिन पूरा एम.ओ.टी.यू. वातानुकूलित था। ठंड का भान भी नहीं होता था। सिस्टर प्रात: चिलमची, ड्रेसिंग किट व टॉवल लेकर आ जाती तथा स्पंजिंग करती थी। परदे खींचकर वह पूरे शरीर को साफ करती थी, क्योंकि ऑपरेशन के बाद इंफेक्शन का सबसे बड़ा खतरा था। मेरे हाथ

तो तारों और पाइपों से उलझे रहते थे, पेट से 2 पाइप ड्रेनेज के थे, कैथेटर लगा था, बड़ी दयनीय स्थिति थी, जिसमें जटिलताएँ मुझे और दीन-हीन बना दे रही थीं। इंफेक्शन से मरीज को बचाना शीर्ष प्राथमिकता थी, अत: नर्स की मजबूरी थी। पूरे नंगे शरीर को जवान नर्स साफ करती थी। मुझे स्वयं पर दया आती थी। वह मेरे प्राइवेट पार्ट्स भी साफ करती थी, जिसमें उसे कोई संकोच नहीं होता था, क्योंकि उसके लिए यह ड्यूटी का हिस्सा तथा रोज की प्रक्रिया थी; किंतु मुझे वास्तव में अजीब लगता तथा ग्लानि सी महसूस होती थी। यही कारण था कि तीन-चार दिनों बाद ही मैंने इन स्थानों पर धीरे-धीरे स्वयं से ही सफाई करनी शुरू कर दी। मुझे लगा कि मैं इतनी भर ताकत तो रखता ही हूँ कि इस दृश्य को टाल सकूँ। एक दिन मुझे बेबी जॉनसन का पाउडर, तेल और साबुन दिखाते हुए नर्स बोली—जानते हो, यह क्या है? मैंने सहजता से बता दिया। बोली, आप न अब छोटे से बच्चे हो गए हो, तभी तो आपके लिए बेबी जॉनसन का सामान आया है। सिस्टर्स का व्यवहार अत्यंत मधुर एवं आत्मीयता भरा था। केरल या मणिपुर की रहने वाली थीं ये नर्सें व आपस में अपनी भाषा में बोलती थीं। लगातार उनके साथ होने के कारण उनके चेहरे के भावों के आधार पर मैं वार्त्तालाप की विषय-वस्तु समझ जाता था तथा उनको बताता भी था कि आप लोग क्या कह रहे हो! कभी-कभी वह मेरा मजाक भी उड़ाती थीं। बीस-पच्चीस साल की उम्र की थीं सभी सिस्टर्स, किंतु इस जवान उम्र में वह चिकित्सा सेवा व नर्सिंग के कार्य में डूबी थीं। मुझे उनके व्यवहार, समर्पण व कार्यशैली से अनुभव हुआ कि ईश्वर ने इन्हें शायद मानव-सेवा का यह पुनीत धर्म दिया था। वे नौकरी के भाव से नहीं, पूरी सेवा के भाव से, निस्स्वार्थ व नेक नीयत से अपने मिशन में डूबी थीं। मैंने एक नर्स से पूछा भी था कि वह कौन सी बात है कि आप में नौकरी का भाव न होकर सेवा एवं मिशन का भाव है? वह बोली थी कि हमारी शिक्षा-दीक्षा का असर है यह सब। हमें यह कार्य करने में गर्व की अनुभूति होती है। कई मरीज आते-जाते हैं, कोई हमें याद नहीं रखता; किंतु हम निस्स्वार्थ भाव से कार्य करते हैं, हमें इसकी खुशी है। खूब मस्त रहती थीं वह सभी लड़कियाँ।

मुझे प्रात: 8 बजे, दिन में 2 बजे, फिर रात 8 बजे इंतजार रहता था कि अब कौन सी सिस्टर ड्यूटी पर आएगी, क्योंकि वह सिस्टर उस एकांत कमरे में मेरे लिए पार्टनर थी, जिससे मैं बोल सकता था। वही मुझे खाना देती, टॉयलेट ले जाती, बातें करती, कभी-कभी रोमांटिक भी हो जाती थी, जब मैं मुरझाया सा चेहरा लेकर बैठ जाता, क्योंकि दवाओं का असर था, मूड स्विंग करता था। वे बहुत व्यावहारिक एवं मनोवैज्ञानिक तौर पर मरीज की सेवा-सुश्रुषा करती थीं। मैं भी उन सबके साथ काफी घुल-मिल सा गया था। दिव्या मरियम, दिव्या थॉमस, जोथी कोचू, प्रिंसली ब्रेसली, थॉमस ब्रेसली, सौम्या, पूनम, दिव्या मित्रा, सोनम, प्रीथी, रोसलीन कई चेहरे मुझे आज भी याद आते हैं, जिन्होंने उन विषम परिस्थितियों में मेरे प्रति मानवता का धर्म निभाया था तथा मन भीतर से उनके प्रति कृतज्ञ रहता है। चक्रपाणि नामक उड़ीसा का व्यक्ति हाउसकीपिंग से रोज प्रात: आकर सलाम ठोकता था तथा बिस्तर ठीक कर कमरा साफ करता था। सभी से मेरी आत्मीयता हो गई थी। डॉ. पंकज मजाक में पूछ जाते कि सिस्टर्स ठीक से काम कर रही हैं या नहीं, चेंज तो नहीं करनी? मैं केवल मुस्करा जाता था। मरीज के चेहरे पर मुस्कान बनाए रखने को वह बहुत सहज व मीठा व्यवहार करते थे। मनोविज्ञान के धनी थे वह।

मेरे रोज परीक्षण होते थे, रात 2 बजे ब्लड सैंपल जाता था, प्रात: 8 बजे तक रिपोर्ट आ जाती। बेड के सामने पूरा फ्लोचार्ट मेंटेन किया गया था। ड्यूटी डॉक्टर प्रात:काल से ही आकर पूरा हाल-चाल लेते तथा हर छोटी-बड़ी बात नोट करते। मैं पूछता कि रिपोर्ट कैसी है, तो वे कहते, एक्सीलेंट! बहुत ही बढ़िया! फॉलोअप चल रहा है। मुझे संतोष होता था। रोज पूछते कि सिस्टर से इन्हें एंबुलेट कराया था? वह कहती थी, हाँ। शुरू के दो-तीन दिन मैं समझ नहीं पाया था कि एंबुलेट कराने का क्या मतलब होता है, लेकिन मैंने किसी से पूछा नहीं। मेरी समझ में धीरे-धीरे स्वत: आ गया था कि व्हीलचेयर में मुझे घुमाया जाना ही 'एंबुलेट' कराना था। सारा विवरण लेकर वह फाइल में अंकित करते। लगभग दस-ग्यारह बजे के बीच डॉ. सुभाष गुप्ता राउंड पर आते थे, अपने साथ पूरी टीम लेकर। बड़ी प्रतीक्षा रहती थी उनके आने की,

लगता था, एक बार दर्शन हो जाते। वह आज क्या कहते हैं, इसकी प्रतीक्षा व उत्सुकता रहती। उनके आने पर वह बड़े अपनत्व व प्रेम से पूछते—कैसे हैं पंतजी ? मैं बताता कि ठीक हूँ तथा वह फिर चार्ट को देखकर और खुश होकर अँगूठा खड़ा करके 'एक्सीलेंट' कहते थे। जूनियर डॉक्टर, जो रेजिडेंट्स व रजिस्ट्रार होते थे, उन्हें मरीज का प्रेजेंटेशन देते थे। मैं भी ध्यान से सुनता और अगले 24 घंटों के लिए मुझे मनोवैज्ञानिक खुराक मिल जाती। अपने प्रेजेंटेशन में डॉक्टर के हर शब्द, उनके पारस्परिक विमर्श पर मेरा पूरा ध्यान रहता था। फिर डॉ. गुप्ता दवा की डोज घटाने, बढ़ाने या अन्य परामर्श देते थे, जो एक प्रकार से फतवा सा जारी कर देते थे। कोई भी सहयोगी डॉक्टर उन पर कमेंट नहीं करता था। एक प्रोटोकॉल व अनुशासन कायम किया जाता था वहाँ। जाते समय डॉ. गुप्ता खूब खुश होकर 'बहुत बढ़िया रिकवरी है, एक्सीलेंट' कहकर दूसरे कमरे को चले जाते थे। उनका कमरे में ठहराव, वार्त्तालाप, कमेंट अगले 24 घंटों के लिए एक स्पंदन पैदा कर देते थे। कभी-कभी वह शाम को भी आते थे। लगता था कि दिन में डॉ. गुप्ता कई बार आते तो अच्छा लगता। अन्य डॉक्टर्स भी बड़े मृदुल स्वभाव के थे। मुझसे बिल्कुल भी मरीज की तरह व्यवहार नहीं करते थे, एकदम दोस्ताना लहजे में मिलते थे। डॉ. नीरव गोयल का व्यक्तित्व मुझे अत्यंत आकर्षित करता था। श्रीधर अत्यंत सहज थे तथा ऐसा लगता था कि वह डॉक्टर के साथ-साथ आध्यात्मिक व्यक्ति भी हैं। डॉक्टर फुरकान, डॉ. विशाल, डॉ. लेनिन, जो रेजिडेंट्स और रजिस्ट्रार थे, अपने मेडिकल कॅरियर के प्रारंभिक चरण में थे। डॉ. गुप्ता व वरिष्ठ डॉक्टर से सीखने की प्रक्रिया में थे। इन सब जूनियर डॉक्टर्स में डॉ. लेनिन बहुत ही हँसमुख व दोस्ताना मिजाज के फिजिशियन थे। शिवाशीष से तो एक छोटे भाई की तरह प्यार करते थे। एम.ओ.टी.यू. के प्रारंभिक दिनों में सर्जन ज्यादा आते थे, जबकि बाद में फिजिशियन ज्यादा आते थे। डॉ. मानव वधावन मुझे देख रहे थे, जो अत्यंत मृदुल स्वभाव के थे। वह मुझे पूरी हिदायतें देकर खूब अभिप्रेरित भी करते थे। मैं तब से आज तक उन्हीं के परामर्श से दवा का सेवन करता हूँ। जो भी डॉक्टर आते, वो यही

कहते—टचवुड ! आपकी रिकवरी एक्सीलेंट है। एक बार तो डॉक्टर ने कहा था कि—इतनी स्पीडी व स्मूथ रिकवरी गिने-चुने मरीजों के साथ ही होती है। यह सुनकर मैं मन-ही-मन ईश्वर को धन्यवाद देता था। डॉक्टर साहब प्राय: कहने लगे थे कि आपको शिफ्ट कर दें रूम में ? मैं क्या कह सकता था, मैं केवल बस, मुस्करा जाता था। कंचन, दीदी, बड़े भाईसाहब, देवाशीष, अंशुल व मोहिल आते रहते थे। शिवा से रोज मुलाकात होती रहती थी, व्हीलचेयर में घुमाया जाता था। बाद में धीरे-धीरे पैदल भी चलने लगा था। शुरू में दीवार के सहारे-सहारे स्वतंत्र रूप से घूमते समय एम.ओ.टी.यू. के सभी कमरों पर नजर जाती थी, क्योंकि सभी में शीशे लगे थे। कई मरीज, जो वेंटिलेटर पर थे, उन्हें देखकर अपनी बेहोशी की कल्पना करता था। मुझे घूमता देख अन्य कमरों के मरीजों का भी विश्वास बढ़ता था। ड्रेनेज पाइप व थैला साथ में ही चलते थे, बड़ी त्रासदी भरा दृश्य होता था वह। लेकिन ठीक होने का क्रमश: बढ़ता विश्वास मुझे शक्ति प्रदान करता था। मैं भीतर-ही-भीतर मजबूत होता जा रहा था। एम.ओ.टी.यू. का पूरा सिस्टम समझ गया था, मुझे पूरी जानकारी हो गई थी तथा मैं सिस्टर, स्टाफ नर्स से पूछता भी रहता था। वे लोग भी मुझसे काफी खुश दिखाई पड़ते थे। नर्सों की चहचहाहट बहुत अच्छी लगती थी, बहुत खुशमिजाज थीं, किसी के चेहरे पर नौकरी की मजबूरी, मरीज की सफाई, अस्पताल का दबाव लेश मात्र भी नहीं दिखता था, यह बात मुझे भीतर से अत्यंत प्रभावित करती थी।

एक बार मैं उदास हो गया था तथा परेशान था। सिस्टर मुझसे बोली—क्या हो गया अंकल ? मैं उदास ही बना रहा। वह तुरंत अपनी दोस्त को बता आई। थोड़ी देर में वो आ गई और बोली—क्या हो गया ? क्यों उदास हो गए ? यदि यह अच्छी नहीं लग रही है तो मुझे बुला लेते ना ! मैं हँस पड़ा था। नर्स का उद्‌देश्य पूरा हो गया था, मेरी उदासी तोड़ने का और फिर मैं सहज हो गया था। ऐसे कई मौके आए थे, जब मनोवैज्ञानिक तौर पर सिस्टर मेरे से व्यवहार करती थी। वह सभी मनोवैज्ञानिक उपाय करती थी, ताकि आवश्यकता के अनुसार मरीज को ठीक रखा जा सके। कभी वह घरेलू तौर पर बोलती, कभी

दोस्तों की तरह, कभी रोमांटिक होकर, कभी बेटी की तरह, कभी पक्की प्रोफेशनल होकर, ऐसे कई चरण थे। कभी-कभी वह सख्त भी हो जाती थी। मुझे यह कहते तनिक भी संकोच नहीं है कि मैंने उन सिस्टर्स में एक सेविका, अस्पताल की नर्स, स्वैच्छिक कार्यकर्ता, मिशनरी, प्रोफेशनल, बेटी, दोस्त, प्रेमिका, प्रशासक और बहन सबके दर्शन किए थे तथा इतनी कम उम्र में भी उनकी अपने प्रोफेशन के प्रति ईमानदारी, दक्षता एवं मिशनरी भावना ने मुझे अत्यंत प्रभावित किया था। मैंने उनसे कई बातें सीखी थीं। प्रीथी व रोजलीन से तो मैं बहुत घुल-मिल गया था। वह मेरे साथ घर व अपने गाँव की कई बातें शेयर करती थीं। आज मैं सोचता हूँ कि कठिन समय में वही सिस्टर्स मेरा सहारा थीं, अन्यथा आइसोलेशन में अपनी विकटतम स्थिति में मैं तो पागल हो गया होता! अत: उनके प्रति कृतज्ञता का भाव सदैव बना रहता है। बाद में मैं कई बार एम.ओ.टी.यू. में गया था उनसे मिला भी था, लेकिन वह मुझे पहचान नहीं पाती थीं। जब मैं याद दिलाता तो खूब खुश हो जाती थीं। उनके लिए मेरे जैसे कई मरीज आए व गए। किस-किस को याद रखेंगे! हाँ, मैं उनसे मिलकर दिल से कृतज्ञता का भाव व्यक्त करता था।

अब शिवाशीष को सातवें दिन रूम में शिफ्ट कर दिया गया था। उसे शिफ्ट करते समय काफी कंफ्यूजन व हल्ला हुआ था। कन्फ्यूजन व मिसकम्युनिकेशन के कारण वह शिफ्ट होने के बाद भी पूरी रात कमरे में अकेला रहा था। अगले दिन जब मुझे पता चला तो मैंने गुस्से में पूरा एम.ओ.टी.यू. हिला दिया था। मेरी स्थिति नाजुक थी, उस पर मुझे गुस्सा आ गया था, यह एम.ओ.टी.यू. स्टाफ के लिए गंभीर बात थी। धीरे-धीरे वातावरण सामान्य किया गया तथा स्टाफ ने अपनी गलती स्वीकार की। शिवाशीष को रूम नंबर 3616 में शिफ्ट कर दिया था, जहाँ एक अटेंडेंट रह सकता था। अस्पताल का खाना उसे पसंद नहीं था। वह स्वभाव से खाने के मामले में बहुत चूजी है, अत: डॉक्टर से खाना घर से लाने की परमिशन लिखवाई गई। वह परमिशन लेटर कई बार अंदर-बाहर जाने के लिए भाईसाहब लोग पास की तरह प्रयोग करते थे। कमरे में जाने के बाद वह सहज होने लगा था।

उसका पैकेज 10 दिन का था, अत: 10 दिन तक वह रुका था। इधर मुझे भी 11 दिन बाद एम.ओ.टी.यू. से रूम नंबर 2508 में शिफ्ट कर दिया गया था। डॉक्टर ने शिवा को भी वहाँ रहने की अनुमति दे दी थी। फिर हम दोनों साथ रहते थे। शिवा सोफा बेड में बैठकर दिन भर टी.वी. देखता रहता। उसके पेट में 42 टाँके लगे थे, मेरे पेट पर 68। दोनों की स्थिति एक सी ही थी। अंतर यह था कि डोनर को अन्य जटिलताएँ नहीं थीं, सिर्फ दर्द व टाँकों की परेशानी थी। दवा भी एक–दो प्रकार की ही थी। लेकिन ड्रेन पाइप लगातार लगा था। वह भी काफी कष्ट झेल रहा था। लगभग 15–16 दिन बाद तो वह बोर होने लगा था तथा देहरादून जाने की जिद करने लगा था। बड़ी मुश्किल से उसे रोका गया था। उसकी भी एक दिन छोड़कर ड्रेसिंग होती थी मेरे ही साथ। चूँकि कमरे में हम दोनों साथ थे तथा कंचन व अन्य लोग आते रहते थे, अत: हमारा मन लग रहा था।

कुछ दिन बाद वह सरिता विहार में लिये गए कमरे में रहने लगा था तथा ताऊजी के साथ खाना व नाश्ता लेकर दिन में आता था। जिस कमरे में एम.ओ.टी.यू. के बाद मुझे रखा गया था, वह भी आइसोलेशन रूम था। किसी भी बाहरी व्यक्ति को कमरे में आने की अनुमति नहीं थी। पूरा कमरा स्टेरलाइज्ड था। कमरे के बाहर 'रिवर्स नर्सिंग' व 'नो विजिटर्स अलाउड' के कटआउटस लगे थे। मुझे 'रिवर्स नर्सिंग' का अर्थ समझने में समय लगा था, जिसका मतलब था कि बाहर से आने वाला हर व्यक्ति पूरी तरह से डिसइन्फेक्टेड हो तथा भीतर प्रवेश करते समय हाथों को स्टेरलाइज कर तथा मास्क पहनकर ही भीतर प्रवेश करे। मैं सामान्य रूप से भीतर था, अर्थात् मुझे मास्क नहीं पहनना था। जब एंबुलेट करने या लॉबी में वाक करने जाता था तो मास्क पहनना जरूरी था। दरवाजे के बाहर एक मेज था, जिसमें मास्क का डिब्बा रखा रहता था, जो भी आते, उन्हें उनका प्रयोग कर ही भीतर प्रवेश करना होता था। इन्फेक्शन से बचने के पूरे उपाय थे। अस्पताल वाले इस बारे में किसी तरह की लापरवाही से समझौता नहीं करते थे, यह बहुत अच्छी बात थी।

एम.ओ.टी.यू. या फिर रूम में रहते हुए मैंने महसूस किया कि यद्यपि मुझे यह ऑपरेशन बहुत महँगा पड़ा था, किंतु अस्पताल के स्टाफ एवं व्यवस्थाओं ने मेरा मंतव्य बदल दिया था। अस्पताल में केयर की यह सीमा थी कि एक दिन अवकाश का दिन था, शिवा कमरे में था तथा कंचन भी थी। मोहिल व उसका दोस्त रवि दिन में मेरे कमरे में आ गए थे। सब बैठे थे, अचानक दरवाजा खुला तो डॉ. मानव बधावन आए थे। उन्होंने अंदर का दृश्य देखा कि 4 लोग नॉन विजिटिंग आवर्स में मरीज के कमरे में बैठे हैं, तो वह गुस्से में आ गए और डाँटकर बोले—'यह क्या कर रखा है आपने? इस तरह से तो इलाज नहीं होगा और यही हालत रही तो मैं आपके कमरे में नहीं आऊँगा।' वह गुस्से में दरवाजे से लौट गए थे। मोहिल और रवि भी खिसिआहट से चले गए। डॉक्टर ने नर्स को भी बहुत डाँटा था, तब से विजिटिंग आवर्स के अलावा कोई नहीं आता था। बाद में डॉक्टर मानव आए थे तथा उन्होंने मुझे समझाया था कि किस तरह विजिटर्स का आवागमन मेरे लिए घातक हो सकता है। उसके बाद कंचन ने विजिटर्स को मुझसे कम-से-कम मिलने दिया। एम.ओ.टी.यू. में धीरे-धीरे रिकवरी शुरू होने लगी थी। मुझे याद है, जब मुझे होश आया था तो दूसरे दिन डॉक्टर ने मुझसे पूछा था कि आपको गैस पास हुई? मैंने 'हाँ' कहा तो वह बोले—वैरी गुड! अब आपका सिस्टम पूरा फंक्शन में आ गया है, तभी मुझे ज्ञात हुआ था कि गैस पास होना कितना महत्त्वपूर्ण है, जो हमारे फिजियोलॉजिकल सिस्टम के बारे में बताता है। मुझे पिताजी के ये शब्द भी याद आए—'छींक, पाद और डकार, ये हैं जीवन के आधार'। दो-तीन दिन बाद मुझे भूख लगने लगी थी। भूख धीरे-धीरे बढ़ने लगी, फिर ऐसी बढ़ी कि मैं ऐसे खाता था, जैसे मैं कब से भूखा हूँ! हालाँकि, मुझे खाना सीमित व सलेक्टेड ही दिया जाता था। मेरा रोज डॉपलर अल्ट्रासाउंड होता था। मशीन कमरे में ही आती थी, बिस्तर में लेटे-लेटे अल्ट्रासाउंड होता था। डॉ. रीता साहनी मेरा अल्ट्रासाउंड टेस्ट करती थीं। एक दिन उन्होंने मुझसे पूछा था कि मुझे भूख लगती है कि नहीं? मैंने कहा था कि लगती है, पर खाना कम ही देते हैं। वह बोली

थी—'पंतजी! जब तक आप माँगोगे नहीं तो कोई नहीं देगा।' यहाँ कोई पूछने वाला नहीं है। खूब हल्ला मचाया करो, तभी यह लोग आपको खाना देंगे। मैं डॉक्टर की इस बात का आशय समझ गया था। वह मनोवैज्ञानिक तौर पर भी मुझे तैयार कर रही थीं। भूख लगने के परिमाण को जानना भी चाह रही थी कि मुझे भूख कितनी लगती है? मुझे धीरे-धीरे आभास हो गया था कि यहाँ हर व्यक्ति मेडिकल के साथ-साथ मनोवैज्ञानिक तौर पर भी मरीज को समझाने और समझने का कार्य करता है। अन्य अस्पतालों में मुझे यह देखने को नहीं मिला था। डॉ. साहनी के आने पर भी मुझे अच्छा लगता था। दिन-रात काम में व्यस्त रहते हुए भी सभी डॉक्टर एकदम तरोताजा और मेंटेंड दिखते थे। डॉ. गुप्ता रात एक-दो बजे तक ऑपरेशन में रहते तथा सुबह फिर वैसे ही स्मार्ट! इन लोगों की जीवन जीने की कला वास्तव में प्रभावित करने वाली है।

एम.ओ.टी.यू. का एक वाकया याद आ रहा है। एक दिन मुझे सुबह-सुबह भूख लग गई। रोज की तरह नाश्ता आया। मेरा मन दूध पीने को किया। मैं दूध पीने का बचपन से ही आदी रहा हूँ। आज काफी दिन बाद मुझे पुनः दूध पीने की इच्छा जाग्रत् हो गई। मैंने सिस्टर तथा स्टाफ नर्स से दूध की माँग की। वह लोग टालते ही गए। मुझे धीरे-धीरे गुस्सा आने लगा तथा दस-ग्यारह बजे तक मेरा गुस्सा चरम पर था। मैंने पूरा एम.ओ.टी.यू. सिर पर उठा रखा था। डॉ. पंकज अभी नहीं आए थे, सारा स्टाफ मेरे गुस्से से परेशान था। 11 बजे डॉ. पंकज अपने कमरे में आ गए थे, यह मैं शीशे से देख रहा था। डॉ. पंकज रोज मेरे कमरे में आते थे, उस दिन वह भी नहीं आए। मुझे गुस्सा और अधिक आने लगा। मैंने रूम सिस्टर से डॉ. पंकज को बुलाने को कहा, तब भी वह नहीं आए। दरअसल, डॉ. पंकज को यह सब कहानी पता चल चुकी थी, लेकिन डॉ. गुप्ता की राय के बगैर वह भी मुझे दूध पीने की अनुमति नहीं दे सकते थे, इसलिए वह भी इधर-उधर टालते रहे। लगभग 12 बजे मुझे पतला दूध दिया गया। एक बच्चे की तरह मुझे भूख का अहसास हो रहा था। भूख क्या होती है, यह महसूस किया था मैंने। खाना न मिलने पर व्यक्ति कितना खूँखार

हो जाता है, मैं सब अनुभव इन दिनों ले रहा था। इस बीच की भूख वह भूख थी, जब एक बच्चा पैदा होता है और सबसे पहले जिसकी आवश्यकता होती है, वह है खाना और कुछ नहीं। यह मेरा सौभाग्य था कि नए बच्चे की भूख को मैंने इस उम्र में महसूस किया था। यह अनुभव दुर्लभ था, क्योंकि जब मैं वास्तव में बच्चा था, तब जो अहसास हुआ होगा, वह मैं आज महसूस नहीं कर सकता। जीवन की असलियत को जानने का यह महत्त्वपूर्ण अवसर था। मैं इन दिनों लगातार भूख से पागल ही हो जाता। उस दिन जब मुझे दूध मिल गया तथा मैं शांत हो गया, तब कहीं 2 बजे डॉ. पंकज मेरे कमरे में आए। मैंने स्वाभाविक प्रतिक्रियास्वरूप कुछ भारी स्वर में उनके न आने की बात कही, तो वे अत्यंत सहज होकर बोले—पंतजी! क्या बताऊँ मेरा स्टॉफ ही ऐसा है। मुझे पता चला कि आप दूध पीना चाह रहे हैं। इन लोगों ने आपको दूध तक नहीं दिया! फिर क्या करता? मैं स्वयं भैंसवाले के पास गया तथा आपके लिए दूध की व्यवस्था की, तभी नहीं आ पाया था। डॉ. पंकज की यह बात जहाँ मेरे गुस्से व उलाहने को रफूचक्कर कर गई, वहीं यह भी समझा गई कि हर चीज मरीज के मन से नहीं चलती। मनोवैज्ञानिक तौर पर मरीज से निपटने का डॉ. पंकज का यह तरीका तथा अन्य कई बातें मेरे दिल में उनके प्रति एक स्थाई प्रेम का स्थान बना गई हैं। मुझे लगता है कि हर डॉक्टर ऐसा ही मीठा व मनोवैज्ञानिक व्यवहार करे तो शायद मरीज आधा तो स्वत: ही ठीक हो जाएगा। कभी-कभी वह कमरे में आते तो कहते कि 'यह क्या चैनल लगा रखा है? फैशन टी.वी. देखो तो समय अच्छा कटेगा।' कभी मैं डिप्रेशन में दिखता तो कहते कि 'लगता है, आपको नर्स पसंद नहीं है, आपकी रूम नर्स बदल देते हैं।' इन बातों का कोई इरादा, अर्थ व प्रयोजन नहीं होता था। उद्देश्य था, मात्र मरीज की उदासी तोड़ उसके चेहरे पर हँसी लाने का।

मुझे इंसुलिन दिया जाता था, लगभग 14 तरह की दवाइयाँ चल रही थीं। दवाओं का असर बहुत अधिक था। मूड स्विंग करता था। कभी-कभी बहुत अच्छा लगता था, कभी स्वयं ही डिप्रेशन या उदासी आ जाती थी। कभी मास्क पहनकर बरामदे में वॉक करता था। एक हाथ में ड्रेन थैली, दो पाइप, हाथों

में कई अटैचमेंट, मुँह में मास्क, छाती में 68 टाँकों की चैन और शरीर की कमजोरी, सब अत्यंत जटिल जीवन की कहानी कहते थे। जब मैं वॉक करके रूम में आता था, खिड़की से दिल्ली दिखाई पड़ती थी, अच्छा लगता था। एम.ओ.टी.यू. में यद्यपि सारी व्यवस्थाएँ बहुत अच्छी थीं, किंतु जैसे-जैसे मेरी रिकवरी होने लगी, मुझे सातवें-आठवें दिन से एम.ओ.टी.यू. एक कैद जैसा लगने लगा। बंद कमरे में वही गिनी-चुनी नर्सें, वही हाउसकीपिंग के लोग, रोज का एक जैसा वातावरण, बाहर क्या है, कुछ न दिखे, लगभग नौ-दस दिन हो गए थे और मुझे घुटन होने लगी। मेरी रिकवरी को ध्यान में रखते हुए तथा 21 दिन के पैकेज पीरियड को ध्यान रखते हुए मुझे 11 दिन बाद एम.ओ.टी.यू. से रूम में शिफ्ट किया गया था। सब सुविधाओं के बावजूद मैं खुली हवा में साँस लेने को तरस गया था। मैं एम.ओ.टी.यू. से शिफ्ट होते समय अत्यंत खुश था, लेकिन वहाँ की नर्सों वह अन्य स्टाफ से मैं काफी घुल-मिल गया था। ऐसा लग रहा था कि जैसे मेरा कहीं ट्रांसफर हो रहा हो और अब यह लोग नहीं मिलेंगे! मैं भावुक भी हो रहा था, क्योंकि मेरे कष्ट के समय यही मेरे जीवन रक्षक बने थे। सबने मुझे शुभकामनाएँ देकर रूम से शिफ्ट कर दिया था।

अब मैं रूम में था। घरवाले सब खुश थे कि एम.ओ.टी.यू. से बाहर आ गया था। रूम की व्यवस्थाएँ उत्कृष्ट थीं। ऐसा लग रहा था कि किसी चार या पाँच सितारा होटल में आ गया हूँ। परिवर्तन तो हमेशा अच्छा ही लगता है। एम.ओ.टी.यू. से निकलकर यहाँ आना ऐसा लग रहा था कि किसी कैद से मुक्ति मिली; किंतु यहाँ भी वही प्रतिबंध थे। हाँ, लॉबी में घूमने जाता था। गैलरी में घूमते समय बाहर का पार्क व दिल्ली का दृश्य अच्छा लगता था। रूम में आकर मैंने एक बार अपने घनिष्ठ लोगों को स्वयं मोबाइल से बात करने की इच्छा व्यक्त की। मैं बहुत ज्यादा बोलने की स्थिति में भी नहीं था, अत: क्रम से फोन पर संक्षिप्त वार्त्ता की। सबसे पहले अपने श्रद्धेय गुरु प्रोफेसर जी.बी. उप्रेती व डॉ. नीलांबर पुनेठा जी से बात की और उनका आशीर्वाद लिया। क्रम से धीरे-धीरे दिन के हिसाब से आशा दीदी, मुन्नी दीदी, डॉ. प्रभा

पंत, डॉ. कुमकुम शाह, प्रोफेसर के.के. भट्ट, श्री गजेंद्र बोरा जी व श्री सुरेश उप्रेती जी आदि को फोन पर अपने ठीक होने की बात कही। मेरे फोन करने पर प्रतिबंध था। यह फोन मैंने कंचन को विश्वास में लेकर किए थे। मुझे बड़ा सुकून मिला था अपनों से फोन पर बातें करके। इस बीच खूब फोन आ रहे थे, सारा संवाद कंचन के माध्यम से स्थापित हो रहा था। वह इस मामले में पत्नी के अलावा निजी सचिव की भूमिका भी निभा रही थी। जिसके फोन नहीं आए थे, मुझे नाराजगी भी हो रही थी। मरीज के मनोविज्ञान को समझना हर किसी के बूते की बात नहीं है। हर आदमी अपने ढंग से व्यवहार करता है। मरीज क्योंकि कमजोर होता है, यदि उसके अनुकूल व्यवहार किया जाए तो उसकी रिकवरी पर इसका प्रभाव पड़ता है, ऐसा मैंने महसूस किया था। मेरे अस्पताल प्रवास के दौरान मेरे परिचित मित्रों में से 160 लोगों के फोन आए थे। कंचन से मैंने नोट करने को कहा था। इतने अधिक लोगों के फोन आने से मुझे बहुत ज्यादा नैतिक व आत्मिक बल मिला था। भाईसाहब व दीदी के फोन पर जो बातें हुई थीं, वह संख्या इससे अलग है। मुझे लग रहा था कि समाज में मेरे हितैषी काफी हैं। काफी लोगों की शुभकामनाएँ मिली थीं मुझे, जिसका प्रभाव मेरी इच्छाशक्ति व रिकवरी पर पड़ा था।

अपने ऑपरेशन के बाद के इक्कीस-बाइस दिन मेरे लिए अत्यंत कष्ट भरे रहे। मुझे दर्द नाममात्र को भी नहीं था। नेचुरल कॉल्स नियमित थीं, भोजन का पाचन सही था, भूख लग रही थी, सारी रिपोर्ट्स ओ.के. थीं और मेरी रिकवरी तेजी से हो रही थी। इन सारी पॉजिटिव बातों के बावजूद मैं जिस यातना से गुजरा, वह अवर्णनीय है। मैं शब्दों में उसको व्यक्त करने में अपने को सर्वथा असमर्थ पाता हूँ। मैं ऑपरेशन के बाद होश में आने के बाद आधा घंटा भी नींद नहीं ले पाया था। मुझे इतनी बेचैनी थी कि मैं बता नहीं सकता। आँखें व शरीर थक चुका होता था, सामने टी.वी. लगा था, एम.ओ.टी.यू. व कमरे दोनों में टी.वी. की व्यवस्था थी, रिमोट मेरे हाथ में होता था, देशी-विदेशी लगभग 900 चैनल थे, मैं लगातार चेंज करता रहता, मेरी पसंद का चैनल कोई नहीं आता था। टी.वी. लगातार चलता रहता था। मैं एक घंटा सोना

चाहता था, लेकिन मेरी नींद गायब हो चुकी थी। जैसे ही मुझे आँख लगती तो इतने वीभत्स, डरावने एवं भयानक दृश्य सामने आ जाते कि वे मेरी सहनशक्ति से बाहर होते। मैं वैसे ही काफी कमजोर हो चुका था, बोलने तक की तो शक्ति नहीं थी, आराम व नींद की सख्त जरूरत थी। आराम तो था, लेकिन नींद के बगैर आराम करना बगैर नमक के भोजन की तरह है। कभी मुझे लगता कि मेरी छाती में कोई बहुत बड़ी मशीन चल रही है तथा मैं मशीन से दब गया हूँ। कभी भीषण आग में फँस जाता था, कभी ऊँचे पहाड़ों से गिर जाता, पता नहीं कैसे-कैसे असंख्य दृश्यों से गुजरता था, जो अत्यंत वीभत्स और डरावने होते थे। एक बार मैंने प्रो. आर.सी. पांडे जी, जो कि एक भौतिक शास्त्री थे और मेरे से काफी स्नेह रखते थे, उनके द्वारा खोजी गई एक ऐसी डिवाइस के दर्शन किए, जो एक डायरी खोलने और बंद करने तथा ऑपरेट करने पर भीषण युद्ध के ऑपरेशन किए जा सकते थे। कभी मैं बड़ी-बड़ी मशीनों के नीचे दबा होता था, पता नहीं क्या-क्या दृश्य आते थे मेरे सामने और मैं मरा जाता था। जब वह दृश्य सहनशीलता से बाहर हो जाता, मैं छटपटा जाता था तथा एक झटके से मेरी आँखें खुल जातीं। फिर मैं घबरा जाता, जिसका असर काफी लंबे समय तक रहता। आश्चर्य की बात है कि उस नींद की वह अवधि अधिकतम दो या तीन मिनट की होती थी, फिर झटके से नींद का खुलना और भय! यह क्रम लगातार जारी था। 24 घंटे में अनुमानत: तीस-चालीस बार यह अवस्था आती थी। मैं परेशान था, लेकिन कुछ कह नहीं पा रहा था। शायद यह सोचकर कि अस्पताल का माहौल है, अवचेतन मस्तिष्क में ऑपरेशन का प्रभाव होगा, तभी इतने डरावने सपने आ रहे होंगे! लेकिन मेरी स्थिति बिगड़ती ही जा रही थी। मैं 24 घंटे जागा रहता था। सिस्टर कहती—अंकल सो जाइए, नींद निकालिए। लेकिन मेरी व्यथा वह नहीं समझ पा रही थी या व्यक्त नहीं कर रही थी। मैं बहुत परेशान होने लगा था। राउंड में डॉक्टर साहब से कहा कि मुझे नींद नहीं आ रही है। वह बोलते, रेस्ट करो, नींद आ जाएगी। एक दिन मेरे अनुरोध पर उन्होंने सिस्टर को कहा था कि यदि नींद नहीं आएगी तो आधा गोली नींद की दे देना, अगर बहुत जरूरी समझो तो। उस रात आधा

गोली नींद की खाई थी, किंतु स्थिति जस-की-तस थी। अगले दिन डॉक्टर्स की टीम राउंड पर आई तो मैंने उनसे फिर नींद व डर की बात कही। डॉ. पंकज ने फिर वही अंदाज अपना लिया था। डॉक्टर नीरव व डॉ. पुनीत डार्गन व अन्य डॉक्टर कमरे में आए थे, मैंने वही शिकायत की। डॉ. पंकज तुरंत अपने अंदाज में बोले—'पंत साहब! इन सर्जनों का कोई विश्वास नहीं। इन्होंने लगता है, आपका लिवर ठीक करने के बजाय आपके ब्रेन में ड्रिल मशीन चला दी हो!' डॉ. पंकज के इस मजाक से पुनः माहौल सामान्य हो गया और बात आई-गई हो गई। डॉक्टरों को पता था कि यह सब क्यों हो रहा है, वह भला मुझे क्यों बताते? इसके लिए डॉ. पंकज उपयुक्त व्यक्ति थे। हर बात को मनोवैज्ञानिक ढंग से सेट करना उनकी खूबी थी। सारे मरीजों के शुगर का स्टेटस उन्हें याद रहता था, यह उनकी अपने कार्य की दक्षता दरशाता है। दिन बढ़ते गए, मेरी तकलीफ बढ़ती जा रही थी। रूम में शिफ्ट होने के बाद भी वही स्थिति थी। कंचन कमरे में सोती थी, मुझे मानो सुरक्षा भावना का अहसास हो रहा था कि कोई अपना खास साथ में है। पत्नी का साथ निश्चित तौर पर सर्वाधिक वांछित साथ था। कष्ट के इन पलों में मुझसे मिलने शाम को डॉक्टर पुष्पा, जो काउंसलर थीं, वह आती थीं। मास्क की वजह से मैं उन्हें चेहरे से नहीं देख सकता था, हाँ, वह स्वभाव की बहुत अच्छी थीं। मुझसे मिलने रोज आती थीं। बहुत अच्छी-अच्छी प्रेरणास्पद बातें करती थीं तथा मेरी तकलीफें जानने की कोशिश करती थीं। शायद वह मनोवैज्ञानिक थीं तथा काउंसलिंग के जरिए डॉक्टर्स को फीडबैक देती थीं तथा मरीज की मनोदशा के आधार पर उससे बातें करती थीं। खूब मजाकिया स्वभाव की भी थीं वह। एक दिन कमरे में वह आई थीं, शिवाशीष भी बैठा था। कंचन ने कहा, यह देहरादून जाने की जिद कर रहा है। कह रहा है कि पढ़ाई का नुकसान हो रहा है, तो वह मजाक कर उठी थीं कि इसका नुकसान पढ़ाई का हो रहा है या फिर गर्लफ्रेंड की याद तो नहीं आ रही? काउंसलर के रूप में प्रोफेशनली वह एक योग्य एवं उपयुक्त डॉक्टर थीं। उन्होंने ऑर्गन डोनेशन पर कार्य करने हेतु जन जागरूकता कार्यक्रम चलाने की भी राय दी थी। 'पहल' संस्था के माध्यम से

इस क्षेत्र में काम करने की बात मैंने भी कही थी। डॉ. पुष्पा को भी मैंने अपनी तकलीफ बताई थी, उन्होंने मुझे काफी समझाया था। उन्होंने यह भी बताया था कि दवाओं के कारण मरीज का मूड स्विंग होना एक सामान्य प्रक्रिया है।

मेरी स्थिति में कोई सुधार नहीं था। उस दिन मेरे ऑपरेशन को 16 दिन हो चुके थे। मैंने रात को ही ठान लिया था कि आज कुछ हो न हो, कल मैं डॉक्टर से पूछकर ही रहूँगा। मैं रोज पूछ रहा था, वह लोग मेरे प्रश्न को टालते जा रहे थे। मैं परेशान हो गया था। अगले दिन डॉक्टर राउंड पर आए थे। मैंने डॉक्टर से कहा कि मैं इतने दिनों से नींद न आने, घबराहट की बात कर रहा हूँ, रोज हँसी-मजाक में मेरी बात टाल दी जा रही है। आज तो आप लोगों को बताना ही होगा कि मुझे ऐसा क्यों हो रहा है? अन्यथा मैं घोषणा करता हूँ कि अपोलो अस्पताल में मेरा लिवर ट्रांसप्लांट तो हो गया, परंतु शरीर में एक असामान्यता पैदा हो गई है। यह बात सुनकर डॉक्टर गंभीर हो गए थे। बाकी डॉक्टर तो चले गए, एक डॉक्टर वहीं रुके और उन्होंने जिस अंदाज में मुझे स्थिति स्पष्ट की, वह निस्संदेह प्रशंसनीय है। उन्होंने कहा था—पंतजी! आपने सास-बहू का किस्सा तो सुना ही है न? सास को अपनी कमर में लगा चाबियों का गुच्छा बहू को देना कितना कष्टप्रद लगता है, वही स्थिति आपकी भी है। उन्होंने एक और उदाहरण से अपनी बात समझाई कि कल्पना कीजिए कि आपके घर में कोई व्यक्ति ऐसा आ रहा है, जिसे घरवाले पसंद नहीं करते हैं, लेकिन वह आपके घर आ ही जाता है। जैसे ही वह व्यक्ति घर में प्रवेश करता है तो घर का हर सदस्य अपनी-अपनी तरह से मुँह बनाने लगता है और ऐसा व्यवहार करता है कि वह चला जाए। सभी लोग असहयोग की भावना से उसे एक अनचाहे व्यक्ति की तरह व्यवहार करते हैं, लेकिन वह व्यक्ति घर में बैठा ही रहता है। धीरे-धीरे सबसे घुलने-मिलने की कोशिश भी करता है। कई कामों में वह सहयोग भी करने लगता है और किसी तरह का कोई गलत व्यवहार भी नहीं करता। काफी असहयोग व दुराग्रहों के बावजूद भी वह जाता नहीं, बल्कि धीरे-धीरे वह व्यवहार व कार्यों से अपनी एक पहचान बनाकर परिवार के सदस्य के रूप में रहने लगता है। उसके सहयोगी रवैए को देखकर

तथा वापस न जाने की संकल्पबद्धता को देखकर घर का सयाना व्यक्ति बुजुर्ग की भूमिका में परिवार के लोगों को समझाने का प्रयास करता है कि भाई! यह जैसा भी है, घर आ ही गया है, जाना इसने है नहीं, हमें यह परेशान भी नहीं कर रहा है, जितना हो सके, सबको सहयोग ही कर रहा है, तुम सबको भी अपने रवैए में बदलाव लाकर इसे अपनाना चाहिए तथा परिवार में एक सदस्य के रूप में इसे स्वीकार करना चाहिए। सयाने व्यक्ति की बात तथा उस व्यक्ति के सहयोगी रवैए का परिणाम होता है कि सभी लोग अपना रुख सकारात्मक करने लगते हैं तथा धीरे-धीरे उसे स्वीकार कर लेते हैं। फिर एक दिन ऐसा आ जाता है कि वह अनचाहा व्यक्ति परिवार का ही एक अभिन्न अंग बन जाता है। आपके शरीर में ट्रांसप्लांटेड लिवर पूरा सहयोग कर रहा है, किंतु अन्य तंत्र उसे सहजता से स्वीकार करने में समय लेंगे। एक दिन आएगा, जब आपको दी जा रही पैनग्राफ द्वारा लिवर की स्वीकार्यता बना लेंगे, फिर सब सामान्य हो जाएँगे। लिवर ट्रांसप्लांट में भी यही स्थिति है। मुझे स्थिति समझने में देर न लगी तथा मैं संतुष्ट हो गया था, ऐसे, जैसे किसी गुरु ने मेरी आँख खोल दी हो और मुझे समझ में आ गया था कि डोनर का लिवर का टुकड़ा ही शरीर के अन्य अंगों के लिए अनचाहा व्यक्ति है। हमारे शरीर के सारे सिस्टम परिवार के लोग हैं, जो उसका तिरस्कार कर रहे हैं, रिजेक्ट कर रहे हैं और जो दवा पैनग्राफ मुझे दी जा रही है, वह उस सयाने व्यक्ति की भूमिका में है, जो सारे सिस्टम्स को तैयार कर रही है, इस बाहरी लिवर को स्वीकार करने के लिए। डॉक्टर ने मुझे बताया था कि आपको जो कुछ घबराहट, अनिद्रा, भय आदि हो रहे हैं, वह कोई बड़ी बात या एब्नॉर्मेलिटी नहीं है, बल्कि दवाओं का प्रभाव तथा सिस्टम्स का डोनेटेड लिवर को रिजेक्ट करने तथा पैनग्राफ द्वारा एडजस्टमेंट के संघर्ष का परिणाम है। उन्होंने बताया था कि कुछ ही दिन में यह स्थिति खत्म हो जाएगी। मरीज को बातों में समझाने का यह कितना प्रभावशाली तरीका था, जो अतुलनीय है। मैं स्वत: ही प्रभावित हो चुका था, क्योंकि स्थिति स्पष्ट हो चुकी थी, अत: मनोवैज्ञानिक तौर पर भी मुझमें सुधार होने लगा था। इक्कीस-बाइस दिनों बाद स्थिति काफी सामान्य होने लगी थी।

अस्पताल से मुझे 20वें दिन डिस्चार्ज किया जा रहा था, क्योंकि पैकेज 21 दिन का ही था। इस रात में मैंने एक सुखद सपना देखा था। मैंने देखा कि मैं कहीं दूर देवी के मंदिर में हूँ तथा वहाँ पूजा चल रही है। मेरी पारिवारिक मित्र डॉ. प्रभा पंत मुझे प्रसाद दे रही हैं। मंदिर व देवी की प्रतीक सुहागिन, वह भी घनिष्ठ मित्रवत् प्रभा जी को देखकर मुझे बहुत अच्छा लगा था। प्रात: नींद खुली तो मुझे रात में कुछ देर आई नींद का आया वह सपना याद आया और मैंने सोच लिया कि आज अस्पताल से जाते समय माँ ने मुझे अपना आशीर्वाद व प्रसाद दे दिया है, अब सब ठीक होगा। मन शांत हो गया।

ऑपरेशन से पूर्व डॉ. गुप्ता द्वारा मुझे 'अबाउट लिवर ट्रांसप्लांटेशन—100 क्वेश्चंस एंड आंसर्स' नामक पुस्तक पढ़ने को दी गई थी। मैंने उसमें पढ़ा था कि ऑपरेशन के बाद मरीज को या तो कुछ दिन स्मृति ह्रास या फिर पागलपन या सगे-संबंधियों से चिड़चिड़ापन होने की संभावना रहती है। यह रिजेक्शन व एडजस्टमेंट के कारण होता है। मैंने ईश्वर को धन्यवाद दिया कि तू कितना दयालु है। यदि मुझे कुछ भी वैसा ही होता तो घरवाले कितना परेशान हो जाते! मुझे जो भी प्रभाव हुआ, वह मुझ तक ही सीमित रहा, मैंने ही उसे जिया तथा किसी को भी कष्ट नहीं हुआ। यह भी शायद ईश्वर की कृपा का ही परिणाम रहा होगा।

मेरे ऑपरेशन के बाद डॉ. डी.के. पांडे व श्री रोहताश रघुवंशी जी मुझसे मिलने आए थे। उन्हें देखकर मेरी आँखें भावुकतावश भर आई थीं। मुझे बोलना मना था, अत: ज्यादा बोल नहीं पाया था। यह वही व्यक्तित्व थे, जिन्होंने लिवर ट्रांसप्लांट कराने की प्रारंभिक स्थिति में मेरा मनोबल बढ़ाया था। मुझे उन लोगों के आने का परम संतोष हुआ था। प्रोफेसर एस.एस. राय, जो एन.सी.एस.टी.सी. नेटवर्क के पूर्व अध्यक्ष थे, वह भी मुझसे मिलने आए थे। वह मुझसे बहुत स्नेह रखते थे। बाद में जब इस दुनिया से उनका प्रयाण हुआ था तो अंतिम समय में उन्होंने मुझे याद किया था, ऐसा उनके घरवालों ने बताया था। कई लोग अस्पताल तक आकर भी मुझसे नहीं मिल पाए थे, मुझे यह सोचकर भारी कष्ट हुआ था। बड़ी दीदी तो मेरे साथ माँ की भूमिका

में थीं, पर कई अपनों के न आने का कष्ट भी हुआ था, किंतु मन ने कहा कि यह तो मनुष्य की कमजोरी या विवेक की कमी है, जो समाज में अपने-पराए को छाँटता है और फिर उनसे भी वैसी ही अपेक्षा करता है।

अस्पताल के वार्ड में मैं मात्र 20 दिन रहा था, इस बीच मेरी भूख इतनी बढ़ गई थी कि मैं स्वयं पर नियंत्रण नहीं कर पा रहा था। सुबह उठते ही बैड टी व दो मेरीगोल्ड के बिस्कुट मिलते थे, फिर ब्रेकफास्ट, फिर लंच, शाम की चाय और फिर डिनर की प्रतीक्षा हो जाती थी। शुगर बहुत बढ़ चुका था, अतः कुछ भी लेने से पहले इंसुलिन लेना जरूरी था। ब्रेकफास्ट सामने टेबल पर लगा होता था, सिस्टर शुगर टेस्ट करती थी, फिर डॉ. पंकज को फोन कर इंसुलिन की डोज पूछती थी, यह रोज की प्रक्रिया थी। इस प्रक्रिया में थोड़ी सी भी देरी मेरी बरदाश्त से बाहर थी। नाश्ते या खाने को देखकर मुझे ललक पैदा हो जाती थी। सच कहूँ तो खाने के लिए झपटने को मेरे हाथ काँपने लगते थे। नाश्ता या खाना डायटिशियन द्वारा मेरी स्थिति व शुगर के आधार पर आता था, किंतु बगैर स्वाद बिचारे मैं टूट पड़ता था खाने पर। भूख क्या होती है, यह मैं तभी जान पाया। डायटिशियन रोज प्रातः कमरे में आती थी, मीठे स्वर में 'गुड मॉर्निंग, डॉ. पंत' ऐसे प्रेम से कहती थी, हालचाल पूछती, मुझे बहुत अच्छा लगता था। वह ड्यूटी के अनुसार बदल-बदलकर आती थीं। सबके चेहरे पर वही मुस्कान रहती थी। अपोलो अस्पताल का कोई भी कर्मचारी हमेशा तरोताजा व मुस्कराता हुआ दिखता था। मैंने वहाँ किसी का चेहरा बोझ से भरा उदास या गुस्से वाला नहीं देखा। डायटिशियन का इंतजार मुझे इसलिए ही रहता कि वह खाने के बारे में पूछती थी। यद्यपि उसके बताने व मीनू में जो चीजें होती थीं, मैं इच्छा के अनुसार बताता था, लेकिन जब भोजन आता तो वह चीजें मेरे स्वास्थ्य के हिसाब से होती थीं। मैं दूध का शौकीन था, अतः सुबह-शाम दूध मँगाना सामान्य बात थी। एम.ओ.टी.यू. में भी एक सिस्टर कहा करती थी—'आपको पता है, हमारे अस्पताल में एक दूध पीने वाला बड़ा बच्चा है।' कितना प्यार व स्नेह था उसकी इस बात में! मेरे लिए मीनू में टिक किए गए अनुसार खीर भी आती थी, जो चावल के मांड जैसी थी, गाजर का

हलवा, दूध में एक या दो रेशे गाजर के तैरते हुए होते थे, खाना डायबिटीज डाइट और शरीर की स्थिति के अनुसार तथा संतुलित होता था, फल भी होता था, साथ में खूब सजी हुई फॉयल पैकिंग में ट्रे आती थी। लगता था, कब टूट पड़ूँ, लेकिन फिर इंसुलिन की प्रक्रिया शुरू हो जाती थी। भूख मेरी आँखों में समा गई थी। जैसे-जैसे दिन बढ़ते गए, भूख बढ़ती ही गई। आज भी स्थिति यही है कि मैं भूख सहन नहीं कर पाता हूँ। डॉक्टर के अनुसार ट्रांसप्लांट के बाद भूख लगना अच्छा लक्षण था, जो इस बात को इंगित करता है कि लिवर व अन्य सिस्टम ठीक काम कर रहे हैं। नए जीवन में भूख का अहसास जीवन की प्राकृतिक प्राथमिकता में प्रथम स्थान को स्वत: परिभाषित कर रहा था। मुझे तो केवल खाना चाहिए था, स्वाद तो दूर की बात थी। आज मुझसे उसी तरह का खाना घर में बनाकर खाने को कहा जाए तो शायद न खा पाऊँ। 'भूख मीठी तो भोजन मीठा' वाली कहावत अक्षरश: चरितार्थ हो रही थी। एक दिन नाश्ते में ब्रेड के स्थान पर शायद गलती से उत्तपम आ गया। मैं क्योंकि दक्षिण भारतीय भोजन पसंद नहीं करता हूँ, दक्षिण भारत में मैंने अपने प्रवास के दौरान दूध व डबल रोटी ही खाई थी, लेकिन मैं भूख से व्याकुल था, अत: मैंने बदलवाने की भी कोशिश नहीं की, क्योंकि मुझे लगा कि इस प्रक्रिया में समय लग जाएगा, मैंने पूरी प्लेट खाली कर दी। बाद में मुझे स्वयं पर आश्चर्य भी हुआ था कि मैं उत्तपम खा गया! मुझे समझ में आ गया था कि इंसान का मन विभेद करता है, शारीरिक तंत्र नहीं, उसे तो मात्र भोजन चाहिए। मैंने अपोलो-प्रवास के दौरान भोजन को खूब इंजॉय किया था। दवाओं का असर था कि कभी-कभी मेरा मूड ऊपर-नीचे हो जाता था। कभी-कभी मुझे जोर का गुस्सा भी आ जाता था। एक बार मुझे प्रात: 8 बजे की नियमित दवा लेनी थी, डॉक्टर ने बताया था कि 8 व 10 बजे की दवा ठीक उसी समय लेनी है, बिल्कुल भी आगे-पीछे नहीं करनी है। मेरा पैनग्राफ, जो एक इम्यूनो सप्रेसेंट है, का प्रात: व रात्रि में 10 बजे दवा लेने का वह क्रम पूरे जीवन भर के लिए निर्धारित हो गया था। मेरी 8 बजे की दवा खत्म हो गई थी। रात की सिस्टर ने इंडेंट तो की थी, पता नहीं क्यों वह कमरे में नहीं पहुँची थी। 8 बजने को थे,

मेरे कमरे में बेसली मरियम नाम की मासूम सी लड़की नर्स का दायित्व देख रही थी। उसका स्वभाव बहुत सौम्य व मृदुल था। 8 बज गए, दवा नहीं मिली, मैंने घंटी बजाई, उसने फोन करके काफी प्रयास किया। उसे पता था कि दवा 8 बजे ही देनी है, लेकिन फार्मेसी से दवा आने में देर हो गई थी। 8:15 पर दवा पहुँची थी। इन 15 मिनट में मैंने पूरा वार्ड सिर पर उठा लिया था। सिस्टम पर कई प्रश्नचिह्न लगा दिए, सीनियर सिस्टर को डाँट दिया था। कंचन भी मुझे समझाने का प्रयास कर रही थी, वह भी तनाव में थी कि दवा लेट हो गई है। मैंने किसी की भी नहीं सुनी। जो मन में आया, वह बोल रहा था, लेकिन ब्रेसली मरियम, वह छोटी बच्ची कितनी सहनशील थी, चुपचाप सुनती रही। मुझे दवा दी तथा मेरे चेहरे के भावों से डरी-डरी सी अपने काम में जुट गई। उसने कुछ देर बाद, जब सब सामान्य हो गया तो कंचन से पूछा था—आंटी! क्या अंकल घर में भी ऐसा ही गुस्सा करते हैं? कंचन ने मुझे यह बात बताई थी। पूरा दिन सामान्य निकल गया। 2 बजे जब ब्रेसली की ड्यूटी पूरी हुई तो वो जाते समय फिर मेरे पास आकर बोली—अंकल, क्या अभी भी गुस्सा हैं? उसके चेहरे की मासूमियत व प्यार से बच्ची की सी अभिव्यक्ति उसकी ड्यूटी में हुई छोटी सी गलती का अहसास तथा मेरा गुस्सा, यह सब उसके इस वाक्य से धुल गया और मैं सहज ही मुस्करा दिया। ब्रेसली का 'अंकल अभी भी गुस्सा हैं' कहने का अंदाज अपोलो की कुछ महत्त्वपूर्ण यादों में एक बन गया तथा अस्वस्थता में धैर्य रखने की नसीहत दे गया।

मुझे बार-बार वॉक करने की हिदायत दी गई थी, अतः मैं कई बार अकेले मास्क पहनकर लॉबी व गैलरी में घूमने चला जाता था। मैं इस दौरान अपोलो के सिस्टम को देखने व समझने की कोशिश करता था। कई बातें मैंने इस दौरान सीखी थीं। एक दिन मैं गैलरी में टहल रहा था तो मैंने देखा कि कोई सीनियर कर्मचारी एक नई ज्वाइन करने वाली महिला को सब चीजें समझा रहा है। मैंने बगल से गुजरते हुए उनका वार्त्तालाप सुनकर ऐसा अनुमान लगाया था। मैंने भी अपने कदम ढीले कर दिए, ताकि मुझे भी कुछ जानकारी मिल जाए। तभी मुझे पता चला था कि अपोलो अस्पताल में 13 अंक पूरी

तरह अवॉइड किया गया है। कोई भी कमरा, चेंबर, फोन आदि कहीं भी 13 नंबर नहीं था। तभी मुझे यह ध्यान आया कि मुझे पहला पोर्टल हाइपरटेंशन 13 मार्च को ही बाड़ेछीना में आया था। मैं सोचने लगा था कि क्या अंकों का भी मनुष्य के स्वास्थ्य पर कोई प्रभाव पड़ता होगा? 13 अंक का प्रयोग नहीं किया जाता है, यह मेरे लिए एक नई जानकारी थी।

एम.ओ.टी.यू. के बाद जो कमरा मुझे दिया था, वह अपने आप में समस्त उत्कृष्ट सुविधाओं युक्त था। बाहर लॉबी में सोफे लगे थे, मैं कभी-कभी वहाँ भी बैठ जाता था। शुरू के दो-तीन दिन मुझे वहाँ अच्छा लगा था, लेकिन बाद के दिनों में मुझे यहाँ भी कैद सी महसूस होने लगी। मेरी तीव्र इच्छा घर जाने को करने लगी। 21 दिन का पैकेज समय था। डॉक्टर ने तब तक रुकने को कहा था। घर जाने की जल्दी करना रिस्क लेना था, अत: वहाँ रहना एक मजबूरी थी। एक दिन मेरे मन में स्वयं विचार आया कि जेल में कैसा अनुभव होता होगा? जब मुझे डीलक्स सुविधाओं युक्त वातानुकूलित कमरे में रखा गया है, सुंदर खाना मिल रहा है, सेवा-सुश्रुषा हो रही है, घरवालों से रोज मुलाकात हो रही है, सबकुछ मेरे लिए हो रहा है, ऐसी स्थिति में भी मुझे यहाँ कैद का अहसास हो रहा है! मैंने सोचा कि जो लोग वास्तव में जेल की कोठरी में रहते होंगे, उनकी मनोदशा क्या होती होगी? मुझे फिल्म अभिनेता श्री संजय दत्त का ध्यान आया कि एक फिल्म स्टार, सक्षम व्यक्ति जब जेल में रह रहा था, उसे क्या अनुभव हुआ होगा? मुझे आजादी की लड़ाई के वे सूरमा भी याद आए, जिन्हें जेल में क्रूरतम यातनाएँ दी गई थीं और उनमें से कितने ही युवाओं को प्राणों की आहुति देनी पड़ी थी। मुझे लगा, जीवन में व्यवस्थाएँ अलग हैं, लेकिन मनुष्य एक सामाजिक प्राणी है, उसे जीने के लिए खुली हवा व अपना समाज अवश्य चाहिए।

डॉक्टर कमरे में राउंड पर आते तो कहते कि आपको कल डिस्चार्ज कर देते हैं। मैं हँस जाता था, क्योंकि करना तो उन्होंने अपने हिसाब से ही था। मैंने सब डॉ. गुप्ता पर छोड़ दिया था, बिल्कुल भी घर जाने की जिद नहीं की। इधर मेरे लिए दीदी जी सरिता विहार में मकान ढूँढ़ रही थीं। एक मकान घरवालों के

लिए लिया था। सब लोग सरिता बिहार के पॉकेट नं. 1 के 736 नंबर मकान में रह रहे थे। मेरे लिए अलग से साफ-सुथरे, अटैच टॉयलेट वाले ए.सी. रूम की आवश्यकता थी, ताकि मैं लंबे समय तक आइसोलेशन में रह सकूँ। काफी खोजबीन के बाद दीदी ने सरिता विहार में श्रीमती चोपड़ा का मकान ढूँढ़कर फाइनल कर सारी व्यवस्थाएँ चाक-चौबंद कर दी थीं।

मुझे 25 जनवरी का बेसब्री से इंतजार होने लगा। जैसे-जैसे समय नजदीक आ रहा था, एक-एक मिनट भारी लग रहा था। खुली हवा में साँस लेने को मन व्याकुल था। जिस अस्पताल में जीवन बचा था, वह अब कैद जैसा लग रहा था। मनुष्य कितना स्वार्थी तथा मन का दास होता है, यह मेरे व्यवहार से स्पष्ट था। मुझे डिस्चार्ज करने की व्यवस्था की गई, घर के लिए दवाएँ, शुगर टेस्टिंग किट, इंसुलिन आदि सब ली गईं। मेरी रोज की रिपोर्ट भी मैंने सिस्टर से प्राप्त कर ली थीं। मैं हालाँकि बिस्तर पर था, लेकिन सारी व्यवस्थाओं का समन्वय मैं ही कर रहा था, ताकि कहीं कोई त्रुटि न होने पाए। मैं डिस्चार्ज हो गया था। मुझे कंबल से ढँककर व्हीलचेयर में बाहर जनरल लॉबी में लाया गया। मैंने अस्पताल की ड्रेस 21 दिन बाद त्याग दी और पुनः कुर्ता-पायजामा पहन लिया। बड़ा ही खुश था मैं अपने कपड़े पहनकर। बच्चों का सा उत्साह था मुझमें। उस दिन मैं जब बाहर जनरल लॉबी में पहुँचा तो मुझे हवा का हल्का झोंका महसूस हुआ। मुझे कितनी राहत मिली, वह मैं ही समझ सकता हूँ। खुली हवा में साँस लेना क्या होता है, कोई मुझसे पूछे! मेरे डिस्चार्ज के समय श्री रघुवंशी जी व डॉक्टर ललित शर्मा भी मिलने आए थे।

□

चाँद से जमीन पर

ऑटो में बैठकर हम चले, अपोलो को 'बाय-बाय' कर सभी सरिता विहार कॉलोनी में, जहाँ मकान संख्या 631 पर दीदी जी मेरी प्रतीक्षा कर रही थीं। मैं बहुत खुश था, दीदी ने गुलदस्ता देकर मेरा स्वागत किया और इस नए जीवन में चिरायु होने का आशीर्वाद दिया। मेरे लिए एक कमरा, जिसके साथ टॉयलेट अटैच था, ए.सी. लगा था, टी.वी. भी था, सुंदर व्यवस्थाएँ की थीं। सरिता विहार के इस कमरे में दीदी की मकान मालकिन श्रीमती चोपड़ा से तेरह हजार रुपया प्रतिमाह की दर से 1 माह के किराए की बात तय हुई थी। शर्त यह थी कि एक माह का किराया एडवांस रहेगा। नया जीवन प्राप्त कर पुनः परिजनों के बीच पाकर हम सभी खुश थे मैं भी तथा परिवारवाले भी। मकान मालकिन भी मिलने आई थी। दीदी लोग कुछ ही दूर 736 नंबर पर रह रहे थे। मेरी जरूरत का सामान मेरे कमरे में रख दिया गया था। शिवा वहीं 736 नंबर के मकान में रह रहा था, मुझसे मिलने आता था। अब मुझे काफी सुकून था। कमरे में आकर दीदी खाना बनाती थीं। काफी प्रयास रहते थे कि डाइट चार्ट, डॉक्टर के निर्देशों, इंफेक्शन से बचाव, शुगर का प्रभाव आदि देखकर भोजन बनाया जाए। एक माह से भी अधिक का समय हो गया था घर का खाना खाए। मैं स्वयं को मनोवैज्ञानिक तौर पर तैयार कर चुका था पूर्ण स्वस्थ होने की मानसिकता हेतु। फोन द्वारा जब लोगों को पता चला कि मैं अस्पताल से डिस्चार्ज हो गया हूँ तो पिथौरागढ़ से मेरे कई मित्र मुझसे मिलने आए थे; परंतु मिलने पर वहीं अस्पताल के जैसे प्रतिबंध ही थे। कमरा पूरा बंद था, कमरे में बाहर 'प्रवेश निषेध' की स्लिप लगी थी, जो

भी इतनी दूर से मिलने आता, उसे स्टेरलाइज होकर मास्क पहने मात्र दो-तीन या ज्यादा-से-ज्यादा 5 मिनट का समय घरवाले देते। लोग मुझसे बात करने और पूछने को उत्सुक थे। मैं भी उन लोगों से खूब बोलना चाहता था, लेकिन घरवालों ने प्रतिबंध लगाया था, क्योंकि डॉक्टर के निर्देश थे। अत: चाहते हुए भी ज्यादा बात नहीं कर सकता था। इसका मुझे बेहद मलाल होता था, किंतु मैं कुछ कह भी तो नहीं सकता था। सब लोग मेरी इतनी केयर कर रहे थे। ऐसे में उनके निर्देशों को न मानने का प्रश्न ही नहीं उठता था। फोन पर भी ज्यादा बात नहीं कर सकता था। इस बीच मुझे देखने प्रोफेसर बी.डी. सुतेड़ी जी अपनी पत्नी व पुत्र सचिन के साथ आए। मुझे उनसे मिलकर बहुत खुशी हुई थी। उन्होंने कहा था कि हमें तो वही पुराना अशोक चाहिए, अब तुम वैसे ही बन जाओगे। मुझे उनकी बातों से बहुत आत्मबल मिला था। मेरे पुराने घनिष्ठ मित्र श्री पूरन सिंह बोहरा, जो नैनीताल में इनकम टैक्स ऑफिसर थे, वह भी पत्नी सहित नैनीताल से मुझसे मिलने अनायास ही आए थे। दिल से आने की इच्छा हो तो आदमी आ ही जाता है। अति व्यस्त एवं महत्त्वपूर्ण पद पर होने के बावजूद भी वह आए। अत्यंत आत्मीयता व मृदुल व्यवहार के धनी श्री बोहरा जी व भाभी जी के आने से मेरा आत्मविश्वास बहुत बढ़ा। मुझे लगा कि वास्तव में मेरे चाहने वाले हैं कुछ लोग। जब हमें लगता है कि मेरा चाहने वाला कोई है तो यह अहसास दिल को बड़ी ताकत देता है।

आज जब मैं डायरी लिख रहा हूँ तो विचार आ रहा है कि यदि ईश्वर की इच्छा न होती तो मुझे दुनिया से गए वर्षों हो चुके होते! सभी व्यवस्थाएँ सामान्य अथवा ईश्वर के विधान के अनुसार हो गई होतीं। यदा-कदा चर्चा में शायद कभी-कभार नाम आ रहा होता, वह भी शायद घरवाले सदस्यों में। लेकिन यह सत्य है कि समाज के इस कड़वे सच में वह शक्ति है, जो समाज को बाँधे रखती है, स्थिर रखती है, अन्यथा सामाजिक जीवन दूभर हो जाता। मेरे यह मित्र मुझे एक बंद लिफाफा अपनी ओर से शुभकामनाओं सहित दे गए थे। बाद में मैंने देखा कि उसमें कुछ धनराशि थी, मुझे वह लिफाफा लेते समय 'नहीं' कहने का साहस ही नहीं हुआ, उनके प्रेम के आगे।

मिलने वालों में मेरे पिथौरागढ़ के मित्र व सहयोगियों में डॉ. कुमकुम शाह, श्री योगेश भट्ट व मंजू एक साथ आए थे। कुमकुम से मैं कुछ देर बातें करना चाहता था, क्योंकि उससे मेरी बहुत घनिष्ठता थी, किंतु यह मुलाकात मात्र औपचारिक रही। एक दिन डॉक्टर सुनील पांडे, श्री गजेंद्र सिंह बोरा, श्री नरेश जोशी और श्री विनोद पांडे आए थे। उनके साथ 'पहल' कार्यक्रमों का घनिष्ठ संबंध था तथा मेरे काफी हितैषी लोग थे। उस दिन भी मैं बहुत खुश हुआ था। प्रभात प्रकाशन के श्री पीयूष कुमार से दीदी की काफी घनिष्ठता है। पीयूष जी उन्हें 'दीदी' की तरह पूरा सम्मान देते हैं। उनके पिताजी व सभी भाइयों से उनके बहुत पुराने घरेलू स्नेहिल संबंध हैं। पिछले कई सालों से पीयूष जी से मेरी भी घनिष्ठता बढ़ी, क्योंकि वह स्वभाव के अत्यंत मृदुल तथा अत्यंत सहयोगी व्यक्ति हैं। हम जब भी प्रभात प्रकाशन में जाते थे, वह हमें खूब पुस्तकें देते थे। उनके प्रकाशन में बैठकर एक अलौकिक शांति मिलती थी। वहाँ की कार्य संस्कृति मुझे अत्यंत प्रभावित करती थी। मेरे अस्पताल-प्रवास के दौरान भी कई अच्छी पुस्तकें घरवालों के पढ़ने के लिए उन्होंने भिजवाई थीं। मेरे ऑपरेशन से पहले भी वह मिले थे तथा अपने परिवार की ओर से शुभकामनाएँ दी थीं मुझे। ऑपरेशन से पूर्व उन्होंने भी रक्तदान किया था। वह निरंतर दीदी से संपर्क में थे तथा मेरा अपडेट लेते रहते थे। उनके पूज्य पिताजी श्री श्याम सुंदर जी ने भी मेरी कुशलक्षेम जानी थी। कमरे में आने के बाद उस दिन वह मुझसे मिलने आए थे। पीयूष जी ने उसी नम्रता व स्नेहिल व्यवहार से मुझसे मुलाकात की। यद्यपि वह उम्र में मुझसे बहुत छोटे थे, लेकिन मैंने पाया कि उनमें बहुत परिपक्वता थी। पीयूष जी ने मुझे हिदायत दी कि—भाईसाहब, अब आपको नया जीवन मिल गया है और मेरी मानिए, अब आप एकदम स्वार्थी बन जाइए, सिर्फ अपने खाने-पीने व अपनी चिंता कीजिए, छोड़ दीजिए कि दुनिया में कौन क्या कर रहा है ? आपने बाहर वालों के लिए बहुत किया है, अब ध्यान केवल अपने पर लगाइए। अब यह आपकी चिंता का विषय नहीं है। सवा अरब की भारत की जनसंख्या है, सब अपने-अपने ढंग से जी लेते हैं। ईश्वर ने सबके लिए तय कर रखा है।' मुझे

पीयूष जी की बात अत्यंत गंभीर व अंतस को छूने वाली लगी। उन्होंने वास्तव में व्यावहारिक बात कही थी, जो मुझे आज भी स्मरण है।

हर मंगलवार और शुक्रवार की प्रात: 8 बजे प्रयोगशाला से एक टेक्नीशियन आकर खून का सैंपल ले जाता था, अगले दिन रिपोर्ट आने पर डॉक्टर से राय ली जाती थी। धीरे-धीरे यह क्रम हफ्ते में एक बार, फिर 10 दिन में, फिर 15 दिन में 1 बार का हो गया था। इसी हिसाब से मैं अस्पताल जाता था। 25 तारीख को मुझे डॉक्टर से मिलने जाना था। डॉक्टर साहब ने मेरे टाँके देखे, जो एकदम सूखे थे। वह बहुत खुश हुए थे। अगली विजिट में स्टील के टाँके खुल चुके थे तथा मैं बंधन से मुक्त-सा हो गया महसूस कर रहा था, हालाँकि, वह पूरा क्षेत्र बहुत नाजुक था। शिवाशीष के टाँके डॉक्टर फुरकान ने खोले थे। ऊपर एक-दो टाँके ढीले थे, जिस कारण वहाँ कट का निशान फैला था तथा गीला भी था, यहाँ दो-तीन टाँके छोड़ दिए गए। 25 तारीख को पूरे टाँके खोलकर ड्रेसिंग कर दी गई तथा उसे 'ओ.के.' कह दिया गया। उसने देहरादून जाने का सुर पकड़ रखा था। टाँके वाला स्थान गीलापन लिये था, उसने ऐसी स्थिति में ही जाने की बहुत जिद कर दी थी। हम लोगों की बिल्कुल भी इच्छा नहीं थी उसे ऐसे में भेजने की, किंतु उसकी जिद के आगे हमारी नहीं चली। गीले घाव में बैंडेज लगाकर उसे भेजना वास्तव में कष्टप्रद था, लेकिन इस बीच वह गुम-सुम सा हो गया था। कारण, एक तो उसे दर्द होना स्वाभाविक था, दूसरा, हर समय एक ही तरह की बातों का माहौल तथा खाने में उसके चूजी होने की चर्चाएँ। हर चर्चा का केंद्रबिंदु वही हो जाता था, जो स्वाभाविक रूप से उसे बिल्कुल भी अच्छा नहीं लगता था। यह मैंने भी महसूस किया कि कभी-कभी हम समझदार लोग भी बातों को मनोवैज्ञानिक तौर पर समझने में असमर्थ होते हैं, ऐसा ही कुछ उसके साथ हो रहा था। पढ़ाई का नुकसान होने की बात अपनी जगह पर थी। इन सब बातों का मिला-जुला परिणाम रहा कि उसे भेजना ही एकमात्र विकल्प हो गया। 26 जनवरी को बड़े भाईसाहब उसे लेकर एक टैक्सी में देहरादून को रवाना हुए, उसे विदा करना कितना कष्टकारी था, मैं व्यक्त नहीं कर सकता। हम सबकी आँखों में आँसू

थे। अपना जीवन ताक पर रखकर श्रवण कुमार की तरह पितृ-ऋण चुकाकर वह पुनः अपने कर्तव्य पथ की ओर प्रस्थान कर रहा था, एकदम सामान्य होकर। यह निश्चित तौर पर प्रभावित करने वाला भावुक दृश्य था। जाते समय भी उसने आँखों पर पूरा नियंत्रण रखा। कई हिदायतें देकर भीगी आँखों व कृतज्ञता के भाव के साथ ईश्वर से उसकी रक्षा करने की प्रार्थना के साथ उसे विदा किया था। उस दिन पूरी रात कंचन और मैं उदास थे। रह-रहकर उसकी सहनशीलता व हिम्मत की चर्चाएँ करते रहे। रात्रि में जब उसके पहुँचने का फोन आया तो मन थोड़ा शांत हुआ। उसके हॉस्टल के दोस्त उसकी प्रतीक्षा में थे। निश्चित तौर पर उनसे मिलकर उसका मन परिवर्तित हुआ होगा। रोज उससे फोन पर कुशल लेना, घाव की स्थिति, ड्रेसिंग की स्थिति और हिदायतें, यह सब एक नैत्यिक बात हो गई थी। ईश्वर का लाख-लाख धन्यवाद कि वह बिल्कुल ठीक रहा। इसी बीच मेरे नागदा वाले जीजा जी, आशा दीदी भी मुझे देखने दिल्ली आ गए थे। जीजा जी अपने भतीजे के घर रुके थे तथा दीदी हमारे साथ, जहाँ दीदी व अन्य लोग रह रहे थे।

इस बीच मेरे कमरे की मालकिन श्रीमती चोपड़ा ने पानी के लिए परेशान करना शुरू कर दिया था। पास-पड़ोस से भी फीडबैक मिलने लगा था कि उनका पिछला इतिहास यही है कि वह किराएदारों को खूब परेशान करती हैं तथा कमरा खाली करने को बाध्य करते हुए एडवांस किराया भी मार लेती हैं। लोग ऐसे ही छोड़कर चले जाते हैं। एक विधवा महिला, जिसका कोई सगा नहीं था, उम्र के तीसरे पड़ाव को पार कर चुकी थी। फिर भी उसकी ऐसी नीयत एक बड़ी विडंबना थी। हमने तय कर लिया था कि एक माह पूरा होने से पहले कमरा खाली कर उसी मकान में चले जाएँगे, जहाँ और लोग रह रहे थे। वहाँ एक अतिरिक्त कमरा लेने की बात तय हो चुकी थी, जिसमें सफेदी और पेंट भी करा दिया गया था। हमने श्रीमती चोपड़ा से अपना कमरा खाली करने को कहा था तथा एक माह का एडवांस किराया वापस करने का अनुरोध किया तो उन्होंने बदसलूकी करनी प्रारंभ कर दी तथा अपने असली रूप में आने लगी। दिन भर घर से गायब हो जाती थी। उस समय तेरह हजार रुपए

की रकम छोटी-मोटी बात नहीं थी। वो टालती जा रही थी। जिस दिन हमने कमरा खाली करना था, उसी दिन उसकी अपनी कामवाली बाई से लड़ाई हो गई थी। कई बाइयाँ कॉलोनी में जो अन्य घरों में काम करती थी, वहाँ जमा हो गईं संगठित रूप में। खूब गाली बकने लगीं, एक बाई ने तो गमले भी तोड़ डाले। बाइयों का वह रौद्र रूप एवं सामूहिकता देखने लायक थी तथा एक सबक भी था कॉलोनी के लोगों के लिए। श्रीमती चोपड़ा ने पुलिस बुला ली। मामला आगे बढ़ गया था। पुलिस की उपस्थिति का लाभ हमने भी उठाया तथा अपना पैसा वापस ले लिया तथा सारा सामान मकान नंबर 736 में शिफ्ट कर दिया। उस दिन जीजा जी भी वहीं थे। श्रीमती चोपड़ा से काफी तनाव व बोलना हुआ। शिफ्ट करने के बाद हम लोग रिलैक्स हो गए थे। शाम 5 बजे मुझे शुगर टेस्ट करना था। जैसे ही समय नजदीक आया तो पता चला कि भूलवश मेरा ग्लूकोमीटर वहीं छूट गया था। प्रश्न उठा कि कैसे माँगा जाए? क्योंकि जिस तरह के माहौल से हम लोग आए थे, उसमें तो वह बात भी नहीं करेगी। ग्लूकोमीटर की कीमत छह हजार रुपया थी, अत: लाना जरूरी था। दीदी गईं तथा कमरा चेक कर ले आईं, पता नहीं क्यों, उस समय श्रीमती चोपड़ा कुछ भी नहीं बोली। कुछ देर तक हम सभी लोग तनाव में रहे, लेकिन दीदी के आ जाने के कुछ देर बाद सब ठीक हो गया था।

13 फरवरी को दीदी की भतीजी श्रद्धा का विवाह था और 14 फरवरी को हमारे भतीजे मोहिल का। अत: दीदी आशा दीदी को लेकर पहले देहरादून, फिर हल्द्वानी गईं और दोनों विवाह समारोह में अपनी उपस्थिति दर्ज कराई। जीजा जी वापस नागदा चले गए थे। मकान संख्या 631 में अपने अल्प प्रवास के दौरान मुझे लगा कि मैं अपनी मेडिकल रिपोर्ट एक क्रम से लगा लूँ, ताकि एक डॉक्यूमेंट बन जाए। वैसे भी कमरे में मैं अकेला होता था, मन लगाने को यह एक बहाना भी था। मैंने तिथिवार पिछले लगभग 2 महीने की डेली रिपोर्ट्स क्रम से लगाईं तथा अपना व शिवा का पूरा डॉक्यूमेंट बनाकर बाजार से स्पाइरल बाइंड कराया था। अंशुल को पूना जाना था, जाने से पहले वह जीरॉक्स कर दो सेट बना लाया था। कवर पेज भी बनाया था मैंने। रिसीवर व

डोनर की टेस्टिंग रिपोर्ट्स का एक अच्छा डॉक्यूमेंट बन गया था, जो आज भी मेरे पास सुरक्षित है। बीच में एक दिन डॉक्टर साहब को दिखाकर उसमें हस्ताक्षर भी करवाए थे। इस डॉक्यूमेंट को देखकर वह खुश हुए तथा बिस्तर पर पड़े हुए इस रचनात्मक कार्य की प्रशंसा करते हुए बोले—'अब मैं हर मरीज का ऐसा ही डॉक्यूमेंट बनवाऊँगा।' नीतीश जी बोले कि 'अब मेरे लिए एक काम बढ़ा दिया है आपने।' वह भी खूब खुश थे अपने इस आउटकम पर, मैं स्वयं भी खुश हुआ था।

अब सरिता विहार के मकान संख्या 736 में मैं और कंचन थे। देवाशीष वहीं जॉब पर था। उसे प्रात: 8 बजे जाना होता था तथा रात्रि में देरी से आता था। मैंने अपना कमरा व्यवस्थित कर लिया था। पलंग के सामने सारी दवाओं का चार्ट, शुगर व इंसुलिन का चार्ट, डाइट चार्ट आदि लगा दिए थे। सामने दीवार में इन्वेस्टिगेशन चार्ट था, जिसमें सारी रिपोर्ट भरी जाती थीं। सारे डॉक्टर्स के टेलीफोन नंबर थे। मैंने अपनी दिनचर्या स्वयं व्यवस्थित कर ली थी। कंचन सदा मेरे अनुसार उन व्यवस्थाओं में सहयोग करती थी। 22 जनवरी से पिथौरागढ़ आने तक नित्य शुगर चार्ट मेंटेन करना तथा डॉ. पंकज से इंसुलिन की डोज पूछना एक नैत्यिक क्रिया थी। बाद में मुझे स्वयं ही आदत बन गई थी। पूरा दिन कंचन व मैं अकेले होते थे। कभी लैपटॉप पर एक-दो फिल्में भी देख लेता था। 'गजनी', 'तारे जमीं पर' तथा 'सहारनपुर चौक' जैसी फिल्में देखी थीं। रोज सुबह कॉलोनी की सड़क पर घूमने जाना, दिन में पार्क तक जाना, वही मास्क लगाए कुर्ता-पायजामा में अजूबा सा घूमता था मैं। सभी लोग घूरकर देखते थे मुझे, फिर दया का सा भाव रहता उनके चेहरों पर। धीरे-धीरे मेरी रिकवरी अच्छी हो रही थी तथा शरीर में शक्ति महसूस होने लगी। काफी अच्छा क्रम बना था। कंचन को बहुत सेवा का मौका मिला था। वह समर्पण भाव से मेरे साथ जुटी थी, हालाँकि, वह भी मेरे साथ-साथ एक बहुत बड़ा संघर्ष कर रही थी, जो हम दोनों के मध्य तक ही गोपनीय था। मैं समझता हूँ कि मैंने अपने नए जीवन पाने के साथ-साथ इसके समानांतर जो दूसरा संघर्ष किया, वह शायद मैं

ही कर पाया था। ईश्वर ने जो शक्ति मुझे दी थी, यह उसी का प्रसाद था कि हम दोनों अकल्पनीय व असहनीय संघर्ष करते हुए भी सामान्य जीवन जी रहे थे।

अस्पताल के प्रवास के 15-16 दिन बाद जब मुझे शक्ति आने लगी तो मैं धीरे-धीरे यह अनुभव कर रहा था कि मुझे प्राय: सेक्स का सेंसेशन हो रहा था। अपनी शारीरिक हालत व विषमताओं को ध्यान में रखते हुए प्रारंभ में मैंने यह बात अपने तक दबाए रखी, लेकिन ज्यों-ज्यों समय बढ़ता गया, मुझे परेशानी बढ़ती गई। फिर मैंने हल्के से अपनी पत्नी से इस बात का जिक्र किया। मैं शरीर से असहाय सा था, लेकिन यह समस्या बढ़ती जा रही थी। एक ओर ऑपरेशन के बाद टाँके लगा हुआ नया नाजुक शरीर, जीवन-संघर्ष की स्थिति, समाज की सिंपैथी, मेरे भीतर सेक्स सेंसेशन की बढ़ती प्रबलता! निश्चित तौर पर यह एक अकल्पनीय स्थिति थी। मुझे लगा कि चाहे कैसे भी हो, मैं डॉक्टर साहब से इस बात का जिक्र करूँगा ही। मुझे हर सप्ताह बृहस्पतिवार या निर्धारित दिन को डॉक्टर से मिलने जाना होता था। एक दिन डॉक्टर से बात खत्म होने के बाद मैंने इशारे से पत्नी को बाहर जाने को कहा। डॉक्टर के चेहरे पर स्वयं ही मुस्कराहट थी, जिसे मैं बाद में समझा था। डॉक्टर बोले हँसते हुए—क्या बात है? मैंने बड़े संकोच भरे तथा अपराधबोध से पूर्ण अपनी बात कह डाली। सुनते ही डॉक्टर के चेहरे पर जो खुशी देखी, उसने मेरा अपराधबोध काफूर कर दिया। वह बहुत खुश होकर बोले—'एक्सीलेंट! यह तो बहुत अच्छी बात है। हम तो पहले ही प्रतीक्षा कर रहे थे कि आप यह कहोगे।' उन्होंने बताया कि यह बात इस बात का इंडिकेशन है कि अब आप पूर्ण स्वस्थ हैं तथा आपका लिवर और सारे सिस्टम अच्छी तरह काम करने लग गए हैं। उन्होंने यह भी बताया कि लिवर हमारे शरीर के लगभग 400 सिस्टम्स को रेग्यूलेट करता है। उन्होंने कहा कि आधा माह बाद आप सहवास भी कर सकते हैं। डॉक्टर की बात ने मेरे अपराधबोध का मनोविज्ञान पूरा बदल दिया था और मुझमें नई शक्ति और स्फूर्ति का संचार होने लगा था। कंचन को भी स्थिति स्पष्ट हो गई थी। मैंने यह बात बाद में अपने लिवर फिजीशियन

डॉ. मानव वधावन से भी स्पष्ट की थी, उन्होंने भी इसको बहुत सुंदर तरीके से प्रोत्साहित किया था।

एक दिन मैं वेटिंग लॉबी में बैठा था, एक व्यक्ति, जिसका मुझसे एक माह पूर्व ऑपरेशन हुआ था, उससे भी बातें होने पर समान स्थिति का अहसास हुआ था कि उसे भी ऐसा ही महसूस हुआ था। तब से फिर मैंने सेक्स को सहजता से लिया था और अपराधबोध से उबर गया था। इस बात का उल्लेख करने के पीछे इस सत्य से परिचित होने की मंशा है कि जीवन में भूख सबसे बड़ी आवश्यकता है, व्यक्ति को खुली हवा चाहिए, जीने के लिए समाज चाहिए, परंतु शरीर की और ऐसी ही दूसरी प्राकृतिक महत्त्वपूर्ण आवश्यकता है सेक्स, जो कि शरीर की प्राकृतिक माँग है, यह मैंने महसूस किया था। इस माँग को पूरा न करना शरीर के साथ ज्यादती है और इस माँग को अपेक्षानुरूप पूरा करना शरीर के साथ न्याय है। हाँ, परेशानी तब होती है, जब इसे घोर वासना अथवा व्यभिचार का रूप दिया जाए। इस ऑपरेशन के बाद हुए पुनर्जन्म ने मुझे भूख, हवा, समाज व शरीर की प्राकृतिकता की वैज्ञानिक, मनोवैज्ञानिक एवं सामाजिक वास्तविकताओं का ज्ञान करा दिया था। एक दिन डॉ. पंकज ने बताया था लिवर ट्रांसप्लांट के बाद मरीज को नियंत्रित करना कभी-कभी बड़ा कठिन होता है। भूख व सेक्स के कारण वह कभी-कभी वार्ड में सिस्टर्स के साथ भी गलत हरकत करने लगता है। मैंने सोचा, ईश्वर ने कम-से-कम मुझे इस स्थिति में तो नहीं धकेला! उन्होंने यह भी बताया था कि ट्रांसप्लांट के बाद कई मरीजों की पत्नी धन्यवाद देने आती हैं कि उनका वैवाहिक जीवन पुन: लौट आया है तथा वह पति की शक्ति से खुश रहती हैं, यह बात मुझे संतोष दे रही थी। मन की बात निकल जाने के बाद मैं भी इसे सहज ही लेने लगा था, हालाँकि, घावों की नाजुकता को ध्यान में रखकर मैंने कोई भी अस्वाभाविक व्यवहार नहीं किया था। मेरे भ्रम दूर हो गए थे तथा मन संतुलित हो गया था। बाद के दिनों में वैसे ही रोमांटिक हो कंचन के साथ समय बिताता था। यह बात मेरे लिए फिर एक सहज बात हो गई थी, जिसका प्रभाव मेरे व्यवहार पर भी पड़ा कि मैं बहुत खुला-खुला

महसूस करने लगा। अपने इस अनुभव के बाद मेरे दिमाग में कभी-कभी एक प्रश्न उठता है कि समाज में तथाकथित महापुरुष, योगी, संत, साधु लोग धर्म, अर्थ, काम व मोक्ष की बातें कर आमजन को ईश्वर से जोड़ने की बात करते हैं। शरीर की सहजता, ज्ञान का प्रभाव, नैतिकता आदि की बात करते हैं, वह ब्रह्मचर्य की दलीलें देते हुए मोक्ष की बात करते हैं। मुझे अब लगता है कि या तो यह सब चेहरे भीतर से छद्म हैं तथा वासना का चोरी-चोरी भोग कर समाज के सामने ब्रह्मचारी का चेहरा दिखाते हैं या फिर यदि उन्होंने शरीर की मूल आवश्यकताओं, जैसे भूख, प्यास, ठंड, गरम, रुग्णता, क्रोध, शांति के साथ सहवास, जो एक स्वाभाविक प्रक्रिया है, का अनुभव ही नहीं लिया तो फिर ये अधूरे इंसान हैं तथा जीवन की प्राकृतिकता के अनुभव में अपूर्ण हैं तथा जो जीवन की मूल आवश्यकताओं का अनुभव किए बिना सैद्धांतिक बात करता है, वह मेरी नजर में झूठा है। एक संघर्षपूर्ण जीवन व्यतीत किया हुआ गृहस्थ, जिसने जिंदगी के उतार-चढ़ाव देखे हों तथा सादगीपूर्ण जीवन बिता रहा हो, नेकनीयत हो, वह ईश्वर व मोक्ष की बात करें तो शायद वह इन अधूरे ज्ञानियों से ज्यादा महत्त्वपूर्ण होगी तथा व्यावहारिक होगी। इस घटना से मेरे दृष्टिकोण में बहुत परिवर्तन आ गया था। अब मैं दायित्वपूर्ण अनुभव युक्त आध्यात्म (रेस्पॉन्सिव एक्सपीरियंस्ड स्पिरिचुअलिटी) का पक्षधर हो चुका हूँ।

अब मैं आराम से चलने-फिरने लग गया था तथा शरीर भी शक्ति महसूस कर रहा था तो स्वाभाविक ही था कि खाली हाथ पर हाथ रखकर बैठा नहीं जा सकता था। दवाओं के असर से अभी मेरा मन पुस्तक पढ़ने या एकांत में बैठने का नहीं हो पा रहा था। मैं दिन में तीन-चार बार टहलते हुए आस-पास चला जाता था। हम लोग पॉकेट ए में रह रहे थे। वहाँ से कुछ ही दूर पर पॉकेट एच था, जहाँ बाजार था। ए.टी.एम. की सुविधाएँ, सब्जी, फल सब मिलता था। हम लोग मास्क पहने अक्सर वहाँ जाते थे। इस बीच मन बिल्कुल युवकों की मानसिकता वाला हो गया था। पत्नी से भी ज्यादा ही प्यार हो गया था। कई बार अलग-अलग पोजों व ड्रेसों में उसकी फोटो खींची थीं। फिर पॉकेट एच मार्केट से कॉपी बनवाई थी। अपनी भी खूब फोटो खींची

थीं, अपने चेहरे को देखना अच्छा लगता था। फोटो देखकर अपने स्वास्थ्य की प्रोग्रेस पता चल रही थी। मैंने बीमारी से पूर्व से लेकर रिकवरी के दौरान क्रमशः कई फोटो खींचकर उन्हें प्रोग्रेस के क्रम में लगवाकर एक सम्मिलित फोटोग्राफ बनवाया था। पिथौरागढ़ आकर जब मैंने उस फोटो को दिखाया था तो कई लोग उनमें से कई चेहरों को पहचान नहीं सके थे, जबकि सब मेरे ही थे। दिल्ली की भीड़ में हम अकेले थे, यही बहुत अच्छा था। रात को देवाशीष आता तो दिन भर की पूरी मस्ती उसे सुनाते थे। बीच-बीच में दीदी आती थीं। एक बार इसी बीच मिलने डॉ. गिरीश बडोनी व श्री राणा जी भी आए थे। सरिता विहार के प्रवास के दौरान श्री डी.के. जोशी जी, श्री मोहन सिंह, श्री रघुवंशी जी, श्री ललित शर्मा, श्री संदीपन (टुटुल) भी मुझसे मिलने आए थे। इसी बीच किसी संदर्भ को लेकर दिल्ली में दूरभाष से ही मेरी मित्रता श्री तरुण जोशी से हुई थी, वे भी मुझे देखने आए थे। हमारे घर आने से कुछ दिन पूर्व कंचन की मौसी भी मिलने आई थी, एक बुके देकर उनके बेटे गौरव ने शुभकामनाएँ दी थीं।

देवाशीष के पैर में बचपन में हुए फैक्चर के बाद तकलीफ बहुत अधिक थी तथा उसे जूते पहनने व चलने में कई सालों से तकलीफ थी। हल्द्वानी व देहरादून के डॉक्टर्स ने कहा था कि उसके पैर में न्यूरोमा हो गया है तथा इसका ऑपरेशन कराना पड़ेगा। न्यूरोमा के ऑपरेशन के दौरान पैर की दो-तीन उँगलियों की नसों के कटने तथा उनके संवेदनहीन होने का रिस्क था तो इस डर से देवाशीष पिछले 7 साल से तकलीफ झेल रहा था। उसके चेहरे पर हमेशा दर्द का भाव दिखता था। मैंने अपने फिजीशियन डॉ. मानव वधावन से अनुरोध किया कि किसी अच्छे हड्डी विशेषज्ञ को बेटे के पैर दिखाने हेतु रेफर कर दें। देवाशीष को एक दिन की छुट्टी भी नहीं मिल सकती थी, केवल रविवार का ही दिन मिल सकता था और उस दिन अस्पताल बंद रहता। डॉ. वधावन ने डॉ. मिगलानी से मिलने की व्यवस्था करवा दी। डॉ. मिगलानी ने पीतमपुरा स्थित अपने क्लीनिक में शाम 5:00 बजे आने का समय दिया। मैं, दीदी व कंचन देवाशीष को साथ लेकर उस दिन सबसे पहले बाहर निकले

थे। बीमारी के बाद वह पहला दिन था, जब मैं बाहर गया, एक प्रकार से कहूँ कि पुनः सामाजिक जीवन का श्रीगणेश किया। डॉ. डी.के. पांडे जी ने उस दिन अपने घर पर भोजन करने हेतु बुलाया था। हम सब डॉक्टर पांडे के घर से भोजन के बाद निकल पड़े थे पीतमपुरा को। डॉ. मिगलानी ने देवाशीष के दोनों पैरों को विस्तार से देखकर गहनता से जाँच की, फ्लैट फुट हेतु उन्होंने सिल्वर आर्क का सुझाव दिया था। न्यूरोमा के बारे में उनका कहना था कि मेरी राय में यह न्यूरोमा नहीं है, क्योंकि न्यूरोमा इतना मोबाइल नहीं होता, फिर भी आपके वहाँ के डॉक्टर ने इसे न्यूरोमा कहा है तो इसकी बायोप्सी करवा लेते हैं, एक-दो दिन में रिपोर्ट आ जाएगी, फिर आगे की सोचेंगे। हम वापस आ गए। घर पहुँचते-पहुँचते रात 8 बज गए थे। रात्रि में सरिता विहार स्थित श्री राम मेडिकल सेंटर में देवाशीष के बायोप्सी सैंपल की बात की। डॉक्टर ने मुझे बुलाया और कहा कि यह गाँठ बहुत मोबाइल है सुई चुभाने पर वह फिसल भी सकती है, ऐसी स्थिति में देवाशीष को बहुत दर्द हो जाएगा तथा सैंपल भी नहीं लिया जा सकेगा। उन्होंने 40 से 60 प्रतिशत के चांसेस बताए थे। मुझे विश्वास था कि यहाँ के डॉक्टर एक्सपर्ट्र्स होते ही हैं, इसलिए मैंने कहा कि जैसे भी हो, कर दीजिए। मेरे कहने पर डॉक्टर ने सैंपल लेना शुरू किया था। डॉक्टर ने मुझे बुलाया, सिरिंज से खींचने पर एक पीला सा पदार्थ सिरिंज के भीतर आ रहा था, धीरे-धीरे वह गाँठ गायब हो गई थी और सिरिंज पीले रंग के द्रव्य से भर गया। गाँठ का अस्तित्व ही अब नहीं था। वह दिन शायद उसके कष्ट के निवारण का दिन था। वास्तव में वह न्यूरोमा नहीं था। पहाड़ में डॉक्टरों के ज्ञान पर आश्चर्य हुआ कि इसे न्यूरोमा बताकर 7 साल से लटका दिया था!

देवाशीष की त्वचा में कुछ शिकायत थी। इसी बीच अगले रविवार को डॉक्टर बोस को उसे दिखाया तथा उसकी भी दवा की थी। मैं ऐसी स्थिति में भी लगातार व्यस्त था तथा दायित्व का निर्वहन व समन्वय भी कर रहा था। एक दिन हम लोग प्रभात प्रकाशन में पीयूष जी के पूज्य पिताजी से मिलने गए थे। बहुत सयाने व प्रेरणास्पद व्यक्तित्व थे वह। उनकी भी मुझे देखने की

तीव्र इच्छा थी। स्वयं उनका कूल्हा प्रत्यारोपित किया गया था। मुझे देखकर उनकी खुशी का ठिकाना न था। खूब आशीर्वाद दिए थे उन्होंने मुझे। कंचन से उन्होंने कहा था कि वह सचमुच में सावित्री है, जो सत्यवान की तरह मौत के मुख से पति को बचा लाई। इस बात को सुनकर मेरा मन भावुक को उठा था। इस बीच कंचन को सावित्री व शिवाशीष को श्रवण कुमार की संज्ञा बहुत से लोगों ने दी थी।

डॉक्टर साहब ने हमें फरवरी के अंत तक या मार्च के प्रथम सप्ताह में घर जाने की इजाजत दे दी थी, क्योंकि मौसम बहुत बदल रहा था तथा होली में रंग-गुलाल से भी बचना था, तो हमने निर्णय लिया कि हम होली के बाद ही जाएँगे। इस बीच हम धीरे-धीरे तैयारी में लगे थे। 1 मार्च होली का दिन था। गुमसुम होकर होली मनाई थी। रंग से खेलना अब अकल्पनीय था। देहरादून से शिवाशीष भी आया था, मेरा परिवार साथ था। हमें होली का दिन देखने का मौका ईश्वर ने दिया था, इसी का धन्यवाद दे रहा था मैं भगवान् को। 11 तारीख को शिवाशीष देहरादून चला गया और हमने शुरू कर दी घर जाने की तैयारी। होली के दिन मैंने अपने सभी डॉक्टरों को एक-एक करके बधाई दी तथा उनके प्रति कृतज्ञता व्यक्त की। सभी डॉक्टर्स बहुत ही ज्यादा खुश थे कि उनका मरीज नए जीवन की प्राप्ति के बाद उत्सव के मौके पर कृतज्ञता व्यक्त कर रहा है। उसे हमारी याद है। मुझे भी उनसे बात कर बहुत सुखद अनुभूति हुई थी। यह तय था कि हम लोग 15 तारीख को दिल्ली से रवाना होंगे। यात्रा लंबी थी, अतः काशीपुर रुकने का विचार बनाया। मैं अपनी अस्वस्थता के चार वर्षों के दौरान हमेशा दिल्ली आते-जाते समय काशीपुर रुककर आता था। पिछले 4 साल से वहीं से खाना खाकर तथा आराम कर दिल्ली आता था। आज मैं ठीक था तो मैंने उनके प्रति अपनी कृतज्ञता व्यक्त करने के उद्देश्य से भी ऐसा कार्यक्रम बनाया था। हमने टैक्सी की थी। पहाड़ का ही गोवर्धन व उसका साथी देवेंद्र गाड़ी लेकर आ गए। हम 15 तारीख को प्रातः तैयार थे काशीपुर जाने को। देवाशीष का भी 6-7 अदद सामान था, जिसे उसके नए कमरे में आदर्श नगर में छोड़ा। सामान चढ़ाने में हमारे मकान संख्या 736 का

चौकीदार गोपाल और उसके साथी मदद कर रहे थे। सरिता विहार के मकान संख्या 736 को प्रणाम किया, जहाँ रहकर रिकवरी हुई थी तथा मैं ठीक होकर अपने घर को जा रहा था। ईश्वर को प्रणाम किया कि उसने किस दुरूहता से मुझे उबारा था तथा आज वापस हँसकर भेज रहा था। मैंने अब फोन से अपने पिथौरागढ़ आने की सूचना घर पर दे दी थी।

हम उत्साहपूर्वक सामान से लदी क्वालिस गाड़ी में सवार हो चले जा रहे थे। रास्ते में कई फोन आए थे, बहुत अच्छा लग रहा था। कभी ऐसी कल्पना भी नहीं थी कि खुश मन से वापस घर जाएँगे! क्योंकि आते समय तो अँधेरा-ही-अँधेरा था। शाम 4:30 बजे हम काशीपुर पहुँचे दीदी के घर तो बहुत राहत की साँस ली थी मैंने। वहाँ उन्होंने पहुँचते ही मंदिर से फूल व प्रसाद दिया। यहाँ मुझसे मिलने कंचन के काशीपुर वाले भाईसाहब, भाभी जी, गदरपुर वाले भाईसाहब लोग आए थे। श्री दर्शन सिंह सैनी, श्री दिनेश शर्मा जी भी आए थे, नवीन व उसका परिवार भी था। सब से बातें कर बहुत अच्छा लगा। एक दिन रेस्ट करने का मौका मिल गया था। दिल्ली दूर होने लगी थी, संस्मरण सुनाने का क्रम शुरू हो गया था।

16 तारीख, प्रात: 8:00 बजे रवाना हुए पिथौरागढ़ को। पहाड़ी रास्ते की यात्रा, गाड़ी भी धीरे-धीरे ही चलानी थी, झटकों से परेशानी हो रही थी। हल्द्वानी पहुँचने पर श्री डी.के. जोशी जी मिलने आए थे। मेरे मित्र श्री कमल पंत फल लेकर रास्ते में मेरी प्रतीक्षा में खड़े थे, उनसे मिलकर बहुत खुशी हुई। श्री अशोक जोशी भी रास्ते पर मुझसे मिलने आए थे। मेरा बड़ा साला किशन और साली अमिता भी मिलने आए। गरम पानी में मेरे बहुत पुराने घनिष्ठ मित्र श्री माधो सिंह बोरा व भाभी जी बेतालघाट से आकर मिलने को रुके थे। काफी लंबे अंतराल के बाद मुलाकात हुई थी हमारी। इस मौके पर कई लोगों से मुलाकात कर आगे बढ़ना अच्छा लग रहा था। अल्मोड़ा पहुँचने पर मेरी पूज्य सास जी व छोटा साला चारू धारानौला पर मिलने आए थे। इसी समय मेरी दृष्टि श्री नवीन चंद्र पंत जी पर पड़ी, मैं उनसे मिलने स्वत: आगे बढ़ा था। अनायास इस मुलाकात से वह खुश हो गए। कुछ दूर आगे बढ़े तो मेरे मित्र

श्री जीवन चंद तिवारी जी और उनकी पत्नी मेरी प्रतीक्षा कर रहे थे! जाने के दिन उन्होंने ही खाना पैक कर हमें विदा किया था। कई लोगों से मिलते हुए हम आगे बढ़ते जा रहे थे। वही सड़क, वही दृश्य पुनः दिख रहे थे, जिन्हें मैं दिल्ली जाते समय अंतिम दर्शन की तरह छोड़ता आया था। ईश्वर की कृपा को धन्यवाद देते हुए रास्ते में रुकते-रुकते साँझ होते हम पिथौरागढ़ घर पहुँच गए थे। घर के पास मेरे पड़ोसी, कई मित्र फूल का गुलदस्ता लिये मेरे स्वागत के लिए खड़े थे। इन्हीं लोगों ने शुभकामनाएँ देकर विदा किया था। अपने को घर में उन्हीं परिचितों के बीच पाकर जो खुशी हुई, वह अवर्णनीय है। सबसे पहले मैं धीरे-धीरे सीढ़ी चढ़कर घर के ऊपरी तल में स्थित मंदिर में गया। यद्यपि मुझे सीढ़ी चढ़ना मना था, फिर भी मैं इष्ट देवी को प्रणाम व धन्यवाद देने मंदिर गया। उसके बाद माँ-पिताजी की फोटो को प्रणाम कर घर के भीतर प्रविष्ट हुआ। काफी भीड़ थी मुझे देखने वालों की।

अगले दिन से शुरू हो गया था मिलने वालों का आना-जाना। सुबह 8 बजे से ही लोग शुरू हो जाते थे तथा कभी-कभी रात हो जाती थी। कई लोग ऐसे थे, जिन्हें पहले मेरे ऑपरेशन का पता नहीं चल पाया था। मैं पलंग के ऊपर ऊँचे में बैठता था, ताकि पेट में दबाव न पड़े। लगभग आधे से भी अधिक पेट काटा था, घाव कच्चे थे। लोगों के मन में बहुत ज्यादा उत्सुकता थी मेरे ऑपरेशन के बारे में जानने की, क्योंकि लिवर ट्रांसप्लांट के बारे में लोगों ने पहली बार सुना था। कई लोग ऐसे भी थे, जिन्हें शायद मेरे वापस आने की कोई उम्मीद नहीं थी। लोग ईश्वर का धन्यवाद तथा मेरी हिम्मत की दुहाई दे रहे थे। मैं ईश्वर की कृपा को सर्वोपरि मान रहा था तथा सभी से बातें कर रहा था। घरवालों की हिदायत थी कि मैं कम-से-कम बोलूँ, लेकिन मेरे चुप रहने से काम नहीं चलने वाला था। मरीज की मजबूरी को सामान्य आदमी नहीं समझ सकता है, वह तो अपने आने की हाजिरी आत्मीय जन के रूप में लगाना चाहता है तथा अपेक्षा करता है कि मरीज उससे अवश्य बात करे तथा विशेष तौर पर स्थान दे। आने वालों में स्थितियाँ स्पष्टतः वर्गीकृत हो रही थीं। कुछ तो वे लोग थे, जो मेरे घनिष्ठ आत्मीय जन थे, जो लगातार

मुझसे दिल से जुड़े थे। एक समूह था, जो पड़ोस व परिचय का धर्म निभा रहा था कि पड़ोसी का बड़ा ऑपरेशन हुआ है, हमें जाना है! बाकी उन्हें कोई मतलब नहीं था। सामान्य परिचय के क्षेत्र के लोग जो आ रहे थे, उनमें कुछ लोग ऐसे थे, जिन्हें मुझसे अपने व्यावसायिक संबंध कायम रखने थे। कुछ लोग रहे होंगे, जो लिवर ट्रांसप्लांट पहली बार एक नई घटना सुनकर कौतूहल एवं उत्सुकतावश आ रहे थे, कुछ लोग ऐसे भी थे, जिन्हें मेरे जिंदा रह जाने पर आश्चर्य था तथा वह खिसियाए मन से आए थे। लेकिन शायद उँगली में गिने लोग ऐसे होंगे, जो भीतर की भावना से जुड़े थे तथा जिन्हें यदि मैं मर गया होता तो कुछ महीने तक घाव रहता। प्रथम पंक्ति में बड़ी दीदी खड़ी थीं, जिन्हें मेरे जीवन की सर्वाधिक चिंता थी, क्योंकि हम दोनों एक सूत्र से जुड़े हैं। वह पहले भी कहती थी कि आशु ही मेरा एकमात्र सूत्र है, जो मुझे घर से जोड़ता है। मेरे दोनों बेटे नितांत आंतरिक और व्यक्तिगत घेरे में थे, जो 24 घंटे मेरे बारे में सोचते थे तथा निरंतर मुझसे फोन से संपर्क में रहते थे। केंद्र में थी मेरी जीवनसंगिनी। वास्तव में बहुत बड़ा संघर्ष कर सावित्री की उपाधि प्राप्त की थी उसने। ईश्वर की उस पर कृपा थी। वह किसी भी हालत में मुझे खोना नहीं चाहती थी, क्योंकि मुझे पता है कि वह मुझमें पति के साथ-साथ पिता, भाई, दोस्त, सभी कुछ देखती थी।

लोगों का आना-जाना जारी था। फल लेकर कुशल पूछने आ रहे थे लोग। मैं ऊँचे पर बैठा कुर्ता, पायजामा व जैन मुनि की तरह मास्क पहने अपने ऑपरेशन के दौरान के संस्मरण सुनाता था। लोग ऐसे सुनते थे, जैसे मैं प्रवचन दे रहा हूँ, क्योंकि मेरे वह अनुभव सामान्य व्यक्ति की चिंतन सीमा से परे थे, अत: लोग मेरी बातों को सुनने में रुचि लेते थे। संस्मरण सुनाने में बीच-बीच में कंचन गैप फिलिंग का काम भी करती थी। हालाँकि, लोगों के लिए चाय के प्रबंधन में वह व्यस्त रहती थी, क्योंकि ईश्वर की कृपा से नवजीवन पाकर हम लोग घर आ गए थे। अत: चाहे वह सामान्य ही हो, सत्कार करना हमारा फर्ज था। वह अकेली थी, बीच-बीच में दवाओं का ध्यान रखना भी उसकी जिम्मेदारी थी। स्टीराइड्स लेने की वजह से शुगर बढ़ी थी व कई साइड

इफेक्ट साथ-साथ चल रहे थे। अपने आत्मीय जनों को मैं ऑपरेशन से ठीक पहले अस्पताल की पोशाक में क्लीन शेव वाली फोटो अवश्य दिखाता था कि वह पहचानें कि यह कौन है ? लोगों ने हमेशा मुझे दाढ़ी में देखा था, अतः कोई भी उस फोटो को नहीं पहचान पाता था। मैं लोगों से कहता था, यह आपके खास परिचित हैं, तो लोग अपने दूर के परिचितों को याद कर चेहरा पहचानने की कोशिश करते थे। एक-दो लोगों ने तो नाम भी बताए थे। मैं व कंचन मन-ही-मन खूब मजा लेते थे। मैं बताता कि यह व्यक्ति आपके सामने बैठा है तो बहुत आश्चर्य होता था लोगों को। आज भी उस फोटो को देखकर मुझे ऐसा लगता है कि यह मेरे पूरे जीवन की सबसे अच्छी फोटो है। चेहरे से कहीं नहीं लगता है कि यह वही आदमी है, जिसका जीवन अंतिम दौर से गुजर रहा है। ऑपरेशन के लिए जाते समय चेहरे पर तेज, स्वस्थ शरीर की निशानी व मुस्कराहट इस बात की याद दिलाते हैं कि ईश्वर ने बड़ी कृपा की थी मुझ पर कि चेहरे से तनाव के बादल हटा दिए थे! सरिता विहार में रहते हुए मैंने अपनी पुरानी रिकवरी की चरणबद्ध तरीके से फोटो खींचकर एक साथ बनवाई थी। उस फोटो को देखकर भी लोग मेरी एक ही फोटो पहचान पाते थे। उनकी नजर में अन्य फोटोग्राफ्स अन्य व्यक्तियों के होते थे। वे कहते कि इन्हें तो हम नहीं पहचान पा रहे हैं। हम लोग इसका खूब आनंद लेते थे। कुछ अन्य फोटोग्राफ्स भी थे, जिन्हें हम आने वाले लोगों को दिखाते थे। जो भी आता, वही टेप रिकॉर्ड ऑन हो जाता। सबको एक-सी कहानी बार-बार सुनानी होती थी। सुनाना भी तो आवश्यक हो जाता था, क्योंकि आने वाला व्यक्ति एक ही बार आता था, लोग बदल रहे थे, मैं तो वही था। अतः सारे संस्मरणों की 1 दिन में 10 से 15 बार पुनरावृत्ति होती थी। मेरे चेहरे पर मास्क होता था, चेहरा बंद होने के कारण लोगों को अटपटा लगता था। मुझे कई बार ऐसा लगा कि अच्छे-खासे लोगों को मास्क की जानकारी और महत्त्व का पता नहीं था, उन्हें भ्रम होता था कि शायद मुँह में भी कुछ किया गया है, तभी ढँक रखा है। मैंने यह मनोविज्ञान समझ लिया था। मैंने निश्चित कर लिया था कि जो भी आएगा, एक-दो सेकंड के लिए ही सही, मास्क को एक बार हटा लूँगा,

ताकि आने वाला व्यक्ति कोई शंका लेकर न जाए। मैंने ऐसा ही किया था। मेरा मुँह एवं ऑपरेशन वाले कट को देखना मिलने वालों के लिए महत्त्वपूर्ण होता था। कभी-कभी महिलाएँ बैठी रहती थीं तो पुरुषों को कपड़े खोलकर निशान दिखाना संभव नहीं होता था, उन्हें अपना आना अधूरा सा लगता था। कई बार कुछ महिलाओं ने भी देखने की उत्सुकता व्यक्त की थी। उन्हें भी कटे भागों को दिखा दिया था। उनका चेहरा बता रहा था कि वह शायद महत्त्वपूर्ण श्रेणी की विजिटर्स थीं, जिन्हें इतने बड़े ऑपरेशन की चीरफाड़ को देखने को मिला था। बार-बार एक ही बात बताना और पेट दिखाना एक सामान्य प्रक्रिया बन गई थी। हर समय दरबार सा लगा रहता था, कंचन चाय पिलाने में व्यस्त रहती थी। इस बीच ई.टी.वी. के ब्यूरो चीफ श्री गोविंद कपटियाल, संवाददाता श्री विजयवर्द्धन उप्रेती तथा फहीम तन्हा ने मेरा व शिवा का साक्षात्कार लेकर उत्तराखंड राज्य के प्रथम लिवर ट्रांसप्लांट की इस प्रक्रिया को बहुत सुंदर एवं प्रभावी ढंग से प्रसारित किया था।

□

कुछ उपलब्धियाँ

अप्रैल माह से शुरू होने वाले नए सत्र के लिए मैंने स्कूल बस बुक करा दी थी, जो संयोगवश 21 मार्च को ही आ गई। परंपरा अनुसार उसका भी स्वागत होना था, जिसके लिए पंडित जी को बुलाया गया था। बस की पूजा में मैं नीचे नहीं जा सकता था, अत: मेरे अनुरोध पर सभी लोग पंडित जी के साथ बस में गए थे। इतने महँगे ऑपरेशन के बाद घर आने के तुरंत बाद दो-तीन दिन में ही बस घर के सामने खड़ी होना समाज में ईर्ष्या के लिए एक बड़ा विषय था। कौन जानता था कि दस लाख रुपया बैंक से कर्ज लेकर स्कूल की आवश्यकता के लिए उधार बस आई है? यह सब उसी अदृश्य परम शक्ति का प्रसाद था। मैं केवल साक्षी भाव से सारा घटनाक्रम देख रहा था। दिल्ली रहते हुए मैंने फोन से स्कूल व 'पहल' के विभिन्न कार्यक्रम संचालित किए थे तथा लगातार समन्वय कर रहा था। 'पहल' द्वारा निकलने वाला त्रैमासिक न्यूज बुलेटिन 'विज्ञान वार्त्ता' निर्धारित समय पर निकालने हेतु वहीं बिस्तर पर ही प्रूफ रीडिंग की थी मैंने। ईश्वर ने मुझे शक्ति दी कि मैं लगातार व्यस्त रहा तथा मुझे अपने बारे में चिंता करने का मौका ही नहीं मिला।

मैंने घर के ड्राइंग रूम में ही अपनी कुर्सी-मेज लगाई थी, जिसे मैं पहले से ही कार्यालय की तरह प्रयोग करता था। बगल का कमरा 'पहल' संस्था के कार्यालय के रूप में प्रयोग होता था। इस बीच 'मानस एकेडमी' के स्टाफ ने भी आकर मुझसे मुलाकात की थी, क्योंकि 1 अप्रैल से नया सेशन चलना था। मैंने मंगल, बृहस्पतिवार व शनिवार को विद्यालय एवं 'पहल' संस्था के काम निपटाने शुरू किए थे। कोई-न-कोई आता रहता। मैंने 31 मार्च को अपने ही

कमरे में स्टाफ मीटिंग भी ली थी तथा नए वर्ष की योजना पर प्रकाश डालते हुए टीम भावना हेतु उन्हें प्रेरित भी किया था। उस दिन लगभग 3 घंटा बोला था मैं। कमरे में ही मीटिंग बुला ली थी, मास्क पहने बोल रहा था। व्यक्तिगत तौर पर भी कई शिक्षकों से बात हुई थी। मुझे फीडबैक के आधार पर पता चला कि मेरी अनुपस्थिति में स्कूल का अनुशासन काफी गिर गया था तथा अच्छे शिक्षक काफी निराश थे। यह बात मुझे निराश करने हेतु पर्याप्त थी। दिल्ली जाने से पूर्व सारे शिक्षकों ने लिखित शुभकामनाएँ एवं निष्ठा व्यक्त करते हुए पत्र दिया था, जिसमें लिखा था कि वह पूर्ण लगन व मनोयोग से कार्य करेंगे, लेकिन फीडबैक बिल्कुल विपरीत था। इसी बीच एक नई शिक्षिका श्रीमती प्रीति सिंह साक्षात्कार हेतु आई थीं। काफी अनुभवी व सरल स्वभाव तथा आकर्षक व्यक्तित्व की महिला थीं, जिन्हें देखकर ही मैं अत्यंत प्रभावित हुआ था तथा उन्हें सीधे उपप्रधानाचार्य के पद पर रख लिया था। स्कूल की स्थापना के उपरांत वह पहली अभ्यर्थी थी, जिसने मुझे प्रभावित किया था। आज भी मेरे मन में असीम स्नेह है उनके प्रति। विद्यालय व संस्था के लोगों का लगातार घर पर आने का क्रम तथा भारी संख्या में परिचितों का कुशल पूछने हेतु आने का क्रम बहुत बढ़ गया था। मैं मास्क पहने बरामदे में मॉर्निंग वॉक करता था। 4 अप्रैल को मुझे ऑपरेशन के 3 माह पूरे हुए थे, उस दिन में पहली बार सीढ़ी उतरकर आँगन में गया था तथा सुबह-शाम वहीं चहलकदमी करता था। मास्क पहने-पहने वॉक करने में सड़क पर चलने वाले अपरिचित लोग सशंकित भाव से मुझे देखते थे। उनके लिए मैं अजूबा था। धीरे-धीरे मैं सामान्य स्थिति में आ गया था और अब मैं एक स्वस्थ और सक्रिय व्यक्ति की तरह जीवन जी रहा हूँ। लिवर ट्रांसप्लांट से प्राप्त अपने नवजीवन की कुछ उपलब्धियों को मैं समाज से साझा करना अपना कर्तव्य समझता हूँ, ताकि लोग अपने स्वास्थ्य के प्रति सजग और सतर्क रहें। कहा भी गया है—'स्वस्थ शरीर में ही स्वस्थ मस्तिष्क निवास करता है।'

अपने ट्रांसप्लांट के दौरान मैं राजकीय स्नातकोत्तर महाविद्यालय, पिथौरागढ़ में राज्य शिक्षा एवं प्रशिक्षण संस्थान द्वारा स्थापित सी.टी.ई. (कॉलेज ऑफ टीचर्स एजूकेशन) में समन्वयक के पद पर कार्यरत था।

लिवर ट्रांसप्लांट के बाद अपने कार्यस्थल पर कार्यभार सँभालने के बाद राज्य में स्थापित 4 सी.टी.ई. में से केवल मेरे द्वारा पिथौरागढ़ के ही सी.टी.ई. का सफलतापूर्वक संचालन संभव हुआ और मैंने 'अभिनव पथ' नाम से एस.सी.ई.आर.टी. के लिए शिक्षक प्रशिक्षण के मॉड्यूल्स की एक पुस्तक भी तैयार की। वर्ष 2010 में मेरा पदोन्नति प्रधानाचार्य के पद पर राजकीय सरस्वती देव सिंह इंटर कालेज, पिथौरागढ़ में हुई, जिसमें पिछले 62 वर्ष से मृतप्राय: किशन चंद ट्रस्ट को पुनर्जीवित कर बच्चों के लिए छात्रवृत्ति प्रदान करना एक महत्त्वपूर्ण कदम था। मेरे कार्यभार ग्रहण करते समय विद्यालय में कुल 172 बच्चे थे। अपने 8 सालों के कार्यकाल में विद्यालय का चहुँमुखी विकास कुछ इस तरह किया गया कि मेरी सेवानिवृत्ति पर छात्र संख्या 750 तक पहुँच गई थी। तत्कालीन जिलाधिकारी श्री नीरज खैरवाल द्वारा मुझे गणतंत्र दिवस पर जिले के समस्त अधिकारियों एवं अपने स्टॉफ को संबोधित एवं अभिप्रेरित करने का आमंत्रण मिला तथा मुझे सम्मानित भी किया गया। विद्यार्थियों हेतु 'नई किरण' नामक वेब पोर्टल बनाया, जिसमें सभी विषयों की विषय-वस्तु समाहित थी। यह कार्य तत्कालीन जिलाधिकारी श्री रवि शंकर द्वारा कराया गया तथा गणतंत्र दिवस पर सम्मानित किया गया। सेवानिवृत्ति से पूर्व भारत सरकार में सचिव श्री केशव देसिराजू का विद्यालय में निरिक्षण हेतु आना और प्रेसवार्त्ता में विद्यालय की प्रशंसा करना मेरे लिए मेरे अब तक किए हुए कामों का सर्वोत्कृष्ट पुरस्कार रहा। विज्ञान एवं प्रौद्योगिकि विभाग द्वारा आयोजित विज्ञान शिक्षकों के राष्ट्रीय आयोजन का मुझे राष्ट्रीय समन्वयक नियुक्त किया गया तथा राष्ट्रीय बाल विज्ञान कांग्रेस के राज्य समन्वयक के रूप में राज्य को 2012 का 'राष्ट्रीय विज्ञान सम्मान' तथा 'पीक दधीचि सम्मान' प्राप्त हुआ था। इस बीच मेरा रूझान शास्त्रीय संगीत की ओर बढ़ता चला गया और मैंने कई भजन एवं शास्त्रीय रागों पर आधारित होलियों का सृजन और उन्हें गाने का अभ्यास किया। अब मैं कुमाऊँनी परंपरा के अनुसार पूस के पहले त्योहार से शुरू होकर दंपती टीका तक लगभग 4 महीने आयोजित होली की बैठकों में यथासंभव प्रतिभाग करता हूँ। आध्यात्म की ओर अभिरुचि होने से मैंने श्रीमद्

भागवतपुराण और भगवद्गीता का अध्ययन किया। मानस-प्रेमी मेरी माँ ने बचपन से ही रामचरितमानस के प्रति मेरी आस्था जाग्रत् की थी। इस बीच मैंने 'श्रीराम : एक विचार' नामक पुस्तक का भी प्रणयन किया। 'विमर्श' हेल्पलाइन द्वारा चिकित्सकीय परामर्श तथा सामाजिक कार्यों में सक्रिय प्रतिभागिता हेतु वर्ष 2015 में 'सीमांत फाउंडेशन' द्वारा आयोजित स्वास्थ्य सेवा शिविर में मुख्य अतिथि श्रीमती स्मृति ईरानी द्वारा सम्मानित किया गया।

2003 में स्थापित 'मानस एकेडमी' ने इस बीच नई ऊँचाइयाँ प्राप्त कीं, जिसमें बालिकाओं के लिए दो मुख्य काम किए गए हैं, जिनमें पहला था, 2010 में शहीद हुए श्री देवेंद्र सिंह की पुत्री को उनकी 12वीं तक की निःशुल्क शिक्षा प्रदान करना और दूसरी, निर्धन परिवारों की बालिकाओं को विद्यालय में प्रवेश से लेकर कक्षा 12 तक की निःशुल्क शिक्षा प्रदान करना। 2022 में पिथौरागढ़ के सामाजिक संगठनों द्वारा मुझे 'पिथौरागढ़ गौरव सम्मान' दिया गया और इसी साल चंपावत में राज्य विज्ञान एवं प्रौद्योगिकी परिषद् उत्तराखंड द्वारा आयोजित राज्य विज्ञान महोत्सव में माननीय मुख्यमंत्री, उत्तराखंड के करकमलों से विज्ञान लोकप्रियकरण के क्षेत्र में विगत 20 वर्षों से किए गए मेरे वैज्ञानिक कार्यों के लिए मुझे 'विज्ञान पुरोधा' उपाधि से सम्मानित किया गया। कोरोना काल के बाद सीमांत क्षेत्र के उन युवाओं के लिए मानस कालेज ऑफ साइंस टेक्नोलॉजी एंड मैनेजमेंट की स्थापना की, जो आर्थिक अथवा पारिवारिक परिस्थितियों के कारण क्षेत्र से बाहर अध्ययन हेतु नहीं जा पाते थे। उन्हें व्यावसायिक दक्षता देकर औद्योगिक क्षेत्र में नियुक्ति अथवा स्वयं का रोजगार करने योग्य बनाना इस संस्था का प्रमुख उद्देश्य है। नई शिक्षा नीति-2020 में प्रारंभिक कक्षाओं के लिए अपनी मातृभाषा के माध्यम से शिक्षण की बात आई है। 'मानस एकेडमी' में प्रत्येक शनिवार को केवल कुमाऊँनी में ही प्रार्थना, शिक्षण और अन्य गतिविधियाँ कराई जाती हैं। इस बीच दिनांक 4 से 6 नवंबर तक आयोजित 'राष्ट्रीय कुमाऊँनी भाषा सम्मेलन' के प्रमुख संयोजक का दायित्व मुझे दिया गया था, जिसमें युवाओं और बच्चों को अपनी मातृभाषा कुमाऊँनी में संवाद करने हेतु मैंने सशक्त सत्रों का सफलतापूर्वक संचालन किया।

ट्रांसप्लांट के 21 दिन के अपोलो अस्पताल के प्रवास के दौरान मरीज की परिचर्या देख रहे डॉ. पंकज के द्वारा परहेज, मेडिकल केयर, इंफेक्शन से बचाव, दवाओं की डोज एवं समय प्रबंधन आदि ने मुझे पूरी तरह से प्रशिक्षण सा दे दिया था कि एक post-transplant व्यक्ति को कैसे जीवन जीना चाहिए! मैंने तय कर लिया था कि इतने संघर्षों से प्राप्त जीवन को एक स्वस्थ जीवन जीकर जीवन की सार्थकता सिद्ध करनी है। मुझे लगता है कि इतना महँगा इलाज करवाकर यदि प्रत्येक दिन का कुछ उचित आउटकम नहीं है तथा मैं समाज के कुछ भी काम नहीं आ सका तो ऐसे जीवन की सार्थकता ही क्या? मेरा मानना है कि व्यक्ति जितना जिए, सार्थक जीना चाहिए, ताकि अपने सत्कर्मों से वह दीर्घकाल तक याद किया जा सके। मैं जब डॉ. सिंघल से वर्ष 2008 में ट्रांसप्लांट की पहली चर्चा कर रहा था, तब उन्होंने इसके सफलता रेट के बारे में कहा था कि कई लोग 2, 3, 4, 5 या 10 साल तक भी जी लेते हैं। मेरे सर्जन डॉ. सुभाष गुप्ता, उनकी टीम, फिजिशियन डॉ. मानव वधावन, मुझे ट्रांसप्लांट की प्राथमिक राय एवं प्रोत्साहन करने वाले पी.एस. आर.आई. के डॉ. सिंघल को मुझे देखकर एवं मेरे बारे में जानकर प्रसन्नता होती है। इतना ही नहीं, जब किसी नए व्यक्ति के ट्रांसप्लांट की बात होती है और उसे कुछ शंका होती है तो डॉ. गुप्ता उस मरीज से मेरी सीधी बात करवा देते हैं, ताकि उसके सारे भ्रम दूर हों उसका कॉन्फिडेंस बढ़ जाए। मुझे भी इस तरह परामर्श देने में अच्छा लगता है। एक बार का वाकया है कि एक स्वयं में सर्जन, जिनका लिवर ट्रांसप्लांट होना था, वह अंतिम क्षणों में टूट–से गए थे, तब डॉ. गुप्ता ने उनसे मेरी बात करवाई तथा मैंने उन्हें काफी प्रोत्साहित किया कि वह ट्रांसप्लांट करवा लें और अंततः वह राजी हो गए थे और उनका लिवर ट्रांसप्लांट सफल हो सका था।

अपने स्वास्थ्य–लाभ में धीरे–धीरे आगे बढ़ते हुए मैं स्वयं को स्वस्थ महसूस कर रहा था, मेरे शरीर में पहले से भी अधिक ऊर्जा व क्षमता का अहसास हो रहा था। मेरे मन में विचार आया कि मुझ जैसे व्यक्ति को लिवर की गंभीर बीमारी ने ग्रसित किया तथा लिवर ट्रांसप्लांट की पराकाष्ठा तक

पहुँचा। मैं वर्ष 1994 से ही एक लंबे समय से वैज्ञानिक जागरूकता एवं वै-ज्ञानिक दृष्टिकोण की बात समाज में करता आया हूँ, कैंसर संचेतना कार्यक्रम में मेरी सक्रिय भूमिका रही, लेकिन मैं स्वयं अपनी घातक बीमारी एवं उसके कारणों से अनभिज्ञ रहा, यही मेरी विडंबना है। मुझे लगता है, समाज में बहुत सारे लोग ऐसे होंगे, जो लिवर की बीमारी से ग्रसित हों, लेकिन जानकारी, समय से पहचान आदि के अभाव में वह काल-कवलित हो जाते हैं। मुझे क्योंकि परमात्मा ने नया जीवन दिया है, मुझे इसका लाभ आम जनता को देना चाहिए, ताकि मैं लिवर की बीमारी से ग्रसित लोगों को बचाने में मदद कर सकूँ। यदि मैं दस-बारह लोगों की जानें भी बचा पाया तो यह मेरे नए जीवन की सार्थकता होगी। इसी विचार से मैंने स्वैच्छिक रूप से एक हेल्पलाइन शुरू की। डॉ. सुभाष गुप्ता, डॉ. पंकज लोहिया, डॉ. माधव वधावन एवं पी.एस. आर.आई. के चिकित्सक डॉ. दिनेश कुमार सिंघल ने मेरे प्रस्ताव को सहर्ष स्वीकृति दी तथा इन डॉक्टर्स का एक पैनल तैयार कर मैंने ऑनलाइन सेवा एवं परामर्श हेतु 'विमर्श' नाम से हेल्पलाइन शुरू की। मैं अपने जीवन को बोनस लाइफ के रूप में लेता हूँ तथा मेरी इच्छा है कि मैं कुछ-न-कुछ समाज के लिए करूँ। 'विमर्श' का कमरे का किराया, अन्य खर्चे मैं स्वयं वहन कर समाज के लिए काम करने को सदैव तत्पर रहता था। 'विमर्श' हेल्पलाइन का विधिवत् शुभारंभ स्वामी गुरुकुलानंद सरस्वती एवं प्रो. नीलांबर पुनेठा, प्रो. आर.सी. पांडे, कर्नल एस.पी. गुलेरिया, पूर्व विधायक श्री हीरा सिंह बोरा आदि गणमान्य व्यक्तियों की उपस्थिति में किया गया। इस अवसर पर डॉ. सुभाष गुप्ता द्वारा ऑनलाइन संबोधन भी किया गया। इस हेल्पलाइन के माध्यम से कई मरीज परामर्श हेतु मेरे पास आए, जिन्हें मैंने सबसे पहले लिवर फंक्शन टेस्ट करवाने की सलाह देते हुए उनके रोग के उपचार हेतु पैनल के डॉक्टर से सलाह-मशविरा कर उन्हें विभिन्न अस्पतालों में अपॉइंटमेंट दिलवाकर इलाज हेतु भेजा। यह एक नियमित प्रक्रिया थी मेरी। यह एक आश्चर्यजनक बात थी कि इस हेल्पलाइन के माध्यम से पिथौरागढ़ के कई चर्चित एवं अच्छे परिवारों के लोग, जो मेरे संपर्क में आए थे, वह हेपिटाइटिस बी या सी से ग्रसित थे,

लेकिन उन्हें इस बात की जानकारी नहीं थी तथा इस हेल्पलाइन के माध्यम से ही हो पाई थी और वे लोग मेरे द्वारा संदर्भित करने पर दिल्ली में अपना इलाज करवा सकने में समर्थ हो सके। काफी समय तक इस हेल्पलाइन के माध्यम से लोग संपर्क में रहे, लेकिन धीरे-धीरे लोगों का आना कम हो गया था। काफी वर्षों बाद मेरे मित्र श्री ललित पंत एवं डॉ. सिद्धार्थ पाटनी, जो जन सेवा के कार्यों में लगे रहते हैं, उन्होंने सलाह दी कि 'विमर्श' हेल्पलाइन का प्रयोग टेली मेडिसन परामर्श हेतु किया जाए और इसके माध्यम से लोगों को सेवा दी जाए, जो एक अच्छा विचार रहा। इस विचार का क्रियान्वयन 'सीमांत सेवा फाउंडेशन' द्वारा संचालित सीमांत क्लीनिक, पिथौरागढ़ में किया जा रहा है, जहाँ टेली मेडिसन के माध्यम से लोग लाभान्वित हो रहे हैं।

मेरे ट्रांसप्लांट पूर्ण होने के 10 वर्ष हो चुके थे तथा उसी वर्ष 1 जुलाई, 2019 को मैक्स अस्पताल, साकेत, नई दिल्ली द्वारा 'डॉक्टर्स डे' के अवसर पर 'लिवर ट्रांसप्लांट : 10 बाई 10' नामक शीर्षक से एक वृहद् सेमिनार कराया गया, जिसमें कई डॉक्टरों सहित लिवर ट्रांसप्लांट किए व्यक्ति एवं प्रतीक्षारत व्यक्ति, डोनर सहित मीडिया उपस्थित था। प्रख्यात फिल्म अभिनेत्री सुश्री चित्रांगदा सिंह कार्यक्रम की मुख्य अतिथि थीं। इस सेमिनार में विश्व स्तर से पाँच सफल ट्रांसप्लांट व्यक्तियों में मुझे बुलाना मेरे लिए अत्यंत गौरव का विषय था। सेमिनार में मैं अपने अनुभव को अल्प समय में व्यक्त करने का अवसर पाकर भीतर से गद्‌गद था, जिसका उल्लेख मैं पूर्व में ही कर चुका हूँ। मुझे 'लिवर चैंपियन अवार्ड' तथा 'ब्रांड एंबेसडर' कहकर संबोधित करना उस सेमिनार का महत्त्वपूर्ण हिस्सा था। मुझसे कहा गया था कि 'जब 10 वर्ष बाद पुनः 'लिवर ट्रांसप्लांट : 20 बाई 20' नामक सेमिनार होगा, तब भी मैं आकर व्याख्यान दूँगा,' ऐसी शुभकामनाएँ दी थीं आयोजकों ने। मैंने ईश्वर का स्मरण कर प्रार्थना की कि वह मुझे ऐसा सौभाग्य दें तथा इस घटना को एक चुनौती के रूप में स्वीकार किया था। मुझे अपनी जीवन-शैली पर विश्वास है तथा ईश्वर पर मेरा अटूट विश्वास मुझे शक्ति देता है।

□

पोस्ट लिवर ट्रांसप्लांट : मेरी जीवनचर्या

लिवर ट्रांसप्लांट के उपरांत का जीवन यद्यपि मुझे अत्यंत उत्साहवर्धक, स्फूर्ति व सकारात्मक एवं नई सोच की अनुभूति का रहा। इसका दूसरा पक्ष यह भी है कि पोस्ट ट्रांसप्लांट जीवन-शैली में जरा सी भी लापरवाही पूरी मेहनत पर पानी फेर सकती है, अत: आवश्यक है कि ईश्वर पर समर्पण के साथ-साथ 'पोस्ट ट्रांसप्लांट : क्या करें-क्या न करें' पर गंभीर एवं ईमानदार होना आवश्यक है। एक भी लापरवाही व्यक्ति को भारी पड़ सकती है। लिवर ट्रांसप्लांट हो जाने के बाद जीवन जीने की जिजीविषा एक महत्त्वपूर्ण कारक है। मन में उत्साह ही जीवन को और सुखद एवं सहज बनाने में लाभकारी होता है। यह बात ध्यान में रखने योग्य है कि कोई भी लापरवाही, उदासीनता अथवा त्रुटि पुन: लिवर फेलियोर की स्थिति ला सकती है। ट्रांसप्लांट के उपरांत लिवर रिजेक्शन एक महत्त्वपूर्ण कारक होता है, जो किसी भी लापरवाही अथवा दवाइयों की त्रुटि के कारण हो सकता है। कई व्यक्तियों में वाहरी संक्रमण के कारण पुन: लिवर खराब हो सकता है तथा मानसिक तौर पर भी व्यक्ति की स्थिति बिगड़ सकती है। हॉस्पिटल से डिस्चार्ज के समय मुझे जो हिदायतें डॉक्टर द्वारा दी गई थीं तथा मेरी डिस्चार्ज फाइल में लिखी थीं, मैंने उनका अक्षरश: पालन किया और यही कारण रहा कि मैं जीवन का आनंद ले सकने में समर्थ हो सका। लिवर ट्रांसप्लांट के प्रथम तीन माह अत्यंत कष्ट के, सावधानी भरे एवं अति संवेदनशील होते हैं। हॉस्पिटल द्वारा दी गई दवाएँ, निरंतर ब्लड टेस्ट तथा डॉक्टर से निरंतर परामर्श महत्त्वपूर्ण हैं। किसी

भी तरह का संक्रमण अत्यंत घातक हो सकता है। मेरा मानना है कि post-transplant अवधि में व्यक्ति को संक्रमण से बचना अति महत्त्वपूर्ण है। चाहे प्रारंभिक दिन हों अथवा फिर मेरी तरह कई वर्षों की बात हो। मेरी आदत में शुमार हो गया है कि मैं कोई भी कार्य करता हूँ तो तत्काल हैंड वॉश से हाथ धो लेता हूँ। इसके लिए यह भी आवश्यक है कि किसी अच्छे स्टेरलाइजर जैसे सटेरिलीन आदि का स्प्रे किया जाए, क्योंकि हाथ ही मनुष्य को संक्रमित करने का प्रमुख एवं सरलतम माध्यम है। प्रारंभिक दिनों में आदत बनानी होती है, जो फिर एक स्थाई रूटीन बन जाता है। मुझे डॉक्टरों ने मिट्टी या डस्ट में हाथ लगाने से भी मना किया था तथा दस्ताने पहनने को कहा था। फूलों एवं बागवानी का शौक होने के बावजूद मैं मिट्टी या डस्ट में हाथ नहीं लगाता हूँ। कई बार विद्यालय में ऐसे मौके आए, जब मुझे श्यामपट का प्रयोग करना था, मैंने चॉक का प्रयोग न कर सॉफ्ट बोर्ड एवं मार्कर पेन का ही प्रयोग किया। मिट्टी या डस्ट संक्रमण का प्रमुख कारण हो सकती है, अत: मैं इस ओर सदैव सतर्क था। शुरू के तीन–चार वर्षों तक तो मैं रुपयों को पकड़ने एवं गिनने से भी परहेज करता था, क्योंकि करेंसी नोट इंफेक्शन के लिहाज से काफी नुकसानदेह हैं। लोगों से हाथ मिलाना मैंने लगभग 5–6 वर्ष बाद धीरे–धीरे शुरू किया तथा समय मिलते ही मैं हाथ धो लेता था। स्टेरीलीन प्राय: मेरे पास ही रहता था, ताकि किसी भी तरह के इंफेक्शन से बचा जा सके। मेरा मानना है कि post-transplant के दौरान यह आदत अत्यंत महत्त्वपूर्ण है। धूल आदि से बचाव करना इस दौर में अत्यधिक आवश्यक है, ताकि हवा में अथवा धूल में पनपे कीटाणुओं से बचा जा सके। प्रारंभिक 6 माह तक मैं लगातार मास्क ही पहना करता था। लोगों को यह अटपटा लगता था, किंतु अपनी हिफाजत करना मेरी शीर्ष प्राथमिकता थी। उन दिनों कुछ ही समय पूर्व स्वाइन फ्लू का प्रकोप हुआ था। मैं जब ठीक होकर स्थानीय महाविद्यालय में सी.टी.ई. में ज्वाइन करने गया था, एक प्रोफेसर साहब ने बड़े उपहास भरे स्वर में कहा था कि यहाँ भी स्वाइन फ्लू ले आए हैं क्या? उनकी प्रतिक्रिया मुझे अच्छी नहीं लगी थी। उन दिनों लोग मास्क पहनना अटपटा मानते थे। ऐसा मानना था कि मास्क तो केवल डॉक्टर पहनते हैं। खैर, धीरे–धीरे 6 माह

बाद मैंने मास्क छोड़ दिया था; किंतु इमरजेंसी के लिए जेब में रखे रहता था, ताकि यह आवश्यकतानुसार पहना जा सके। इसी तरह की स्थिति पानी के प्रयोग की भी थी। हमेशा उबला एवं गरम पानी पीना अब मेरी आदत बन गई है। मैं चाहे कोई भी मौसम हो, गरम पानी ही पीता हूँ तथा यह मेरी आदत का हिस्सा बन गया है। पानी पीने के लिए मैं हमेशा सावधान रहने लग गया था। वही मेरी आदत बन गई, यहाँ तक कि मैं पिछले 15 वर्षों से गिलास में पानी नहीं पीता हूँ, ताकि बरतन के माध्यम से संभावित इंफेक्शन के कोई चांस न रहें। मीटिंग आदि में भी मैं अपनी बोतल से सीधे पानी पीता हूँ, यद्यपि समाज में यह अच्छा नहीं लगता है। मैं लोगों को सफाई दे देता हूँ, क्योंकि मैं किसी भी तरह का चांस नहीं लेता। इस प्रकार मिट्टी, हवा, पानी, जो इंफेक्शन के माध्यम हैं, उनसे मैं हमेशा सावधानी रखता हूँ।

पोस्ट ट्रांसप्लांट मरीज के लिए घर की व्यवस्थाएँ, जैसे स्वच्छता, वेंटिलेशन आदि अति महत्त्वपूर्ण हैं। जिस प्रकार भीड़-भाड़ में जाने में मैं हमेशा अपने को दूर रखता था, उसी प्रकार एक अच्छा वेंटीलेशन मेरे कमरे की आवश्यकता थी। मैंने अपने घर व कार्यालय में यह व्यवस्था सुनिश्चित की थी। घर-परिवार में अपना अलग तौलिया, नैपकिन आदि का प्रयोग आवश्यक है। मेरा मानना है कि ऐसे व्यक्ति की व्यक्तिगत स्वच्छता व परिवेश की स्वच्छता दोनों अत्यावश्यक हैं, जिनका मैं हमेशा ध्यान रखता हूँ। स्वच्छता के साथ-साथ दूसरा महत्त्वपूर्ण पहलू है, दवाइयों का समय पर लेना। मुझे डिस्चार्ज के समय दवाइयों के बारे में लिखकर दिया गया था। प्रारंभिक चरण में तो कई दवाइयाँ तथा उनकी अधिक डोज डॉक्टर द्वारा निर्धारित थीं, जैसे सेप्ट्रान, इकोस्प्रिन, सिस्कान, पेंटासिड, मैग्निकल फोर्ट, जैविट, वाइसोलोन आदि। इनके अतिरिक्त वह दवा भी थी, जिन्हें मैंने जीवन भर लेना था, वह थी इम्यूनोसपरेसेंट 'पैनग्राफ 2.5 मिलीग्राम' तथा 'सेलसेप्ट 500 मिलीग्राम'। इसके अतिरिक्त, अल्ट्रासेट और आगमेंटिन भी दी गई थी। ऑपरेशन के दौरान वॉइसोलोन एक महत्त्वपूर्ण स्टेरॉयड था, जो रिकवरी के उद्‌देश्य से दिया गया था। प्रारंभ में इसकी ज्यादा डोज 15 मिलीग्राम प्रतिदिन थी, जिसे 1 माह बाद 10 मिलीग्राम कर दिया गया था। मेडिकल

प्रोटोकॉल के अनुसार, इसे एकदम नहीं हटाया जा सकता है, अतः इसका टेपरिंग विड्रोल किया जाता है। अगले माह से 5 ग्राम तक घटा दिया गया था तथा लगभग 3 माह पूरे होने तक धीरे-धीरे इसे पूर्णतः बंद कर दिया गया। सबसे महत्त्वपूर्ण दवा थी 'पैनग्राफ', जो मुझे प्रारंभ में 2.5 मिलीग्राम दो बार लेनी होती थी। यही वह दवा है, जो लिवर ट्रांसप्लांट मरीज की जीवनसंगिनी बन जाती है, जिसे पूरे जीवन भर एक निर्धारित समय पर लेना ही अनिवार्यता है। यह एक इम्यूनोसपरेसेंट होती है, जो ट्रांसप्लांटेड पार्ट को रिजेक्शन से बचाती है, क्योंकि हमारा इम्यून सिस्टम बाहरी प्रत्यारोपित लिवर को रिजेक्ट करने का निरंतर प्रयास करता है, अतः यह दवा इम्यून सिस्टम को घटाकर रिजेक्शन से बचाव करती है। इस प्रकार post-transplant अवस्था में व्यक्ति का शरीर अन्य की तुलना में एकदम उलटा हो जाता है, अर्थात् एक स्वस्थ व्यक्ति का शरीर इम्यून सिस्टम के कारण ही रोगों से लड़ता है तथा दवाओं का असर दिखा पाता है। हर व्यक्ति का प्रयास रहता है कि इम्यून सिस्टम को मजबूत किया जाए, किंतु ट्रांसप्लांटेड व्यक्ति के इम्यून सिस्टम को दबाया जाता है, ताकि ट्रांसप्लांट बाहरी ग्राफ्ट को वह रिजेक्ट न करे। यह दवा, जिसका वास्तविक नाम 'टैक्रोलीमस' है, मेरे लिए अब पूरे जीवन भर की संगिनी बन गई है। मेरे लिए पैनग्राफ लेने का समय प्रातः और रात्रि 10:00 बजे निर्धारित किया गया था, तब से यह समय मेरे जीवन का हिस्सा बन गया है तथा ठीक 10:00 बजे दवा लेना प्रत्येक दिन का एक अत्यावश्यक पल बन गया है। साथ में 'सेलसेप्ट' लेनी पड़ती है, जो पैनग्राफ के साइड इफेक्ट से किडनी की रक्षा में मददगार है। कई मरीजों को कई वर्षों बाद यह बंद भी कर दी जाती है, मेरी अभी तक यों ही बरकरार है तथा प्रत्येक दिन 2 बार मुझे इसे लेना ही होता है। पैनग्राफ, जो प्रारंभ में प्रत्येक दिन 2 बार 2.5 मिलीग्राम लेनी होती थी, धीरे-धीरे घटती गई। परीक्षणों के दौरान टैक्रोलीमस लेवल के आधार पर इसकी डोज का निर्धारण डॉक्टर द्वारा किया जाता है। ऑपरेशन के प्रथम वर्ष मुझे लगातार दो बार पैनग्राफ 2.5 मिलीग्राम ही लेनी पड़ती थी, बाद में धीरे-धीरे इसकी डोज 2.0 मि. ग्राम, फिर 1.50, फिर 1.0 दिन में दो बार हो गई थी। मुझमें इसका निर्धारण टैक

लेबल से क्रमश: घटने के आधार पर हो रहा था। मेरी रिकवरी एवं पैनग्राफ की भूमिका ईश्वर की कृपा से अत्यंत सहजतापूर्वक हो गई थी, जिसका ही परिणाम है, विगत वर्षों से अब मेरी खुराक न्यूनतम स्तर पर 0.25 मिलीग्राम दिन में केवल एक बार हो गई है, जो कि उत्कृष्ट रिकवरी एवं एक सफल ट्रांसप्लांट का परिचायक है। मेरे फिजिशियन डॉक्टर मानव वधावन प्राय: कहते हैं कि आपकी स्थिति इतनी अच्छी है कि चाहे तो इसे बंद भी कर सकते हैं, किंतु मेडिकल प्रोटोकॉल के तहत ऐसा नहीं किया जा सकता है। अब मेरा टेक लेबल 1.0 है, जो डॉक्टरों की दृष्टि में अब किसी महत्त्व का नहीं है। मेरे ट्रांसप्लांट से डिस्चार्ज के 2 माह बाद मेरी स्थिति के अनुसार मुझे पैनग्राफ, सेलसेप्ट के अतिरिक्त ब्लड प्रेशर नियमन हेतु मीटीओलार 50, एमलोगार्ड 5 mg, टेल्मा 40 दिया जाता रहा। इन दवाओं को मैं अब तक लगातार लेता रहा हूँ। मेरे साथ आश्चर्य की बात रही कि ऑप्रेशन के बाद मेरा ब्लड शुगर बहुत ज्यादा रहता था तथा नाश्ता, लंच या डिनर से पहले मुझे 'मिक्सटारड' या 'नोवारैपिड' इंसुलिन लगातार लेनी होती थी, किंतु आश्चर्य था कि धीरे-धीरे मेरी इंसुलिन छूट गई। ऐसा मानना है कि इंसुलिन निर्भर मरीज की इंसुलिन छूटती नहीं, पर मैंने स्वयं में इस तथ्य को झुठलाता देखा था। हाँ, डॉक्टर ने यह अवश्य कहा था कि एहतियात के तौर पर दिन में एक बार भोजन से पूर्व मेटफार्मिन की गोली खा लिया करें, जिसका मैंने अनुसरण किया तथा पिछले कई वर्षों से मेरा 3 महीनों के शुगर का औसत, जो HbA1c नाम से जाना जाता है, हमेशा 5.5 रहता है, जो कहीं भी डायबिटीज की संभावना से इनकार करता है। हाँ, मैंने इतना अवश्य किया कि मैंने पिछले 15 वर्षों में मीठा, चावल, आलू एवं घी पूर्णत: त्याग दिया है तथा यही मेरी भोजन शैली बन गई है तथा मुझे ऐसे भोजन में ही स्वाद आता है। घर में बना हर भोजन मैं खाता हूँ, उपरोक्त परहेज के साथ। घर के अलावा मैं बाहर कहीं भी कुछ भी नहीं खाता हूँ।

मेरे सभी प्रकार के टेस्ट होते रहते हैं तथा प्रत्येक तीन माह में एक बार सारे परीक्षण करवा लेता हूँ, जिन्हें मैं विगत 15 वर्षों से एक निर्धारित प्रारूप पर अंकित कर निरंतर अपने सर्जन डॉ. सुभाष गुप्ता एवं फिजीशियन

डॉ. मानव वधावन को भेजकर नियमित परामर्श लेता हूँ। प्रारंभिक वर्षों में मैं प्रत्येक तीन माह बाद स्वयं डॉक्टर से मिलता था, किंतु अब 6 माह बाद मिलता हूँ। मेरी रिपोर्ट को देखकर डॉक्टर हमेशा 'एक्सीलेंट' कहते हैं तथा एक स्मूथ रिकवरी एवं सभी पैरामीटर्स का नियमित रहना मेरे लिए तो सुखद है ही, डॉक्टर को भी प्रसन्नता देता है कि उनका मरीज 15 वर्ष बाद भी नॉर्मल पैरामीटर्स के साथ एक अच्छा जीवन जी रहा है। मुझे एक चार्ट का प्रारूप अस्पताल से ही दिया गया था, जिसमें डिस्चार्ज से लेकर अब तक प्रत्येक तीन माह में होने वाले रुधिर टेस्ट की रिपोर्ट अंकित होती है। इनमें सी. बी.सी., टी.एल.सी, प्लेटलेट, कैलशियम, मैग्निशियम, आई.एन.आर., पी.टी. टी., बिलीरूबिन, एस.जी.ओ.टी., एस.जी.पी.टी., जी.जी.टी.पी. अल्कलाइन फॉस्फेट, सोडियम, पोटेशियम, यूरिया, क्रिएटिनिन एवं टैक्रोलिमस लेबल प्रमुख हैं, जो रक्त प्रणाली, यकृत के कार्य, किडनी के कार्यों को एक नजर में प्रस्तुत करते हैं, ताकि शरीर की स्थिति का अंदाजा लगाया जा सके। मेरे सारे पैरामीटर्स नॉर्मल रहते हैं। हाँ, थोड़ा क्रिएटिनिन कुछ बढ़ा हुआ, यानी 1.5 तक पहुँचा रहता है, जिसे मात्र एक होना चाहिए, लेकिन अब शरीर के पैरामीटर्स इसी स्तर पर स्थिर हो गए हैं तथा मैं हमेशा स्वयं को पूर्णतः स्वस्थ महसूस करता हूँ। ऑपरेशन से अब तक मैं लगातार डॉ. सुभाष गुप्ता, जो कि अब मैक्स हॉस्पिटल, साकेत दिल्ली में सेंटर फॉर लिवर एंड बिलियरी साइंसेज के चेयरमैन हैं तथा डॉ. मानव वधावन बी.एल.के. मैक्स में ग्रैस्टोलॉजी विभाग के सीनियर डायरेक्टर हैं, से लगातार परामर्श में रहता हूँ तथा प्रतिवर्ष जून व दिसंबर में पूरी रिपोर्ट एवं फ्लोचार्ट के साथ उनसे मिलता हूँ। प्रत्येक तीन महीने में इ-मेल से रिपोर्ट भेजकर परामर्श लेता हूँ। दोनों ही डॉक्टर अब पूर्ण तरीके से मेरे मैंटर हैं तथा मैं उन्हीं की राय पर चलता हूँ। यदा-कदा फोन से भी बातचीत होती रहती है।

मेरे साथ एक विशेष बात यह रही थी कि ऑपरेशन के बाद मेरा हीमोग्लोबिन स्तर बढ़ना शुरू हुआ, यद्यपि पुरुषों में इसे सामान्यतः 12.5 होना चाहिए, किंतु यह धीरे-धीरे बढ़ते हुए 19.9 ग्राम तक पहुँच गया था। इतना अधिक हीमोग्लोबिन, यद्यपि मुझे कोई परेशानी नहीं थी, किंतु पैरामीटर्स के

स्तर के आधार पर असामान्य था। यह स्थिति लगभग 2 वर्ष तक बनी रही। डॉक्टर्स को भी यह समझ में नहीं आ रहा था हीमोग्लोबिन में इतनी असामान्य वृद्धि क्यों हो रही है ? कई बार मेरा खून निकालना भी पढ़ा था। कई परीक्षण भी हुए थे, किंतु वास्तविक कारण का पता नहीं चल पाया था। लगभग 2 वर्ष उपरांत स्वत: ही धीरे-धीरे यह नीचे आने लगा था तथा फिर सामान्यतया की ओर आ गया था, हालाँकि, आज की स्थिति में भी मेरा हीमोग्लोबिन 15 ग्राम रहता है।

मेरे ट्रांसप्लांट के 6 माह बाद परीक्षण करने पर पता चला कि मेरा वायरल लोड अधिक होने लगा है, अत: मुझे तुरंत पेगासस व रीवावरीन दिया जाने लगा। हर हफ्ते में एक बार पेगासिस लगता था, जिसके साइड इफेक्ट से शरीर शिथिल होकर काँपता था तथा तेज बुखार रहता था। मैं क्योंकि प्रधानाचार्य पद पर कार्यरत था, विद्यालय को एक नई दिशा देना मैंने अपना लक्ष्य बना दिया था तथा मैं पूरी निष्ठा से उसमें लगा था। दिन भर कई लोगों से मिलना होता था, विद्यालय में बच्चों व अध्यापकों से रू-बरू होना, विद्यालय संचालन में लगातार परिस्थितियों के आधार पर प्रबंधन देखना, यह मेरी नियमित चर्या थी, अत: सदैव सक्रिय रहता था। एक ओर मैं इंसुलिन आधारित था तथा दूसरी ओर मैं हर हफ्ते लगने वाले इंजेक्शन से अत्यंत परेशान रहता। कमजोरी के कारण मैं प्राय: चिड़चिड़ा हो जाता था। मैंने अपने एक वरिष्ठ साथी को चुपचाप से यह बात बताई थी कि मैं इंजेक्शन के साइड इफेक्ट से किस तरह परेशान रहता हूँ तथा विद्यालय संचालन के दौरान यदि मैं कभी ज्यादा चिड़चिड़ा हो जाऊँ तो वह तुरंत स्थिति सँभाल लेवें। मैंने ऐसी स्थिति में ही विद्यालय का प्रभावी संचालन किया तथा 3 वर्ष तक मेरी इस स्थिति को घरवालों के अलावा बाहर मैंने गोपनीय ही रखा कि ट्रांसप्लांट के बाद भी मैं कितना और किस तरह का संघर्ष कर रहा हूँ तथा कितना धन खर्च हो रहा है! इंजेक्शन लगभग 15 हजार रुपए कीमत का था, महीने में चार लगते थे। अत: अनुमान लगाया जा सकता है कि कितना महँगा व कष्टकारी जीवन जी रहा था मैं! सरकारी व्यवस्था थी कि बिल प्रस्तुत करने पर विभाग मेडिकल क्लेम देता था, किंतु उसके लिए स्थानीय चिकित्सक का लिखा परामर्श एवं चिकित्सा

अधीक्षक से प्रतिहस्ताक्षरित करवाना अनिवार्य था। शुरू में कुछ माह के बिलों का भुगतान हो पाया था, किंतु चिकित्सालय में आए नए फिजिशियन ने बाद में परामर्श लिखने से यह कहकर मना कर दिया कि मुझे अस्पताल ही आना पड़ेगा; क्योंकि मुझे हिदायत थी कि मैं कदापि अस्पताल न जाऊँ, क्योंकि वह सबसे ज्यादा संक्रमण की जगह होती है, जहाँ कई तरह के मरीज व उस पर सरकारी अस्पताल की गंदगी, यह सब मेरे लिए मना था, उन्हें यह बात कहला भेजी थी; किंतु आश्चर्य था कि वह अपनी जिद पर अड़े रहे। ऐसा बेवकूफ फिजीशियन, जिसे ट्रांसप्लांट के बाद की सावधानियाँ की जानकारी भी नहीं थी और उसकी बेवकूफी के चलते मेरे बिल पारित नहीं हो सके। यद्यपि वह फिजीशियन लोगों के लिए महत्त्वपूर्ण था, किंतु मेरी दृष्टि में एक बेवकूफ एवं संवेदनहीन व्यक्ति साबित हुआ था। ईश्वर मेरे साथ था और धीरे-धीरे इंजेक्शन बंद हो गए तथा टेस्ट करने पर पता चला कि वायरल लोड शून्य हो गया है। यह स्थिति डॉक्टर्स के लिए संतोष का विषय थी। डॉ. गुप्ता ने बताया था कि ऐसे विरले लोग ही होते हैं, जिनके शरीर में यह वाइरल लोड समाप्त हो जाए। यही मेरे उपचार की सफलता एवं जानलेवा बीमारी से मुक्ति पाने की सफलता की कहानी हे। मैंने ईश्वर को लाख-लाख धन्यवाद दिया। आज की तिथि तक भी मैं एक पूर्णतः स्वस्थ व्यक्ति के रूप में जीवन जी रहा हूँ। यदि कोई मुझे बीमार कहता है तो मुझे कुछ अटपटा सा महसूस होता हैं।

ऑपरेशन से पूर्व जब मैं पूर्णतः स्वस्थ था, तब मेरा वजन लगभग 72-73 किलोग्राम रहता था, किंतु अस्वस्थता के दौरान मेरा वजन 52 किलोग्राम हो गया था। शरीर काला पड़ गया था, आँखें पीली दिखती थीं। तब के फोटोग्राफ देखने पर मुझे अपनी शक्ल आज भी भयानक लगती है। ऑपरेशन के बाद स्वस्थ होने पर धीरे-धीरे मेरा वजन बढ़ने लगा था। क्रमशः बढ़ते-बढ़ते पुराने वजन, यानी 73 किलोग्राम पर आ गया है। विगत 3 वर्षों से मेरा वजन हमेशा 73 किलोग्राम पर स्थिर रहता है। लिवर ट्रांसप्लांट के उपरांत वजन में कमी या अतिवृद्धि को गलत माना जाता है, किंतु ईश्वर की कृपा से मेरे सारे वाइटल्स व वजन एकदम सामान्य हैं, जिसके लिए मैं नियमित दवा सेवन, परहेज एवं नियमित कार्यशैली का परिणाम व ईश्वर की कृपा मानता हूँ।

मेरा अपना अनुभव एवं मानना है कि पोस्ट ट्रांसप्लांट स्थिति में व्यक्ति की एक नियमित जीवन चर्या अत्यावश्यक है। मैं अपनी एक दिनचर्या निर्धारित कर उसका अनुसरण करता आया हूँ, जिसमें मेरे जागने का समय, कार्यालय का समय, नाश्ता, भोजन, रात्रि के भोजन का समय तथा भोजन में भी निहित प्रतिबंधों के साथ रात में सोने का समय, सबकुछ निश्चित है, जिसमें कभी-कभार यात्रा आदि के अपवाद को छोड़कर मैं पूर्णतः अनुशासित रहता हूँ। पिछले लंबे समय से यही दिनचर्या अब शारीरिक, मानसिक, पारिवारिक एवं सामाजिक तौर पर स्वीकार्य हो गई है तथा भीतर से एक आनंद प्रदान करती है। निरंतर अभ्यास में आई यह दिनचर्या अब मेरी जैविक घड़ी के रूप में काम करती है। उदाहरणार्थ जब ठीक 10 बज रहा होता है, मैं कितना ही व्यस्त क्यों न होऊँ, मुझे पैनग्राफ लेने की खुद ही स्मृति हो आती है, शरीर दवा माँगने लगता प्रतीत होता है। यह एक प्रकार के सकारात्मक ड्रग एडिक्शन की सी स्थिति है। भोजन के निर्धारित समय पर, बिना घड़ी देखे मेरा शरीर बोलने लगता है कि नाश्ते अथवा भोजन का समय हो गया है। यही स्थिति नेचुरल कॉल्स की भी रहती है। इस दौर में नींद पर स्व-नियंत्रण की स्थिति अनुभूत हुई। यद्यपि मेरे सोने का समय रात्रि 10 बजे निर्धारित हैं, तथापि मैं जब चाहूँ तो गहरी नींद लेकर सही वांछित समय पर सोने की स्थिति में रहता हूँ। मुझे नींद अच्छी आती है, जो अच्छे स्वास्थ्य का लक्षण है। यदि हमारी जैविक घड़ी ठीक काम कर रही है तो यह इस बात का सूचक है कि हमारे शरीर के सभी तंत्र ठीक से काम कर रहे हैं। अतः अन्य परीक्षण नहीं भी किए जाएँ, परंतु अपनी जैविक घड़ी पर नजर रखी जाए तो शरीर की स्थिति का पता चलता है। मेरा यह भी अनुभव रहा कि मनुष्य का शरीर स्वयं उसे हर तरह की चेतावनी का अहसास कराता है, परंतु हम उसे अनदेखा कर देते हैं। अपने शरीर क्रिया विज्ञान का हम स्वयं अध्ययन कर तदनुसार अपने खान-पान एवं जीवन-शैली को नियमित कर सकते हैं।

पोस्ट ट्रांसप्लांट के बाद व्यक्ति में एक बच्चे की सी प्रवृत्ति, एक युवा की सी प्रवृत्ति विकसित होती है, ऐसा मैंने अनुभव किया था। हर कार्य को स्वयं करना, तत्काल कर लेना, यह एक प्रवृत्ति सी बन जाती है। ऑपरेशन के

तीन-चार दिन बाद ही जिस तरह की भूख मुझे लगी थी तथा कमोबेश वही प्रवृत्ति बाद तक बनी रही, यह एक स्वस्थ जीवन की पहचान है। मेरे शरीर में तो 18 वर्षीय युवा का लिवर ग्राफ्ट किया गया था। मैंने महसूस किया कि उसी उम्र के आधार पर मुझे भूख की प्रवृत्ति एवं शरीर में कार्य करने की ऊर्जा का संचरण होता था। आज भी उम्र के 66वें पड़ाव पर ऑपरेशन के 15 वर्ष बाद भी मैं कार्य करते समय एक युवा की तरह कार्य करने को तत्पर रहता हूँ, यद्यपि कभी-कभी ऐसा अनुभव होता है कि प्रवृत्ति के अनुसार दिमाग बड़ी तेजी से काम करने का चलाता है, किंतु शरीर उम्र के आधार पर उतना तेजी से नहीं चल पाता। दिमाग एवं शरीर के संतुलन में ऐसा साम्य विभेद कभी-कभी विचलित सा कर देता है। डॉ. सुभाष गुप्ता ने बताया था कि लिवर ट्रांसप्लांट के बाद यही स्थिति होती है कि व्यक्ति ऊर्जा से परिपूर्ण रहता है, क्योंकि उसके शरीर में नया लिवर विकसित होकर पूर्ण हो रहा होता है तथा पूरे तंत्र पूरी ऊर्जा के साथ कार्य करते हैं। ऐसा व्यक्ति मन से कई काम करना चाहता है तथा कई कार्यों में स्वयं को जोड़ने लगता है। उसके भीतर ऊर्जा एवं उत्साह का सम्मिश्रण उसे ऐसा करवाता है। ऐसे में व्यक्ति को बहुत सावधान रहने की आवश्यकता होती है। डॉ. गुप्ता ने यह भी कहा था कि जब व्यक्ति स्वस्थ हो जाता है तथा ऊर्जा से भरपूर होता है, उत्साही जीवन जीने के दौरान पैनग्राफ दवा, जो एक निर्धारित समय पर लेनी होती है, लोग प्राय: लापरवाही कर देते हैं तथा यही लापरवाही उनमें रिजेक्शन का कारण रहती है। मैंने डॉ. गुप्ता की यह बात मानो गाँठ बाँधकर रखी है, क्योंकि मैं सरकारी दायित्व के साथ-साथ कई सामाजिक एवं वैज्ञानिक कार्यक्रमों से सक्रियता से जुड़ा रहा, अत: मेरे लिए विशेष सावधानी रखने की आवश्यकता थी। यही कारण रहा कि मैंने सारी व्यस्तताओं के बावजूद, कभी भी दवा लेने में कोई कोताही नहीं की। ठीक 10 बजे का समय मेरे लिए महत्त्वपूर्ण था। मैं सचेत रहता था, मेरी जैविक घड़ी भी मेरी व्यस्तता के बावजूद मुझे अहसास दे देती है कि दवा का समय हो गया है। मेरी पत्नी ने तो 10 बजे मुझे फोन कर सूचना देना मानो एक नियम ही बना लिया है। मेरे पुत्र व परिवारवाले सभी लोग इस समय-बाध्यता से परिचित हैं तथा सचेत रहते हैं। यहाँ तक कि मेरा स्टॉफ भी इस समय के

लिए सचेत रहता था तथा प्राय: बता देता था। इस प्रकार कार्य करने की ऊर्जा से भरा तथा भीतर से उत्साह व शक्ति से भरा मैं पिछले 15 वर्षों में हर दायित्व का निर्वहन पूरी जिम्मेदारी से कर रहा हूँ। मुझे राष्ट्रीय बाल विज्ञान कांग्रेस का राज्य समन्वयक होने के नाते गतिविधि को संचालित करने तथा राष्ट्रीय स्तर पर प्रतिभाग हेतु बाहर जाना पड़ता था। सात-आठ दिनों के बाहरी प्रवास के दौरान भी मेरे भोजन व खान-पान संबंधी प्रतिबंधों का मैं अक्षरश: पालन करता था, यही कारण रहा है कि मेरा स्वास्थ्य कभी खराब नहीं हुआ। प्रदूषण का प्रभाव स्वास्थ्य पर पड़ना स्वाभाविक है। वर्ष 2012 में दीपावली के मौके पर आतिशबाजी का धुआँ कमरे में आ जाने से मुझे काफी परेशानी का सामना करना पड़ा था। तब से हर वर्ष दीपावली की शाम मैं स्वयं को घर के भीतर ही कमरे में बंद रखता हूँ।

एक बार की घटना याद आती है कि मैं उत्तरकाशी राष्ट्रीय बाल विज्ञान कांग्रेस के राज्य आयोजन में गया था। लौटते समय हल्द्वानी रुका था। प्रात: 6 बजे जब मैं पिथौरागढ़ जाने की तैयारी कर रहा था तथा रास्ते में खाने हेतु दवाएँ निकाल रहा था, मेरे पैरों तले जमीन खिसक गई। मैंने देखा कि पैनग्राफ की दवा का पूरा पत्ता गायब है! पता नहीं कैसे सामान पैक करते समय वह वहीं गिर गया था। यह मेरे लिए अत्यंत चिंता का विषय था। पिछले 15 वर्षों में यही एकमात्र घटना है, जब दवा में कोई गलती हुई हो! मैंने धैर्य से काम लिया तथा शीघ्र ही हल्द्वानी से अपने वाहन से अच्छी स्पीड से पिथौरागढ़ रवाना होने का निर्णय लिया। मैंने अपनी पत्नी को फोन कर वहाँ से 7 बजे प्रात: चलने वाली टैक्सी में दवा भेजने को कहा था। मैं इधर से जा रहा था, टैक्सी दवा लेकर उधर से आ रही थी, ठीक 10:30 बजे हम दोनों मिल गए थे तथा मैंने दवा ले ली। यही अब तक आधे घंटे का विलंब की एकमात्र घटना है, जिसने मुझे और अधिक सचेत कर दिया। मैंने आदत बना ली है कि मैं पैनग्राफ स्टॉक में रखता हूँ। यही कारण है कि कोरोना महामारी काल में लॉकडाउन के दौरान जब कूरियर सेवा पूर्णत: बंद थी, मेरी दवा में कोई व्यवधान नहीं आया। इतने वर्षों से माया इंटरप्राइजेज, नई दिल्ली के श्री धीरज कुमार केवल फोन करने मात्र से ही दवा भेज देते हैं, कभी विलंब नहीं होता

है। इसके लिए मैं सदैव उनके प्रति कृतज्ञ रहता हूँ। वैसे मेरी पूरी दवाओं को मँगाने, स्टॉक आदि का प्रबंधन मेरी पत्नी ही करती है, जो एक जीवनसाथी के रूप में उनका बड़ा योगदान है। वैसे भी मेरे खान-पान, परहेज व्यवस्था आदि का प्रबंधन व नियमन उसने अपना जीवन-लक्ष्य ही बना लिया है। यही कारण है कि कार्यों की व्यवस्थाओं के बावजूद मेरे post-transplant जीवन में कभी कोई त्रुटि नहीं होती, जिसका संपूर्ण श्रेय मेरी पत्नी को ही जाता है।

अपने कार्यों की व्यस्तताओं के साथ-साथ सामाजिक सरोकारों से जुड़ा होने के कारण कभी-कभी मैं बहुत व्यस्त लोगों से घिरा तथा सामाजिक कार्यों में उलझा रहता हूँ, किंतु ईश्वर ने ऐसी शक्ति दी है कि मैं स्वयं को 32 दाँतों से घिरी जीभ की तरह काम करते हुए भी सुरक्षित कर लेता हूँ तथा अपने लिए पूरी ईमानदारी से सेफ पैसेज निकाल लेता हूँ, ताकि परहेजों, प्रतिबंधों पर अतिक्रमण न हो सके। मेरी इसी आदत के कारण मैं सारे कार्य करते हुए एक अच्छे जीवन को जीने की स्थिति में रहता हूँ, जिसकी मुझे भीतर से संतुष्टि है। कभी भी भीड़ में से स्वयं को किनारे करना, धूल आदि से स्वयं को बचाना, लगातार साबुन से हाथ धोना, लोगों से एक दूरी बनाए रखना, मानो मेरी आदत में शुमार हो गया है। संपूर्ण विश्व जब कोरोना महामारी से गुजर रहा था तथा मॉस्क, हैंडवाश एवं सोशल डिस्टेंसिंग जैसी हिदायतें थीं, जो मेरी आदत में शुमार सावधानियों के कारण मेरे लिए एक सामान्य बात थी। इस दौर में व्यक्तिगत तौर पर कोरोना को मन से स्वीकार ही नहीं कर पाया तथा मुझे लगता कि वायरस की उपस्थिति तो थी, किंतु जिस तरह की भयावहता एवं दहशत समाज में फैली, वह मुझे अस्वाभाविक लगी। यद्यपि न्यूनतम इम्यूनिटी के कारण मैं इस विषाणु के लिए सर्वाधिक सरल पोषक हो सकता था, किंतु मेरा आत्मबल इतना मजबूत था कि मैं इसे स्वीकार ही नहीं कर पाया।

मैंने महसूस किया कि post-transplant के उपरांत मेरी भूख काफी खुल गई है। मैं प्रातः शायद अपनी उम्र के अनुसार संतोषजनक आहार लेता हूँ, जो कि एक निश्चित समय पर होता है। मेरा आहार व मात्रा सदैव निश्चित रहती है। जैविक घड़ी ठीक समय पर भूख का अहसास करा देती है। अस्पताल में मेरे सामने मेज पर भोजन आते ही मैं पागल सा हो जाता था, लगता था कि

टूट जाऊँ खाने पर! इंसुलिन लगाने की प्रतीक्षा मुझे बहुत भारी महसूस होती थी। धीरे-धीरे ही यह स्थिति सामान्य हुई थी, परंतु इसका अच्छा पक्ष यह है कि मेरी भूख एवं पाचन दोनों सामान्य हैं, जो कि डॉक्टर्स के आधार पर ट्रांसप्लांट की सफलता के सूचक हैं। मुझे बताया गया था कि मैं प्रोटीन युक्त आहार ही ज्यादा लूँ। कार्बोहाइड्रेट व फैट युक्त भोजन मेरे लिए नुकसानप्रद हो सकता है, अत: मैंने चीनी, आलू, चावल, तेल, घी लेना ही बंद कर दिया। हाँ, चाय के साथ-साथ कभी पैक्ड बिस्कुट, ब्रांडेड बिस्कुट ले लेता हूँ। उपरोक्त प्रतिबंधों के साथ मैं घर में बन रहे सभी प्रकार के भोजन को सामान्य तौर पर ले लेता हूँ और मेरे सभी भोजन अवयव पूर्ण हो जाते हैं, ऐसा मेरा अनुभव है। मुझे पहाड़ी व्यंजन बहुत पसंद रहे हैं, अत: मैं प्राय: उन्हे लेता ही हूँ। इस प्रकार मेरा भोजन घर में सदैव सामान्य रहता है। हाँ, इतना अवश्य है कि अपने घर में बने गरम खाने के अतिरिक्त मैं बाहर किसी भी घर में भोजन नहीं करता हूँ। मैंने पिछले इतने वर्षों में मात्र गिने हुए घरों में ही भोजन लिया, वह भी वहाँ, जहाँ मेरी अति आत्मीयता थी तथा स्वच्छता के दृष्टिकोण से मैं संतुष्ट था। वे परिवार, मेरे आत्मीय थे। मैं चाय घर पर पीता हूँ, पर अन्यत्र नहीं लेता हूँ।

मेरा मानना है कि पता नहीं किसी के भी घर के बरतनों में स्वच्छता की कैसी स्थिति है तथा संक्रमण की संभावना का रिस्क क्यों लिया जाए? जीरो रिस्क लेना मेरी आदत बन गई है। यही कारण है कि मैं कहीं भी जाता हूँ तो अपनी स्टील की बंद गरम पानी की बोतल हमेशा साथ रखता हूँ तथा बिना गिलास के आवश्यकतानुसार सीधा गटक लेता हूँ। पानी की स्वच्छता एवं संक्रमण के रिस्क को रोकना जितना आवश्यक है, उतना ही आवश्यक है, पीने के लिए प्रयुक्त होने वाले पानी की मात्रा। प्राय: पानी को लेकर मैंने समाज में देखा कि लोग सुबह-सुबह 2 लीटर पानी पीना अपनी आदत बनाकर खूब खुश रहते हैं। भले ही फिर दिन भर पिएँ या नहीं! वैज्ञानिक मान्यता है कि यद्यपि शरीर में पानी एक अत्यावश्यक एवं अधिकता से रहने वाला अवयव है, तथापि हमें शरीर को डिहाइड्रेशन से बचाने के साथ ओवर हाइड्रेशन से भी बचाना आवश्यक है। जितना नुकसान डिहाइड्रेटेड शरीर से होता है, उतना ही या उससे भी कहीं अधिक नुकसान अधिक पानी पीने से होता है, जिस कारण किडनी को

क्षमता से अधिक कार्य करना पड़ता है तथा बार-बार पेशाब जाने से शरीर के अत्यावश्यक लवण आदि भी शरीर से बाहर हो जाते हैं, जिस कारण कई अन्य परेशानियाँ हो सकती हैं। अपने अनुभव के आधार पर मैं प्रातः नित्य लगभग एक गिलास के बराबर गरम पानी पीने के साथ ही दिन में जब-जब इच्छा होती है तथा थोड़ी-थोड़ी मात्रा में कई बार पानी पीता हूँ। इस प्रकार दिन में लगभग 2 से ढाई लीटर पानी का सेवन हो जाता है। भोजन, चाय, दूध आदि में प्रयुक्त पानी इसके अतिरिक्त है। मैंने पाया कि बार-बार थोड़ा-थोड़ा पानी पीना ज्यादा उपयुक्त है और मैं शरीर में सदैव ताजगी महसूस करता हूँ। नल का पानी प्रयोग करना मैंने नितांत वर्जित कर रखा है। मैं कुएँ का ठंडा पानी, आरओ से गुजारा उबला पानी ही सदैव सेवन करता हूँ, जिसका मुझे लाभ मिला है।

पानी के अतिरिक्त मेरा अनुभव रहा कि मैंने कभी भी कच्चा भोज्य पदार्थ जैसे सब्जी, सलाद, कटा फल आदि प्रयुक्त नहीं किया, क्योंकि कटे कच्चे भोज्य पदार्थ सेवन में सर्वाधिक खतरा है। मेरा मानना है कि चाकू क्रॉस कंटेमनेशन का सर्वाधिक संवेदनशील उपकरण है। हम प्रायः घरों में भी एक ही चाकू से फल काटते हैं तथा संक्रमण फैलता रहता है, जिसका हमें अहसास नहीं होता है। सब्जी चाकू से काटने के उपरांत उसे पकाने पर संक्रमण खत्म हो जाता है, किंतु सलाद या कटे फल में चाकू से सदैव संक्रमण का खतरा रहता है। यही कारण है कि मैं कभी कटा फल नहीं खाता हूँ। हाँ, बंद फल, जैसे संतरा खुद छीलकर प्रायः खा लेता हूँ, अन्य फलों का मैं प्रयोग नहीं करता हूँ। इसी तरह की स्थिति बाजार में मिलने वाली मिठाइयों आदि की भी है, जो मेरे लिए पूर्णत वर्जित हैं। पिछले 15 वर्षों में मैंने कभी भी मिठाई का सेवन नहीं किया। मैंने पाया कि मेरी भोजन व आहार शैली तथा प्रतिबंध मेरी आदत बन गए, जिन्होंने मेरे मस्तिष्क से भोजन के प्रति जी ललचाने जैसी प्रवृत्ति को समाप्त कर दिया। अब मैं चाहे किसी उत्सव, बारात या पार्टी में कहीं भी रहूँ, कितने ही लजीज व्यंजन सामने रखे हों, मेरा तनिक भी जी नहीं ललचाता, यानी भोजन के स्वाद हेतु मेरा कोई टेंप्टेशन नहीं रहता। मनोवैज्ञानिक रूप से इस तरह सशक्त हो जाने पर अब मैं अपनी दाल-रोटी में ही आनंद में रहता हूँ। इस प्रकार रसना पर लगभग मैंने एक प्रकार से नियंत्रण कर लिया है, जिस कारण मैं अब तक एक अनुशासित

एवं स्वस्थ जीवन जी सकने में समर्थ हो सका। उत्सव, पर्वों में घर में बनने वाले व्यंजनों से भी घरवालों के आग्रह के बावजूद मैं दूर ही रह जाता हूँ।

जैसा कि मैंने पहले कहा कि लिवर सिरोसिस के कई कारण हैं, जिनमें अत्यधिक मदिरा सेवन भी एक महत्त्वपूर्ण एवं सर्वाधिक प्रमुख कारण है। post-transplant अवस्था में मदिरा सेवन शरीर को जहर देना जैसा है। यद्यपि मैंने पूरे जीवन भर मदिरा के स्वाद को नहीं चखा था, तथापि मुझे लिवर सिरोसिस हुआ था। मेरी नजर में ऐसे कई उदाहरण हैं कि लिवर ट्रांसप्लांट के 1-2 वर्ष बाद ही कई लोग अपने पर नियंत्रण न रखकर पुनः नशे की दिशा में लौट जाते हैं और इतनी मेहनत व अत्यधिक खर्च से प्राप्त दूसरे जन्म की इतिश्री कर देते हैं, जो एक अत्यंत कष्टकारक स्थिति है, जिसमें पूरा घर शारीरिक, मानसिक एवं आर्थिक रूप से बहुत कुछ खो चुका होता है। मुझ पर ईश्वर की कृपा रही और मैं तो पूर्व में और बाद में भी इस त्रासदी से पूरा बचा ही रहा। इतना ही नहीं, जो व्यक्ति गुटका, तंबाकू, धूम्रपान के आदी होते हैं, उन्हें भी यह सब त्यागना ही जिंदा रहने का एकमात्र विकल्प है, अन्यथा यह सब नशे की प्रवृतियाँ पुनः लिवर को नष्ट कर देती हैं। मैं इन सब दुश्मनों से बचा रहा, यह मुझ पर ईश्वर की ही कृपा रही।

मैं आज भी निरंतर 3 माह अथवा 6 माह में अपने समस्त पैरामीटर, जैसे सी.वी.सी., एल.एफ.टी., के.एफ.टी., लिपिड प्रोफाइल, टेक लेवल आदि का परीक्षण तथा प्रत्येक 6 माह में अपने ट्रांसप्लांट सर्जन एवं फिजीशियन से परामर्श लेता रहा हूँ। यद्यपि कोरोना अवधि में यह बाधित रहा, तथापि इ-मेल के माध्यम से रिपोर्ट्स का अनुश्रवण व परामर्श जारी रखा। मेरा मानना है कि ट्रांसप्लांट करवाने से ज्यादा जरूरी है कि पोस्ट ट्रांसप्लांट स्टेज में दवाओं की निरंतरता, समयबद्धता तथा चिकित्सक से निरंतर संपर्क। यह बात मुझे बड़ा बल देती है कि मेरे दोनों डॉक्टर, जब भी फोन से परामर्श लूँ तो बड़ी तत्परता से उत्तर एवं परामर्श देते हैं। कभी-कभी ऐसा लगता है कि परिवारवालों की तरह ही मेरे डॉक्टर्स भी बराबर मेरे बारे में चिंतित रहते हैं। कोरोना काल में दो-तीन बार मैक्स अस्पताल से डॉ. गुप्ता ने मुझे फोन करवाकर मेरे बारे में जानने का प्रयास किया था। रेगुलर फॉलोअप

का एक लाभ यह भी है कि डॉक्टर्स द्वारा ओ.के. कर देने पर अगले छह माह हेतु पुनः आत्मविश्वास बढ़ जाता है तथा डॉक्टर द्वारा दिए गए परामर्श के आधार पर वजन घटने-बढ़ने, ब्लड प्रेशर में उतार-चढ़ाव, डायबिटीज आदि की शारीरिक प्रवृत्तियों का भी अनुश्रवण हो जाता है। कभी-कभी पोस्ट ट्रांसप्लांट अवस्था में अधिक भार बढ़ने से कोरोनरी आर्टरी की असमानता, फैटी लिवर या लिवर कैंसर जैसी भयावहता की ओर मरीज बढ़ने लगता है, इसलिए यह आवश्यक है कि रेगुलर फॉलोअप में रह जाए। प्रारंभ के वर्षों में प्रतिवर्ष अल्ट्रासाउंड एवं 1 वर्ष छोड़कर लिवर बायोप्सी की जाती थी। लिवर बायोप्सी सर्वाधिक कष्टकारी है। बायोप्सी प्रोसिजर के बाद 6 घंटे तक बिल्कुल न हिलना-डुलना एक सजा ही है। पिछले कई वर्षों से लिवर बायोप्सी नहीं की गई है। दो-तीन वर्ष में एक बार अल्ट्रासाउंड किया ही जाता है। एक बार एक चिकित्सक अल्ट्रासाउंड कर रहे थे, तब उन्होंने कहा था कि आपका लिवर शेप और साइज में पूरा नॉर्मल है, यदि पेट में ऑपरेशन के निशान नहीं होते तो कोई अनुमान नहीं लगा सकता कि आपका लिवर ट्रांसप्लांटेड है। यह टिप्पणी मेरे लिए अत्यंत सुखद थी। पेट में ऑपरेशन के निशान के बारे में मैंने पाया था कि मुझमें इतने वर्षों में ऑपरेशन के घाव के निशान काफी हल्के पड़ गए थे, जबकि मेरे डोनर में वह निशान अभी काफी स्पष्ट हैं, इसका कारण मुझे स्पष्ट नहीं। एक बार ऐसे ही अल्ट्रासाउंड के दौरान किसी डॉक्टर ने यों ही बातचीत करते हुए मेरा परिचय पूछा था, जब मैंने अपना निवासस्थान पिथौरागढ़ बताया, तब उन्होंने बताया था कि वह पहले चंपावत जिले में नौकरी कर चुके हैं। उनकी टिप्पणी थी कि पहाड़ के लोगों को किडनी में पथरी या स्टोन की शिकायत रहना आम बात है, जबकि मैदानी क्षेत्रों में यह तुलनात्मक रूप में कम है। उन्होंने कहा था कि मैंने अपने पहाड़ के कार्यकाल के दौरान महसूस किया था कि पहाड़ के लोग प्रायः पानी बहुत कम पीते हैं और यही कारण है कि उनमें पथरी की ज्यादा शिकायत रहती है। उनकी यह टिप्पणी यद्यपि उनकी व्यक्तिगत राय थी, लेकिन मुझे एक बार यह सोचने को विवश कर गई कि वास्तव में लोगों की पहाड़ में कम पानी पीने की आदत होती है, यह एक व्यावहारिक बात थी।

अपनी दैनिक चर्या के दौरान किसी भी कार्य को करते समय मैं बहुत सँभलकर कार्य करता हूँ, ताकि कहीं भी कोई कट या चोट न लगे और घाव में इंफेक्शन आदि का रिस्क न रहे। पोस्ट ट्रांसप्लांट अवस्था में नित्य लिया जाने वाला इम्यूनोसपरेसेंट शरीर की रोग प्रतिरोधक क्षमता को घटाता है, यह बात हमेशा ध्यान रखी जानी आवश्यक है और किसी भी प्रकार के इंफेक्शन, रक्तस्राव आदि से बचाव आवश्यक है। पोस्ट ट्रांसप्लांट अवस्था में प्रारंभिक दिनों में घाव को भरने में भी समय लगता है। अतः हमेशा सचेत रहना आवश्यक है कि काम ऐसे किए जाएँ कि चोट अथवा कटने आदि का कोई रिस्क न रहे और पिछले इतने वर्षों में मैंने ऐसे ही जिया है। मैं यद्यपि दुपहिया वाहन कई वर्षों तक चलाता रहा तथा लंबी-लंबी यात्राएँ कीं, किंतु पिछले 15 वर्षों से मैंने न तो दुपहिया वाहन चलाया और न ही उसमें पीछे बैठा हूँ, क्योंकि यदि कोई छोटी सी भी फिसलने जैसी भी दुर्घटना हो जाए, शरीर छिल जाए, घाव बन जाए तो किसी भी तरह की अप्रिय स्थिति आ सकती है। अतः मैं कभी भी इस तरह का रिस्क नहीं लेता हूँ। हालाँकि, कार चलाने का मुझे शौक है, अभी भी पिथौरागढ़ से हल्द्वानी, दिल्ली, देहरादून तक कार चलाकर जाता हूँ। मुझे किसी तरह की कोई दिक्कत नहीं होती है। यद्यपि मैं अनावश्यक थकान से बचता हूँ, तब भी मुझे जो काम करना होता है, उसे आराम से कर ही लेता हूँ, किसी पर अपनी निर्भरता नहीं छोड़ता। थकावट महसूस करने पर कुछ देर गहरी साँसें लेकर विश्राम कर लेता हूँ, ताकि शरीर को आराम मिल सके। यद्यपि आजकल योग के प्रचलन ने लोगों में व्यायाम एवं फिजिकल एक्सरसाइज की प्रवृत्ति को बढ़ा दिया है तथा post-transplant अवस्था में व्यक्ति को योगासन करना संस्तुत किया जाता है, किंतु व्यक्तिगत रूप से मैं कभी भी इस तरह का कोई अभ्यास नहीं करता। मैं स्वयं घर में तथा कार्यक्षेत्र में अपनी व्यस्तता व भाग-दौड़ में रहता हूँ, जिसे मैंने अभ्यास का ही एक हिस्सा मान लिया है। प्रातः एवं सायंकालीन घूमने का क्रम यद्यपि प्रारंभिक दिनों में रहा, किंतु बाद में घर की छत पर ही घूम लेता था। मुझे सड़कों पर घूमना इसलिए भी अच्छा नहीं लगता, क्योंकि जगह-जगह शहर में इतनी गंदगी है कि हमेशा नाक में कपड़ा बंद कर चलना पड़ता है। मुझे

ऐसे वॉक लाभप्रद नहीं लगते, जिसमें हम चलते समय साँस बाधित कर लें, अतः मैं घूमने नहीं जाता। हो सकता है, इसे मेरी एक कमी कहा जा सकता है, परंतु मैं अपने कार्यों में संलग्न रहता हूँ। हाँ, थकने पर लंबी साँसें लेकर आराम कर लेता हूँ। राजकीय सेवा से सेवानिवृत्ति के उपरांत भी व्यस्तता पूर्व से भी अधिक बढ़ गई है, जिसका एक लाभ यह भी है कि ध्यान पूरा-का-पूरा सृजनात्मक या सकारात्मक कार्यों की ओर ही लगा रहता है। वरना मेरा अनुभव हैं कि कई लोग बीमारी में हुए व्यय एवं परेशानी को लेकर सिर पकड़कर बैठे रहते हैं तथा हर मिलने वाले से अपना रोना लेकर बैठ जाते हैं। मेरे विचार से व्यक्ति को जीवन में कष्ट आते हैं, वह संघर्ष करता है और उसके बाद जीवन को जीने योग्य के साथ-साथ सार्थक बनाना श्रेयस्कर है, न कि रोना लेकर बैठना। मैंने कई बार अनुभव किया कि कई व्यक्ति अपनी छोटी-छोटी बीमारियों की तुलना मेरे ट्रांसप्लांट जैसे बड़े ऑपरेशन से करते हैं और जिस तरह अपनी छोटी सी बीमारी को बढ़-चढ़कर वह बताते हैं, मुझे उन पर दया आती है और मैं चुप रहता हूँ।

डॉक्टर द्वारा ऑपरेशन के बाद परामर्श दिया गया था कि प्रारंभिक 3 माह में मैं सीढ़ियाँ न चढ़ूँ तथा 5 किलोग्राम से अधिक भार न उठाऊँ, जिससे पेट में लगे चीर-फाड़ के घावों पर प्रभाव पड़ सकता है। मैंने कई वर्षों तक अधिक भार न उठाने की हिदायत का पालन किया, यद्यपि घर में 3 माह बाद मैं सीढ़ियाँ चढ़ने लग गया था। आज भी मैं अधिक भार की वस्तुएँ नहीं उठाता।

अपने दिल्ली-प्रवास के दौरान मैंने एक पुस्तक पढ़ी थी, जिसमें डे टाइट कंपार्टमेंटेशन की अवधारणा बताई गई थी, जिसके अनुसार जो कल बीत गया, उसमें हम कुछ भी नहीं कर सकते हैं। आने वाले कल की कोई निश्चितता नहीं है, अतः व्यक्ति को आज में ही जीना चाहिए तथा जितना अधिकतम हो सके, करना चाहिए। यह उदाहरण मेरे लिए एक मार्गदर्शक सिद्ध हुआ तथा मैं पूर्णतः सकारात्मक होकर वर्तमान में जीने पर विश्वास करने लगा हूँ तथा हर दिन अपनी क्षमताओं का अधिकतम उपयोग कर प्रत्येक दिन को उपयोगी बनाता हूँ तथा रात्रि में विचार करता हूँ कि लगभग 4 हजार रुपया रोज का जीवन जीने पर आज मेरी कार्य कीमत कितनी हो सकी? यह विचार मुझे और

अधिक कार्य करने को प्रेरित करता है। मेरा प्रयास रहता है कि मैं अधिकतम कार्य करूँ, प्रसन्न रहूँ तथा तनावरहित रहूँ। post-transplant व्यक्ति के लिए ऐसी मानसिकता उसे मजबूती प्रदान करती है, ऐसा मैंने महसूस किया। ईश्वर की शक्ति को स्वयं के भीतर महसूस करते हुए एक सकारात्मक एवं सार्थक जीवन जीने की अभिलाषा, रिकवरी एवं भीतरी मजबूती के लिए आवश्यक है।

पत्नी जीवनसंगिनी तो होती ही है, किंतु एक अच्छी पत्नी एक अच्छी लाइफ पार्टनर भी होती है, तभी उसे 'बैटर हाफ' कहा जाता है। 'बैटर हाफ' की भूमिका post-transplant अवस्था में पति के लिए और अधिक उत्तरदायित्वपूर्ण एवं महत्त्वपूर्ण हो जाती है, ऐसा मेरा अनुभव है। जिस तरह मेरी अस्वस्थता के प्रारंभिक चरण से, यानी वर्ष 2005 से अब तक, यानी लगभग 16–17 वर्षों में मेरी पत्नी ने मेरा साथ ही नहीं दिया, अपितु जिस तरह की मजबूती दिखाई, उसी का परिणाम रहा कि मैं आज इन पृष्ठों को लिखने की अवस्था में हूँ। जीवन–संघर्ष में जहाँ पूरा परिवार मेरे साथ परेशान रहा था, वहीं पत्नी ने दिल पर पत्थर रखकर, बिना आँसू बहाए अथवा भावुक हुए, जिस तरह सारी भूमिका का निर्वहन किया, वह शब्दातीत है। एक पत्नी, मित्र, माँ, भाई,बहन सभी की भूमिका का निर्वहन किया था उसने। मेरी दवा का प्रबंधन, सही समय पर दवा की याद दिलाना, भोजन आदि की मेरे अनुकूल व्यवस्थाएँ आदि–आदि में वह एक पर्सनल मैनेजर की भूमिका में सदैव तत्पर रहती। मैं मानता हूँ कि पत्नी की ऐसी भूमिका post-transplant वाले व्यक्ति के लिए एक वरदान है। घरवालों की भूमिका भी अत्यंत महत्त्वपूर्ण है, ताकि सारी दिनचर्या तनाव रहित एवं सहज जीवन–शैली वाली बन सके। पूरी दिनचर्या के नियमन, दवाओं के सेवन, आर्थिक पक्ष आदि में परिवार की बड़ी भूमिका है। मेरी दीदी, भाईसाहब व परिवारजनों का जिस तरह का मुझे सहयोग व संरक्षण मिला, मेरी स्मूथ रिकवरी में उस योगदान के प्रति कृतज्ञता व्यक्त किए बिना मेरी बात अधूरी रह जाएगी। ऐसे व्यक्ति का मनोबल ऊँचा रखने एवं भीतरी मजबूती प्रदान करने में व्यक्ति का स्वयं एवं परिवारवालों का बड़ा योगदान होता है, ऐसा मैं मानता हूँ।

अवसाद की स्थिति ऐसे व्यक्तियों के लिए अत्यंत घातक हो सकती है, जिनका लिवर ट्रांसप्लांट किया गया हो तथा जो नया जीवन जी रहे हैं। मेरे

ऑपरेशन में प्रथम 21 दिनों का पैकेज 21.50 लाख का था, जिसमें डोनर, रिसीपिएंट का पूरा खर्चा शामिल था। परिवार के बाहर मकान किराए पर लेकर रहने आदि का तीन माह का व्यय तथा निरंतर पैथोलॉजी परीक्षण, चैकअप तथा अन्य परीक्षण तथा बार-बार दिल्ली आने-जाने तथा प्रथम तीन साल तक लिये गए उपचार आदि में कुल मिलाकर लगभग 30 से 35 लाख तक व्यय हुआ। स्वाभाविक है कि तब से अब तक दवाओं के एक निश्चित पैकेज का नियमित सेवन करता हूँ। इतने महँगे ऑपरेशन, डोनर के त्याग एवं जीवन को पुनः प्राप्त करने के बाद जीने की प्रबल इच्छा ऐसे व्यक्तियों हेतु आवश्यक है। मुझ पर तो ईश्वर की कृपा ही रही कि ऑपरेशन के पहले ही शारीरिक कष्ट की भयावहता, ऑपरेशन की तैयारियों एवं ऑपरेशन के बाद के कष्ट के दिनों में भी मेरा मनोबल ऊँचा ही बना रहा तथा मैं कभी भी इस बात को लेकर परेशान नहीं रहा कि मेरे इलाज में अब तक लगभग 40 लाख रुपया खर्च हो गया है। मैंने प्रायः देखा है कि लोग बीमारी में हुए व्यय को अधिक महत्त्व देते हैं और इस बात को पकड़कर एक तरह के अवसाद में से रहते हैं, जबकि पैसे की तुलना में नया जीवन, वह भी गुणवत्ता की दृष्टि से अच्छा जीवन प्राप्त करना ज्यादा बड़ा है। हमें इस पक्ष को ज्यादा सकारात्मक रूप में देखने की आवश्यकता है। जीवन जीने की दिशा, अच्छा एवं सार्थक जीवन जीने की लालसा, लंबा जीवन जीने की इच्छा, जीवन को सार्थक एवं मूल्यपरक बनाने की उत्कंठा, समाज एवं परिवार के प्रति उत्तरदायित्वपूर्ण जीवन जीने की अभिलाषा। यह ऐसी बातें रहीं, जिन्होंने मुझे कभी ठहरने नहीं दिया और मैं लगातार अपने जीवन पथ पर बढ़ता ही रहा। ईश्वर का सतत स्मरण मुझे भीतर से यह सब सोचने व उस दिशा में चलने का साहस प्रदान करता रहा। मैं मानता हूँ कि व्यक्ति शरीर से तो जीता ही है, उससे भी ज्यादा वह मन से जीता है। 'मन के हारे हार है, मन के जीते जीत' वाली बात बहुत महत्त्वपूर्ण है। हमारी मनःस्थिति, हमारे अंतःस्रावी तंत्र को सीधे प्रभावित कर वैसे ही सकारात्मक अथवा नकारात्मक हारमोंस का स्राव करती है, ऐसा मैंने व्यक्तिगत तौर पर अनुभव किया। हम जब अच्छा सोचते हैं, सकारात्मक सोचते हैं, तो हमारा मन हमें उसी ओर बढ़ने को प्रेरित करता है, यह सब सकारात्मक हारमोंस के स्राव के कारण ही होता है। मैंने ठान

लिया था कि मैं हमेशा घर, परिवार, समाज के प्रति सकारात्मक रहूँगा तथा इतने महँगे जीवन की उपयोगिता सिद्ध करूँगा। मेरा मानना रहा कि यदि मैं 10 वर्ष भी जी गया तो मेरे 1 दिन की कीमत लगभग 4 हजार रुपए के आस-पास आती है, यदि मैं अपने इलाज के लिए हुए व्यय, अपना वेतन, पेंशन आदि को जोड़ूँ तो यह कीमत आती है। इस देश में करोड़ों लोग ऐसे हैं, जिन्हें इतनी धनराशि पूरे माह में भी प्राप्त नहीं होती है, लेकिन वह प्रसन्न हैं और समाज में अपना योगदान पूरी निष्ठा के साथ दे रहे हैं। यह बात मुझे भीतर से कुछ कर गुजरने की प्रेरणा देती रही। यही कारण रहा कि पिछले 15 वर्षों में मेरे हाथों से कई अच्छे कार्य संपन्न हुए तथा समाज में मुझे एक प्रतिष्ठा प्राप्त हुई, जो मेरे पूर्व के जीवन से एकदम अलग थी। मैं कोई भी ऐसा कार्य न करने को हमेशा सचेत रहता हूँ, ताकि मुझे इस बात की ग्लानि हो सके कि नया जीवन प्राप्त करने पर भी मैं पुनः गलती कर रहा हूँ! यह बात मुझे एक नियंत्रक के रूप में मार्गदर्शन देती रही। मेरे परिवार, मेरे मित्रों में सदैव मुझे देखकर प्रसन्नता का भाव रहता, क्योंकि मैं पूर्णतः सकारात्मक था। मेरी इस मनोदशा से मेरी पत्नी एवं दोनों पुत्र भी प्रभावित रहे। मैं कुछ भी करूँ, उनका मुझ पर अटूट विश्वास होता था कि मैं अच्छा ही करूँगा। ऐसा विश्वास प्राप्त करना एक सुखद अनुभूति थी मेरे लिए।

सामाजिक तकाजे को मैंने बड़ी गहराई से अनुभव किया था, चाहे वह ऑपरेशन के पहले की बात हो अथवा ऑपरेशन के बाद, जब मैं पूर्णरूपेण स्वस्थ था और अपनी दिनचर्या बड़ी सहजता एवं उत्साह से पूर्ण कर रहा था। समाज का ताना-बाना बड़ा जटिल है, एक ही व्यक्ति अलग-अलग लोगों के लिए अलग-अलग रूप में परिभाषित होता है। हम जिसका भला करते हैं, प्रेम करते हैं, निहित स्वार्थ पूर्ण करते हैं, हम उसकी दृष्टि में एक नेक इंसान के रूप में परिभाषित होते हैं, किंतु उसी समाज के वह लोग, जिनकी अपेक्षा में हम खरा नहीं उतरते, उनके निहित स्वार्थपूर्ण नहीं कर पाते, क्योंकि ऐसा कर पाना सदैव संभव नहीं है, उनकी दृष्टि में हमारे प्रति नकारात्मक छवि बनती है। यदि हम इस बात को गंभीरता देने लगें कि हम समाज में सभी को संतुष्ट और प्रसन्न रखें, तो यह एक बड़ी भूल है। समाज क्षणिक है, जो आज हमारा आत्मीय है, कल वही हमारा निंदक या दुश्मन का भाव रखने वाला हो जाता

है। जीवन में ऐसे कई उदाहरण हैं मेरे पास, जिससे समाज की स्वार्थपरता एवं सामने वाले व्यक्ति के प्रति राय में बदलाव का अतिरेक दिखाई पड़ा। मैंने यहाँ तक परिस्थितियाँ देखीं कि जो लोग संकट के समय मेरे पास मदद के लिए आए थे, बाद में उन्हें मैं फूटी आँख नहीं सुहाता था। ऐसे कड़वे उदाहरणों की एक लंबी फेहरिस्त है मेरे पास, किंतु मैं नहीं चाहता कि वे कड़वे अनुभवों का यहाँ जिक्र किया जाए, क्योंकि मैं इन पंक्तियों को समाज में सकारात्मकता को ध्यान में रखते हुए लिख रहा हूँ। किस तरह मैंने कई अवसरों पर इस नए जीवन में सामाजिक संघर्ष किया, वह मैं ही भली-भाँति जानता हूँ। मैंने यहाँ तक महसूस किया था कि मेरे ऑपरेशन से पूर्व मेरे कई समाज प्रेमी मुझसे इसी आश से आत्मीयता से भरे मिलने आए थे कि शायद यह उनकी मेरे से अंतिम मुलाकात होगी, उन्हें मेरी मृत्यु दिखाई पड़ी थी। पूर्ण स्वस्थ होकर मेरी उत्साही दिनचर्या उन्हें पसंद नहीं आई थी। ऐसी कड़वी अभिव्यक्ति उन्होंने भी दी थी, जो मेरे लिए अत्यंत कष्टकारी थी; किंतु मैं सभी बातों को कड़वे घूँट की तरह पी गया था। बहुत गिने-चुने आत्मीय जन ही ऐसे थे, जो निस्स्वार्थ भाव से मुझसे पूर्व से अनवरत जुड़े रहे। मेरे पास लोगों के फोन आते थे, जो कई वर्षों बाद फोन कर मुझसे मेरा स्वास्थ्य का हाल पूछते। मैं तुरंत अनुमान लगा लेता कि वर्षों बाद मेरे स्वास्थ्य का हाल पूछने के पीछे क्या उद्‌देश्य होगा ? मैं प्राय: कह देता कि किस काम से याद किया ? क्योंकि ऐसे औपचारिक फोन कॉल्स के पीछे लोगों का मेरे स्वास्थ्य से कुछ लेना-देना नहीं था, अपितु उसके पीछे उन लोगों का कुछ-न-कुछ स्वार्थ छिपा रहता था, स्वास्थ्य पूछना तो एक माध्यम था, और यह मुझे पसंद नहीं था। मैं इस दौर में अपने अति कड़वे अनुभवों के चलते कुछ रियक्टिव सा हो गया, क्योंकि मैंने अपने जीवन-संघर्ष की इस लंबी यात्रा में समाज को भीतर से देख लिया था और परसोनीफिकेशन, यानी मुखौटे पहना व्यवहार भीतर से कष्ट देता था।

मैं बाहर खाने-पीने, चाय-पानी आदि का परहेज करता था, किंतु अपने घर में सबकुछ खा लेता था। कई बार ऐसे अवसर आए कि कई परिचित जन घर आए थे, तब मैंने अपने घर पर उनके सामने चाय पी थी। बाद में मेरे घर से बाहर उनके आग्रह पर चाय न पीने पर वह तुरंत प्रतिक्रिया करते थे कि उस

दिन तो आपने चाय पी थी! मैं उन्हें कैसे समझाता कि मैं क्यों बाहर चाय-पानी नहीं ले रहा हूँ? इसी तरह किसी के घर जाकर पानी पीने पर मना करने पर वह तुरंत कहते कि हम कोई संक्रमित पानी पी रहे हैं, जो आप हमारे घर का पानी नहीं पी रहे हैं? फल लेकर आते, तो भी मैं मना कर देता, उस पर भी वैसी ही प्रतिक्रिया होती। पढ़े-लिखे लोग भी post-transplant केयर व प्रतिबंधों के प्रति कितना उपेक्षा भाव रखते थे, ऐसा मैंने देखा था। उन्हें अपने आग्रह के आगे मेरा परहेज गौण लगता था। कई अवसरों पर ऐसी स्थितियों ने मुझे समाज में किसी के घर जाने से पीछे कर दिया और मैं बहुत सीमित घरों में, ऐसा बहुत ही आवश्यक होने पर ही आना-जाना करने लगा, ताकि सामाजिक संवाद में अप्रिय स्थितियों से बचा जा सके। यद्यपि यह बातें मुझे भीतर से बड़ी सालती रहीं, किंतु मैं स्वयं के प्रति बहुत ईमानदार हो गया था तथा हर बात में एक स्टैंड लेता था, चाहे किसी को अप्रिय लगे तो लगे। मैं अपने ही अनुसार समाज में जीता रहा। मुझे भीतर से संतोष है कि मैं एक अच्छा जीवन, जिसे गुणवत्तायुक्त जीवन कहा जा सकता है, जी रहा हूँ और मनुष्य होने के अपने धर्म का निर्वहन कर पाने में स्वयं को समर्थ पाता हूँ। यह मेरा प्रयास नहीं, उसी अदृश्य शक्ति का चमत्कार है, जिसने न जाने कितनी श्वासों को मेरे लिए निर्धारित किया है और उन्हें जी पाना भी उसी की प्रेरणा है।

एक व्यक्ति, जिसे यह बता दिया गया हो कि अब उसके जीवन के अंत का क्षण करीब है, उसे मौत के दर्शन हो गए हों और फिर वह जीवित हो, एक सार्थक जीवन जी रहा हो, तो उसे व्यक्ति का पुरुषार्थ नहीं, मात्र उस अदृश्य शक्ति, जिसे हम ईश्वर कहते हैं, उसी का निर्णय मानने में किसी संशय की गुंजाइश ही नहीं रह जाती। यदि कुछ भी करणीय है, तो वह है उसके सम्मुख अपना सर्वस्व समर्पण और जीवन को एक साक्षी भाव से जीना ही एकमात्र विकल्प है। गलती तब होती है, जब हम उसके निर्णय के साथ स्वयं की बुद्धि का हस्तक्षेप करने लगते हैं, जो कि सर्वथा अस्वीकार्य है। ईश्वर ने हर प्राणी का नियोजन कर रखा है कि उसे इतने दिन, इतने क्षण, कैसे, कहाँ, किस तरह रहना है! चीजें वैसे ही होती हैं, जिसे स्वीकार करना ही श्रेयस्कर है। हाँ, इतना अवश्य है कि किसी भी परिस्थिति में पुरुषार्थ

करते रहना मानव धर्म होना ही चाहिए। यही मानसिकता मेरी बन गई थी। मैंने जीवन को एक साक्षी भाव से देखना शुरू कर दिया तथा कभी किसी प्रकार का नियोजन नहीं किया। मेरे बारे में लोग प्रायः कहा करते हैं कि मैं लंबी प्लानिंग बनाकर कार्य करता हूँ! यह लोगों का भ्रम है। वास्तव में इस नए जीवन में मैंने हर क्षण उस परम शक्ति को समर्पित कर दिया है तथा मैं मात्र साक्षी बना रहता हूँ। मैंने देखा कि चीजें अपने आप एक निश्चित क्रम में वैसी होती जाती हैं, जैसा उन्हें होना था। ऐसा देख पाना एक अत्यंत सुखद अनुभूति है। हमें हर परिणाम को वैसे ही स्वीकार करना चाहिए, जैसे हम अपनी साँसों को। हम गलती करते हैं और हम चीजों के बीच में अपना दिमाग लगा देते हैं और हमारा दिमाग, हमारी चेष्टा, सदैव विघ्नकारक एवं विपत्तिकारक होती है। पुरुषार्थ करने एवं अनधिकृत चेष्टा अथवा हस्तक्षेप में हमें अंतर करना चाहिए। यदि हम यह विभेद कर सकते हैं तो हमारे ईश्वर प्रदत्त हर क्षण के रूप में अच्छे में अच्छा तथा बुरे में भी यथावत् स्वीकार्यता जो अनुभूति देती है, वह अवर्णनीय है। हमें यह समझना आवश्यक है कि कोई भी अच्छा या बुरा क्षण किसी के साथ कभी भी स्थाई होकर नहीं रहता। आज बुरा समय है तो कल अच्छा आएगा ही, मैं कभी भी स्वयं को विचलित नहीं देखता हूँ। यह शायद इस जीवन में ईश्वर की कृपा रही है मुझ पर। मैंने अनुभव किया कि प्रत्येक व्यक्ति जिसे ईश्वर ने जीवन के अत्यंत सुखद क्षणों से पूर्ण किया है, उस स्थिति में भी उस व्यक्ति को किसी एक कष्ट से बाँध देता है, ताकि सुख के अतिरेक को वह रोक सके तथा व्यक्ति ईश्वर-कृपा के प्रति अहंकारी भाव न ला सके। यह मैंने अपने जीवन में हर क्षण संभव किया था। नया जीवन जीने की सुखद अनुभूति के दौर में मैं कहीं-न-कहीं ईश्वर-इच्छा की लगाम से खिंचा रहा, जिसने मुझे साम्य की अवस्था में रखा तथा ईश्वर के प्रति कृतज्ञता का भाव सतत बना रहा। अपने जीवन के अंतिम क्षणों में, जब डॉ. सुभाष गुप्ता ने जीवन की आस बँधाई थी, उन्होंने भी ईश्वर की इच्छा पर सब छोड़ा था। तभी मेरे मन में यह विचार आया कि जिस व्यक्ति को मैं जीवनदाता के भाव से जीवन समर्पित कर रहा हूँ, वह स्वयं को ईश्वर को समर्पित कर रहा है! ऑपरेशन की सफलता के बाद मैंने

इस बात को गहराई से अनुभव किया था। यही कारण था कि मैं ईश्वर की अपनी परिभाषा दे पाया। अपनी इस अनुभूति को मैं कुछ इस तरह व्यक्त कर पाया था—"जीवन की वे समस्त वैज्ञानिक प्रक्रियाएँ एवं चमत्कार, जहाँ हम समर्पण की स्थिति में आ जाते हैं, वहीं ईश्वर की अनुभूति है।" (All the Scientific Processes and miracles in life where we all surrender is the mighty spirit of God.) ईश्वर पर मेरे समर्पण की भी परिणति थी कि उसी दौर में अनायास मेरे मुँह से कुछ पंक्तियाँ ऐसे निकलीं, जैसे कोई माँ भीतर से बच्चे को दोहराकर बता रही हो! मैंने तत्काल ही उन पक्तियों को लिख लिया था तथा वे पंक्तियाँ मुझे उसी क्षण कंठस्थ हो मेरे जीवन की प्रार्थना बन गईं और तब से अब तक, चाहे वह पंक्तियाँ व्याकरण, पद्य अथवा गद्य में कैसी भी क्यों न हों, मैं इन्हें यथावत् प्रात:काल उठकर इन्हीं पंक्तियों से अपना दिन प्रारंभ करता हूँ—

हे नाथ जल में, थल में, नभ में
सब जगह तू ही तू है।
प्रकृति के कण-कण में
सर्वत्र तू ही व्याप्त है।
प्रत्येक जीव
तेरा ही अंश मात्र है।
मैं कण-कण में तुझे देख सकूँ
यही प्रार्थना है मेरी।
मैं मन, वचन और कर्म से
किसी का भी अहित न कर सकूँ
और, अपने समस्त कर्मों को
तेरे प्रति समर्पित करते हुए
इस जीवन में अपने होने के
प्रयोजन को सार्थक कर सकूँ
इतनी शक्ति देना मुझे।
ॐ शांति: शांति: शांति: !

अब यही प्रार्थना मेरे जीवन का आधार बन गई है तथा ईश्वर के सतत स्मरण की अवस्था इस नए जीवन में मुझे प्रफुल्लित रखने के साथ-साथ सदैव एक शक्ति प्रदान करती है। मैं किसी भी क्षण, यहाँ तक कि जीवन के अति एकांत क्षणों में भी सतत स्मरण की स्थिति में रहता हूँ। इसे मैं अपने जीवन की एक ईश्वर प्रदत्त उपलब्धि मानता हूँ और अब, जब मैं अपने इस जीवन को देखता हूँ तथा उसकी तुलना ट्रांसप्लांट से पूर्व के जीवन से करता हूँ, तो बहुत बड़ा अंतर स्पष्ट दिखाई पड़ता है, जिसमें सकारात्मकता प्रमुख है। एक तनाव रहित जीवन जीना अब मेरी दिनचर्या बन गई है। मैं सोचता हूँ कि जिस तरह का मैंने जीवन-संघर्ष किया तथा लगभग 40 लाख रुपए अपने इलाज में व्यय किए, विद्यालय स्थापना में कितना कर्ज बैंकों से लिया, सामान्यत: एक व्यक्ति के लिए चिंता एवं अवसाद का विषय हो सकते थे, किंतु मैंने इसे सार्थक जीवन जीकर जीवन की कीमत को साकार किया, इस बात का मुझे आत्मिक संतोष है। post-transplant अवस्था में अवसाद अत्यंत घातक हो सकता है, अत: आवश्यक है कि ऐसा व्यक्ति हर क्षण उत्साह एवं प्रसन्नता से लबरेज रहे। हम प्राय: उत्सव, विवाह,पर्वों एवं अन्य क्षणों में उत्साहित रहते हैं, किंतु किसी की भी अंतिम यात्रा देखते समय हम शांत हो कुछ क्षण ही सही, नकारात्मकता में आ जाते हैं तथा जीवन के नैराश्य भाव हमें घेरने लगते हैं। लेकिन अब मेरा चिंतन कुछ इस तरह बदल गया कि जब किसी की शवयात्रा भी निकलती है तो मुझे उस क्षण भी उत्साह होता है कि अमुक व्यक्ति अपना रोल पूरा कर जिंदगी में कितनी अच्छी ढंग से विदा हो रहा है! मुझे भी अच्छे कर्म करने चाहिए, ताकि मेरी भी अंतिम यात्रा ऐसे ही निकले तथा मुझे मेरे मरने के बाद लोग याद करें! यह भाव मुझे भीतर से और अधिक ऊर्जा प्रदान करता है। मुझे लगता है कि जीवन तो क्षणभंगुर है, कल था, आज है, कल होगा या नहीं, पता नहीं। अत: मैं आज को अधिकतम जीने व कुछ भी कल पर शेष न रखने की कार्यशैली पर विश्वास करने लगा हूँ। यही कारण है कि प्रधानाचार्य के रूप में 8 वर्ष कार्य करने के दौरान मैंने कभी भी प्रात: 9:00 से सायं 4:00 बजे तक ही विद्यालय में समय दिया, किंतु भरसक प्रयास किया कि विद्यालय संचालन प्रभावी हो तथा रोज का कार्य रोज ही पूर्ण कर कल के लिए कुछ भी अधूरा न छोड़ा जाए। व्यक्ति को हर क्षण इस तरह ही जीना चाहिए

कि किसी भी पल वह चला जाए तो कोई भ्रांतियाँ, अधूरापन उसके पीछे न रहे। यह बात कहने में लगती है कि कठिन है, परंतु मैं तो post-transplant जीवन में इसी भावना से कार्य करने का प्रयास करता हूँ और यही कारण है कि मुझे इस दौर में अच्छे-अच्छे कार्यों के निष्पादन व सफलता के अवसर प्राप्त हुए। इस बीच मैंने श्रीमद् भागवत पुराण का विस्तार से अध्ययन किया, जिसमें चतुर्थ स्कंध के सातवें अध्याय के श्लोक 2 से 5 तक वर्णित दक्ष के सिर का प्रत्यारोपण, भवदेव के नेत्रों का प्रत्यारोपण, भृगु की त्वचा (दाढ़ी-मूँछ) का प्रत्यारोपण, पूषा के दाँतों का प्रत्यारोपण आदि का वर्णन आता है। 9 से 12 तक के श्लोक में दक्ष के पोस्ट ट्रांसप्लांट की अनुभूति तथा 13 से 15 के श्लोकों में ईश्वर की स्तुति के बाद 51वें श्लोक में भगवान् का दक्ष को दिया हुआ आशीर्वाद—"धर्म एव मतिं दत्वा त्रिदशास्ते दिवं वयुः" अर्थात् 'मैंने तुझे ये नया जीवन इसलिए दिया है कि अब तेरी बुद्धि सदैव धर्म के कार्यों में लगे।' यही श्लोक हमेशा मेरा पथ-प्रदर्शक बना रहता है। लगता है कि ईश्वर ने मुझे नवजीवन संभवतः इसी प्रयोजन से दिया कि मैं सदैव प्रफुल्लित रहकर अपनी ओर से समाज के प्रति योगदान कर सकूँ। पोस्ट ट्रांसप्लांट अवधि में मेरा मानना है कि व्यक्ति की ईश्वर के प्रति समर्पण भाव की जीवन-शैली अत्यावश्यक है, ताकि वह एक नई प्रेरणा से कार्य कर सकें। जैसा मुझे लगता है कि मेरा पिछला जीवन तो समाप्तप्रायः था, लेकिन जब नया जीवन मिला है, तो उसे इस तरह जिया जाए कि मुझसे प्रत्यक्ष अथवा परोक्ष में कोई भी ऐसा कृत्य न होने पाए, जिससे मुझे नवजीवन प्राप्त करने पर ग्लानि का अहसास हो। मैं बार-बार सचेत रहता हूँ और यही कारण है कि कई बार मेरे व्यवहार एवं निर्णय में ऐसी बातें होती हैं, जिन्हें सामने वाला व्यक्ति नहीं समझ पाता है। मेरी सदैव ईश्वर से प्रार्थना रहती है कि यह समर्पण भाव एवं सतत स्मरण यों ही बना रहे। मुझे अब यह लगता है कि मनुष्य की कोई हैसियत नहीं है कि वह कुछ कर सके, ईश्वर ही नियंता है। अपने जीवन का संघर्ष एवं आर्थिक तंगी के साथ-साथ 'मानस एकेडमी' की स्थापना, उसे विस्तृत स्वरूप प्रदान करना किसी बाहरी व्यक्ति के लिए बड़ी बात हो सकती है तथा वह इसे प्रॉपर्टी अथवा धन की दृष्टि से आँक सकता हो, परंतु मेरी दृष्टि में यह सब ईश्वर की कृपा एवं माता-पिता का आशीर्वाद है। मेरे मन में तनिक भी इसके स्वामित्व

का भाव नहीं आता है तथा मैं भी इसे एक विद्यालय के रूप में इस तरह देखता हूँ, जैसे कि मुझे इसका केयरटेकर बनाया गया हो! यही भाव मेरे भीतर सदैव बना रहता है और मैं तटस्थ भाव से पुरुषार्थ के मार्ग पर चलकर इस संस्था का साक्षी बना रहता हूँ; बस, इतना ही अस्तित्व है मेरा 'मानस एकेडमी' के साथ। हाँ, यहाँ बच्चों का भविष्य-निर्माण होता है, अत: बच्चों को अच्छी शिक्षा-दीक्षा दी जा सके, यह भाव मुझे पुरुषार्थ हेतु प्रेरित करता है।

□□□

Milton Keynes UK
Ingram Content Group UK Ltd.
UKHW051054010224
436888UK00008BA/33